bezpieczna
przystań

DANIELLE STEEL

bezpieczna przystań

Przekład
ALICJA SKARBIŃSKA

AMBER

Korekta
Hanna Lachowska

Projekt graficzny okładki
Małgorzata Cebo-Foniok

Zdjęcie na okładce
© siart/Shutterstock

Tytuł oryginału
Safe Harbour

Druk i oprawa
Drukarnia SKLENIARZ

ISBN 978-83-241-6356-4

Warszawa 2017. Wydanie VII

Wydawnictwo AMBER Sp. z o.o.
02-954 Warszawa, ul. Królowej Marysieńki 58

www.wydawnictwoamber.pl

Boża dłoń

Zawsze to uczucie
trwogi,
podniecenia,
i lęku.
Nadchodzą dni,
kiedy wychodzimy naprzeciw
zagubionym Bożym duszom,
zapomnianym, zziębniętym,
spłukanym i brudnym,
czasem tylko, bardzo rzadko,
czystym,
nowym na ulicy,
z jeszcze czystymi włosami
splecionymi w warkocz,
świeżo ogolonym,
podczas gdy za miesiąc
widzimy ruiny dni,
te same twarze już nie
takie same,
ubrania w strzępach,
dusze, które się rozpadają
jak ich koszule,
jak ich buty

i oczy…
Idę na mszę
i modlę się za nich,
nim wyruszymy
niczym matadorzy
wkraczający na arenę,
nigdy niewiedzący,
co przyniesie noc,
ciepło czy rozpacz,
niebezpieczeństwo czy śmierć,
dla nich bądź dla nas.
Moje modlitwy ciche
i serdeczne,
a potem w końcu
wracamy,
otoczeni śmiechem
jak biciem dzwonów,
kiedy wypatrujemy twarzy
i ciał,
oczu, co na nas patrzą,
znają nas teraz,
podbiegają,
a my skaczemy
raz po raz
i jeszcze raz,
ciągnąc ciężkie torby,
żeby im kupić
jeszcze jeden dzień
jeszcze jedną deszczową noc,
godzinę… zimną.
Modliłam się za was…
gdzieście byli?
Wiedziałam, że przyjdziecie!
Z koszulami przyklejonymi
do ciała.

W tym deszczu
ich ból i ich radość
mieszają się z naszymi.
Niesiemy nadzieję
na skalę,
której nie umiemy zmierzyć.
Dotykają naszych rąk,
patrzą nam głęboko
w oczy.
Niech was Bóg błogosławi,
śpiewają półgłosem,
odchodząc
noga, ręka,
oko,
raz,
jedno życie dzielą z nami
przez chwilę
na ulicach,
kiedy idziemy dalej,
a oni zostają
wyryci w naszej pamięci
na zawsze.
Ta dziewczyna
z twarzą całą w strupach,
ten chłopiec bez nogi
w ulewnym deszczu,
który swoim widokiem
zasmuciłby matkę,
mężczyzna, który
spuścił głowę i łka,
nie mogąc nawet wziąć od nas
przeznaczonej dla niego torby.
I wszyscy inni,
co budzą w nas lęk,
gdy tak krążą

i patrzą
niezdecydowani:
odrzucić czy wziąć udział,
niepewni:
zaatakować czy podziękować.
Spotykają nasz wzrok,
dotykają ręką,
ich żywoty
splatają się z naszymi,
jak te inne,
nieodwołalnie,
bezmiernie,
a w końcu, u kresu,
łączy nas już tylko ufność,
jedyna ich nadzieja,
nasza jedyna tarcza,
kiedy wciąż i wciąż
stajemy naprzeciw nich.
Noc się zużywa,
twarze bez końca,
cała ta beznadzieja
przerwana najkrótszą
chwilą, gdy rodzi się
nadzieja,
a torba z ciepłymi ubraniami
i jedzeniem,
latarką i śpiworem,
talią kart
i opatrunkami,
symbol przywróconej godności,
tego, że są ludźmi
tak samo jak my.
A potem wreszcie
twarz, w której oczy
tak porażające,

że aż staje serce,
a czas
rozpada się na drobinki,
i my się rozpadamy,
albo, przeciwnie, tworzymy całość,
nie ma między nami różnic,
jesteśmy jednym,
kiedy te oczy szukają moich.
Czy pozwoli mi uznać go
za jednego z nas,
czy też rzuci się naprzód,
żeby mnie zabić,
bo nadzieja odeszła od niego
zbyt daleko.
Czemu to dla nas robisz?
„Bo was kocham", chcę powiedzieć,
ale nie znajduję słów,
więc wręczam mu torbę,
a wraz z nią serce.
Moja nadzieja i wiara
rozlewają się na tak wielu,
a na koniec zawsze
najgorsza z wszystkich twarz,
po paru weselszych
i paru bliskich śmierci,
co już nawet mówić nie mogą,
ale ta ostatnia,
przypada zawsze mnie.
Biorę ją do domu
w swoim sercu,
na skroniach ma cierniową koronę,
twarz wyniszczona,
jest najbrudniejszy,
najstraszniejszy,
stoi i patrzy,

pewnie stoi,
zatopił we mnie wzrok,
czasem jakby nieobecny,
zarazem złowieszczy
i pełen rozpaczy.
Widzę, jak idzie,
wprost na mnie,
a kiedy chcę uciec,
nie mogę, nie chcę
i nie śmiem.
Czuję lęk,
spotykamy się
twarzą w twarz,
wzajemnie smakując
strach drugiego
jak łzy,
co się mieszają na twarzy,
i wtedy wiem
i pamiętam
gdyby to była
moja jedyna szansa,
by dotknąć Boga,
by sięgnąć i być
przez Niego
dotkniętą,
gdyby to była
jedyna szansa,
by udowodnić, ile jestem warta,
by dowieść mojej
dla Niego miłości,
czybym uciekła?
Stoję pewnie,
pamiętam,
że On pod różną
przychodzi postacią,

wiele ma twarzy
i złe uśmiechy,
a może nawet
niedobre oczy.
Wyciągam torbę,
nagle tchórzliwa,
ledwie oddycham,
ale pamiętam,
dlaczego wyszłam
w tę ciemną noc,
i dla kogo…
Stoimy oboje, równie samotni,
a między nami
czai się śmierć,
kiedy on wreszcie
zabiera torbę, mówi „Bóg zapłać"
i odchodzi,
a kiedy w końcu
jedziemy do domu,
cisi i syci,
czuję, że jeszcze
raz dotknęła nas
ta Boża dłoń.

Schronienie

przerwana
  wznowiona
    o tobie
      myśl
miejsce,
  gdzie szukam
    schronienia,
szwy twoje,
  rany moje,
dziedzictwo tych,
  co nas
    kochali,
zwycięstwa
  i klęski
    z wolna się
      mieszają,
nasze opowieści
  w jedną
    stopione,
wygrzewają się
  w zimowym
    słońcu,
i już nie jestem

na kawałki
rozsypana,
cała jestem,
na dobre
cała,

piękne antyczne
naczynie
o żyłkowanej powierzchni,
ma się wrażenie,
że już są zbędne
zagadek życia sekrety,
a ty,
kochany przyjacielu,
trzymasz mnie za rękę,
i razem
naprawiamy,
a życie znów się
zaczyna,
pieśń
miłości
i radości,
co nigdy nie ma
końca.

Rozdział 1

To był jeden z tych chłodnych, mglistych dni, które w Kalifornii Północnej udają lato. Wiatr smagał plażę w kształcie długiego półksiężyca i wzbijał w powietrze chmurę sypkiego piasku. Plażą szła powoli mała dziewczynka w czerwonych szortach i białej bawełnianej bluzie, twarzą pod wiatr. Jej pies obwąchiwał wodorosty na skraju wody.

Dziewczynka miała krótkie, kręcone rude włosy, miodowe oczy z bursztynowymi cętkami i piegi. Ci, którzy znają się na dzieciach, odgadliby, że miała dziesięć, może dwanaście lat. Była drobna i zgrabna, z chudymi nóżkami. Szli wolno z ogrodzonego osiedla w kierunku publicznej plaży na drugim końcu. Tego zimnego dnia nad morzem nie było prawie nikogo. Dziewczynce chłód najwyraźniej nie przeszkadzał; pies – labrador koloru czekolady – szczekał od czasu do czasu na kłęby piasku unoszone wiatrem, a potem znów biegł na brzeg morza. Na widok kraba cofnął się gwałtownie, szczekając z wściekłością i dziewczynka roześmiała się głośno. Dziecko i pies byli dobrymi przyjaciółmi, ale najwyraźniej wiedli samotne życie i zapewne często tu razem przychodzili.

Czasami na plaży bywało gorąco i słonecznie, jak to w lipcu, czasem nadciągała mgła i dni stawały się zimne i ponure. Mgła zbliżała się do lądu, wprost przez wieże Golden Gate. W niektóre dni z plaży widać było most. Miasteczko Safe

Harbour znajdowało się trzydzieści pięć minut jazdy samochodem na północ od San Francisco. Ponad połowa mieszkańców mieszkała w ogrodzonym osiedlu, z domami wzdłuż plaży, tuż za wydmami. Strażnik w budce nie wpuszczał niepożądanych gości. Na plażę można było wejść tylko od strony tych domów. Na drugim końcu znajdowała się plaża publiczna i rząd prostych domków, właściwie baraków, z których też można było zejść nad morze. W gorące dni plaża publiczna zapełniała się ludźmi, ale na ogół było pusto.

Dziewczynka doszła do tego miejsca plaży, gdzie stały zwykłe domki, i zobaczyła mężczyznę siedzącego na składanym krzesełku i malującego akwarelami obraz ustawiony na sztalugach. Przystanęła, przyglądając mu się z daleka. Pies pobiegł między wydmy za zapachem, który wyczuł na wietrze. Dziewczynka usiadła na piasku i obserwowała artystę. Wyczuwała w nim coś solidnego i znajomego. Wiatr rozwiewał jego krótkie ciemne włosy. Mężczyzna nie zdawał sobie sprawy z obecności dziewczynki, która lubiła obserwować ludzi; czasami przyglądała się rybakom, z daleka, lecz uważnie. Teraz spostrzegła, że na obrazie są łódki, których nie widziała na morzu. Po jakimś czasie pies wrócił i usiadł przy niej na piasku. Pogłaskała go, nie patrząc na niego; spoglądała na przemian to na morze, to na malarza.

Po chwili wstała i podeszła trochę bliżej, stając za artystą, trochę z boku, tak że on nadal nie zdawał sobie sprawy z jej obecności, ale ona doskonale widziała obraz: piękne kolory i zachód słońca. Zmęczony pies stanął przy niej, jakby czekał na rozkaz. Znowu minął jakiś czas, nim podeszła jeszcze bliżej, i w końcu malarz ją zauważył. Zaskoczony podniósł głowę, gdy pies przebiegł koło niego, wzbijając fontannę piasku. Dopiero wtedy spostrzegł dziewczynkę. Bez słowa wrócił do malowania i pół godziny później, kiedy się znów obejrzał, przekonał się ze zdumieniem, że nie ruszyła się z miejsca.

W końcu usiadła na piasku i nadal przyglądała się jego pracy. Żadne z nich nie powiedziało ani słowa. Niżej, przy ziemi, było cieplej. Artysta, tak jak dziewczynka, miał na sobie bawełnianą bluzę, dżinsy i zniszczone tenisówki. Dostrzegła delikatnie pomarszczoną twarz z ciemną opalenizną i ładne ręce. Miał jakieś czterdzieści parę lat, jak jej ojciec. Kiedy odwrócił głowę, żeby zobaczyć, czy dziewczynka wciąż tam jest, spojrzeli sobie w oczy, choć żadne z nich się nie uśmiechnęło. Od dawna nie rozmawiał z dziećmi.

– Lubisz rysować?

Nie mógł sobie wyobrazić innego powodu, dla którego jeszcze nie odeszła. Gdyby nie lubiła rysować, dawno by się znudziła.

Prawdę mówiąc, dziewczynka lubiła po prostu milczące towarzystwo, nawet kogoś obcego.

– Czasami – odparła ostrożnie. W końcu to obcy człowiek, a ona dobrze wiedziała, że nie należy rozmawiać z obcymi. Matka jej o tym stale przypominała.

– Co lubisz rysować? – spytał, myjąc pędzel.

Miał wyraziste rysy twarzy i dołek w brodzie. W jego szerokich ramionach i długich nogach drzemała spokojna siła. Mimo że siedział na składanym krzesełku, widać było, że jest wysoki.

– Lubię rysować mojego psa. Jak pan rysuje łódki, jeśli ich tu nie ma?

Tym razem odwrócił się do niej z uśmiechem i ich oczy znowu się spotkały.

– Z wyobraźni. Chcesz spróbować? – Wyciągnął do niej rękę z małym szkicownikiem i ołówkiem.

Zawahała się, podeszła i wzięła ofiarowane przybory.

– Czy mogę narysować mojego psa? – spytała z poważnym wyrazem delikatnej twarzyczki. Czuła się zaszczycona tym, że ofiarował jej szkicownik.

– Jasne, możesz narysować, co chcesz. – Przez jakiś czas siedzieli obok siebie, pogrążeni w pracy. Dziewczynka w skupieniu zajmowała się rysunkiem. – Jak on się nazywa? – zapytał artysta, gdy labrador przebiegł koło nich, ścigając mewy.

– Mus – odparła, nie podnosząc oczu znad rysunku.

– Nie wygląda jak łoś*, ale to dobre imię – stwierdził, poprawiając coś na obrazie ze zmarszczonym czołem.

– To taki deser. Po francusku. Z czekolady.

– Tak chyba będzie dobrze – powiedział z satysfakcją. Właściwie zakończył pracę. Minęła czwarta, a zaczął malować zaraz po lunchu. – Znasz francuski? – spytał, bardziej żeby coś powiedzieć niż z autentycznej ciekawości, i zdziwił się, kiedy skinęła głową.

Od wielu lat nie rozmawiał z dziećmi w jej wieku i nie był pewien, co powinien powiedzieć. Wytrwale i w milczeniu pracowała nad rysunkiem. Zauważył, że pomimo rudych włosów jest trochę podobna do jego córki. Vanessa w tym wieku miała długie, proste jasne włosy, ale w postawie i gestach miały ze sobą coś wspólnego. Gdy mrużył oczy, prawie widział Vanessę.

– Moja mama jest Francuzką – dodała dziewczynka, przyglądając się swojej pracy. Jak zwykle, gdy rysowała psa, napotykała tę samą trudność – nie udawały jej się tylne nogi.

– Pokaż – powiedział, wyciągając rękę po szkicownik. Widział jej skrępowanie.

– Nie umiem narysować tyłu – wyznała, podając mu rysunek.

Jej praca stworzyła między nimi pewnego rodzaju porozumienie, jak między mistrzem i uczennicą. Czuła się zdumiewająco dobrze w jego obecności.

– Ja ci pokażę… Mogę? – spytał o pozwolenie, zanim poprawił jej rysunek. Skinęła głową.

Kilkoma kreskami poprawił nieudaną część. W gruncie rzeczy narysowała bardzo dobry portret psa.

– Nieźle ci poszło – pochwalił, podając jej wyrwaną stronę i chowając szkicownik i ołówek.

---

* Gra słów: słowo moose, które wymawia się „mus" po angielsku oznacza łosia (przyp. tłum.).

– Dziękuję za poprawki. Nigdy nie wiem, jak to narysować.

– Następnym razem będziesz wiedziała. – Zaczął pakować farby. Zrobiło się chłodniej, choć żadne z nich tego nie zauważyło.

– Wraca pan do domu? – spytała rozczarowana.

Kiedy spojrzał w jej oczy koloru koniaku, dostrzegł w nich samotność, która go poruszyła. Było w niej coś szalenie smutnego.

– Już późno. – Nad morzem gęstniała mgła. – Mieszkasz tu, czy przyjechałaś w odwiedziny? – Nie znali swoich imion, ale to nie miało znaczenia.

– Przyjechałam na lato – wyjaśniła obojętnie. Prawie się nie uśmiechała. Ciekaw był, skąd się tu wzięła. Tego popołudnia nawiązała się między nimi nić porozumienia.

– Mieszkasz na strzeżonym osiedlu? – Zakładał, że przyszła z północnego krańca plaży. Dziewczynka przytaknęła.

– Pan tu mieszka? – spytała.

W odpowiedzi gestem głowy wskazał rząd parterowych budynków za plecami.

– Jest pan artystą?

– Myślę, że tak. Ty też – dodał z uśmiechem, spoglądając na rysunek psa, który przyciskała do siebie. Żadne z nich nie chciało odejść, choć oboje wiedzieli, że powinni wracać do domu. Dziewczynka musiała wrócić przed matką, żeby nie wpaść w kłopoty. Wymknęła się opiekunce, która godzinami rozmawiała przez telefon ze swoim chłopakiem. Dziewczynka wiedziała, że nastoletniej opiekunce było wszystko jedno, gdzie się podziewa. Przeważnie nawet nie zauważała, że dziecka nie ma, i dowiadywała się o tym, kiedy wracała matka.

– Mój tata też kiedyś rysował.

Zwrócił uwagę na to „kiedyś", ale nie był pewien, czy ojciec dziewczynki przestał rysować, czy też odszedł. Podejrzewał, że to drugie. Przypuszczalnie mała jest dzieckiem z rozbitej rodziny, które szuka kontaktu z mężczyznami. Znał te sprawy.

– Czy jest artystą?

– Nie, inżynierem. Wymyślił różne rzeczy. Chyba muszę już iść do domu – dodała z westchnieniem i spojrzała na niego ze smutkiem. Jakby na rozkaz pojawił się Mus i czekał, gotów do drogi.

– Może znowu się kiedyś spotkamy. – Lato jeszcze się nie kończyło, choć, z drugiej strony, nigdy jej przedtem tu nie widział. Podejrzewał, że rzadko się tu zapuszcza. Za daleko od domu.

– Dziękuję, że pozwolił mi pan rysować – powiedziała grzecznie. W jej oczach pojawił się smutny uśmiech, który głęboko go poruszył.

– Było mi miło. – Niezręcznie wyciągnął do niej rękę. – Nazywam się Matthew Bowles.

Poważnie uścisnęła jego dłoń. Była naprawdę dobrze wychowaną, nadzwyczajną małą dziewczynką i spotkanie z nią sprawiło mu przyjemność.

– Jestem Pip Mackenzie.

– To ciekawe imię. Pip? Skrót od czegoś?

– Tak. Nienawidzę go – zachichotała po dziecinnemu. – Skrót od Phillippy. Po dziadku. Okropne, prawda?

Wykrzywiła się pogardliwie, wywołując jego uśmiech. Była niesamowita, z tymi kręconymi rudymi włosami i piegami. A przecież nie wiedział nawet, czy wciąż jeszcze lubi dzieci, i na ogół ich unikał. Jednak w tej dziewczynce wyczuwał coś magicznego.

– A mnie się podoba. Phillippa. Może i ty je kiedyś polubisz.

– Raczej nie. To głupie imię. Pip bardziej mi się podoba.

– Będę o tym pamiętał, kiedy się znowu zobaczymy – obiecał z uśmiechem.

Stali w miejscu, nie mając ochoty się rozstawać.

– Przyjdę, kiedy mama pojedzie do miasta. Może w czwartek.

Miał wrażenie, że wymknęła się z domu, nikomu nic nie mówiąc, ale przynajmniej razem z psem. Nagle, bez konkretnego powodu, poczuł się za nią odpowiedzialny.

Złożył krzesełko, podniósł zniszczone pudełko z farbami i pod ramię włożył sztalugi. Przez dłuższą chwilę stali, przyglądając się sobie.

– Jeszcze raz bardzo panu dziękuję.

– Możesz mówić do mnie Matt. Dziękuję za towarzystwo. Do widzenia, Pip – powiedział prawie z żalem.

– Do widzenia – odparła, machając ręką i odeszła tanecznym krokiem, niczym liść niesiony wiatrem. Po chwili znów mu pomachała i pobiegła plażą.

Spoglądał za nią przez długi czas, zastanawiając się, czy ją jeszcze kiedyś zobaczy i czy ma to jakieś znaczenie. W końcu jest tylko nieznajomym dzieckiem. Opuścił głowę, by ochronić oczy przed wiatrem, i ruszył przez wydmę do swojego małego domku. Wszedł do środka przez nigdy niezamykane na klucz drzwi i poczuł ból, którego nie czuł od lat i którego się nie spodziewał. To jest właśnie kłopot z dziećmi, pomyślał, nalewając sobie wina. Wciskają się do serca jak drzazga pod paznokieć, a wyciąganie boli jak diabli. Ale może jest tego warte? Pomyślał, że w dziewczynce z plaży było coś wyjątkowego, i powędrował wzrokiem do portretu, który namalował wiele lat temu, przedstawiającego bardzo podobną dziewczynkę. Jego córkę Vanessę, kiedy miała mniej więcej tyle samo lat. Przeszedł z kuchni do dużego pokoju i usiadł ciężko w zniszczonym skórzanym fotelu. Wyglądając przez okno na zbierającą się nad wybrzeżem mgłę, widział oczami wyobraźni małą dziewczynkę z kręconymi rudymi włosami, piegami i dziwnymi oczami koloru koniaku.

Rozdział 2

OPHÉLIE MACKENZIE WZIĘŁA OSTATNI ZAKRĘT i powoli przejechała swoim kombi przez miasteczko Safe Harbour. Składało się z dwóch restauracji, księgarni, sklepu ze sprzętem do surfowania, sklepu spożywczego i galerii. Spędziła w mieście męczące popołudnie. Nie znosiła spotkań grupy, które odbywały się dwa razy w tygodniu, choć musiała przyznać, że jej pomagały. Brała w nich udział od maja i miała przed sobą jeszcze dwa miesiące. Zgodziła się przyjeżdżać na spotkania w lecie i dlatego zostawiała Pip pod opieką córki sąsiadki. Szesnastoletnia Amy lubiła opiekować się dziećmi, a przynajmniej tak twierdziła, i chciała dorobić do kieszonkowego, a Ophélie potrzebowała pomocy. Pip lubiła Amy i układ odpowiadał wszystkim zainteresowanym, choć Ophélie nie cierpiała jeździć do miasta dwa razy w tygodniu, mimo że zabierało jej to pół godziny, najwyżej czterdzieści minut. Droga, oprócz piętnastokilometrowego odcinka z ostrymi zakrętami między plażą a autostradą, nie była trudna. Poza tym jazda wzdłuż nadbrzeżnych skał, krętą drogą z widokiem na ocean, relaksowała. Jednak tego popołudnia Ophélie czuła się zmęczona. Słuchanie innych wykańczało psychicznie, a w jej życiu od października nie zaszły zmiany na lepsze. Ale przynajmniej miała wsparcie grupy ludzi, z którymi mogła porozmawiać, w miarę potrzeby, o swoich uczuciach. Nie chciała dzielić się kłopotami z Pip. To nie byłoby w porządku wobec jedenastoletniego dziecka.

Ophélie przejechała przez miasteczko i skręciła w lewo, w ślepą uliczkę, która prowadziła do strzeżonego osiedla. Większość ludzi nawet jej nie zauważała, ale Ophélie skręcała już automatycznie. Podjęła dobrą decyzję i znalazła dobre miejsce na lato. Odpowiadały jej spokój, samotność i cisza. Oraz długa, niemal niekończąca się plaża z białym piaskiem i czasem wietrzna, czasem upalna pogoda.

Nie przeszkadzały jej mgła i chłodne dni. Na ogół bardziej pasowały do jej nastrojów niż słońce i niebieskie niebo, o którym marzyli inni mieszkańcy. Czasami nawet nie wychodziła z domu. Leżała w łóżku albo na kanapie w dużym pokoju, udając, że czyta książkę, gdy w rzeczywistości wracała myślami do czasów, kiedy wszystko było inne. Przed październikiem. Minęło zaledwie dziewięć miesięcy, które wydawały się wiekiem.

Ophélie powoli przejechała przez bramę i skinęła głową strażnikowi. Westchnęła i ostrożnie ruszyła w stronę domu. Na drodze dzieci jeździły na rowerkach, kręciły się psy, spacerowali ludzie. Wszyscy mieszkańcy znali się, lecz nie spoufalali. Ophélie mieszkała tu od miesiąca, jednak jeszcze nikogo nie poznała i wcale tego nie chciała. Wjechała na podjazd i wyłączyła silnik. Przez chwilę siedziała w samochodzie. Była zbyt zmęczona, by się ruszyć, zająć Pip czy przygotować kolację, choć wiedziała, że musi to zrobić. Nieustanna apatia uniemożliwiała jakąkolwiek działalność oprócz uczesania się czy wykonania paru telefonów.

Czuła się tak, jakby jej życie się skończyło, jakby miała sto lat, chociaż skończyła czterdzieści dwa, a wyglądała na trzydzieści. Miała długie, jasne, miękkie, kręcone włosy i oczy tego samego koniakowego koloru co jej córka. I była tak samo drobna i delikatna. W szkole uczyła się tańca. Od małego usiłowała zainteresować Pip baletem, ale dziewczynka stanowczo się temu sprzeciwiła. Balet był dla niej nudny i trudny, nienawidziła ćwiczeń, drążka i innych dzieci dążących do perfekcji. Nie przykładała się do zwrotów, skoków i szpagatów. Ophélie w końcu się poddała i pozwoliła córce robić to, na co miała ochotę. Pip przez rok uczyła się jeździć konno, chodziła w szkole na zajęcia z ceramiki, a w wolnym czasie rysowała. Lubiła samotność i wolała, gdy dawano jej spokój i mogła czytać, rysować, marzyć albo bawić się z psem. Pod niektórymi względami była podobna do matki, która także miała samotne dzieciństwo. Ophélie często zastanawiała się, czy powinna pozwalać Pip na samotne spędzanie czasu. Pip jednak wydawała się z tego zadowolona i zawsze potrafiła zorganizować sobie czas, nawet teraz, gdy matka tak mało się nią zajmowała. Przypadkowy obserwator mógłby pomyśleć, że dziewczynce wcale to nie przeszkadza, chociaż Ophélie męczyły nieustanne wyrzuty sumienia. Często wspominała o tym na spotkaniach grupy, nie potrafiła jednak wyrwać się z letargu. Nic już nie było takie samo.

Schowała kluczyki do torebki, wysiadła z samochodu i trzasnęła drzwiami. Nie musiała zamykać samochodu. Kiedy weszła do domu, zastała Amy wkładającą w pośpiechu naczynia do zmywarki. Gdy Ophélie wracała, Amy zawsze coś robiła, co oznaczało, że obijała się przez całe popołudnie i musiała to jak najszybciej nadrobić. Choć i tak nie było tu wiele do roboty. Dom był jasny, dobrze utrzymany, z nowoczesnymi meblami, gładką drewnianą podłogą i wielkimi oknami ze wspaniałym widokiem na ocean. Na zewnątrz znajdował się długi, wąski ganek z ogrodowymi meblami. Taki dom bardzo im odpowiadał. Spokojny, łatwy do utrzymania w czystości i ładny.

– Cześć, Amy. Gdzie Pip? – spytała Ophélie. Mówiła biegle po angielsku i w jej głosie niemal nie słyszało się francuskiego akcentu. Tylko kiedy była bardzo zmęczona lub zdenerwowana, zdradzało ją jakieś słówko.

– Nie wiem. – Amy spojrzała tępym wzrokiem. Ta rozmowa stale się powtarzała. Amy nigdy nie wiedziała, gdzie jest Pip. Ophélie podejrzewała, że jak zwykle rozmawiała ze swoim chłopakiem przez telefon komórkowy. To była jedyna rzecz, która nie podobała się Ophélie. Oczekiwała, że Amy lepiej dopilnuje Pip, zwłaszcza że dom stał nad oceanem. Zawsze wpadała w panikę na myśl, że córce mogłoby się coś przydarzyć.

– Chyba czyta w swoim pokoju. Tam ją ostatnio widziałam – powiedziała Amy.

Prawdę mówiąc, Pip nie wchodziła do pokoju, odkąd wyszła z niego rano. Matka zajrzała tam, ale oczywiście córki nie było. Dokładnie w tym czasie Pip biegła do domu plażą, z psem depczącym jej po piętach.

– Czy poszła na plażę? – spytała zdenerwowana Ophélie, gdy wróciła do kuchni. Od października nieustannie się denerwowała, co wcześniej rzadko jej się zdarzało. Teraz jednak wszystko się zmieniło. Amy włączyła zmywarkę i zaczęła zbierać się do wyjścia, w ogóle nie przejmując się swoją podopieczną. Na tym polega siła beztroskiej młodości. Ophélie nauczyła już się tragicznej prawdy, że życiu nie można ufać.

– Chyba nie. Nic mi nie mówiła – mruknęła od niechcenia Amy.

Ophélie zdenerwowała się, mimo że okolica słynęła z bezpieczeństwa. Była wściekła, że Amy niedostatecznie pilnuje Pip i pozwala jej wychodzić bez pytania. Gdyby coś jej się stało, potrącił ją samochód czy spotkała jakaś niemiła przygoda, nikt by nic nie wiedział. Przykazała Pip, by mówiła Amy dokąd idzie, ale ani córka, ani opiekunka nie zwracały uwagi na jej polecenia.

– Do zobaczenia w czwartek! – zawołała Amy, wychodząc.

Ophélie zrzuciła sandały, wyszła na ganek, rozejrzała się i spostrzegła Pip, która biegła do domu, trzymając w ręce coś, co trzepotało na wietrze i wyglądało jak kartka papieru. Ophélie z uczuciem ulgi zeszła z wydmy i ruszyła na spotkanie córki. Ostatnio zawsze przychodziły jej do głowy najgorsze przypuszczenia.

Pomachała Pip, która podbiegła i zatrzymała się przy niej bez tchu. Mus, szczekając, skakał wokół nich. Pip zauważyła, że matka jest zdenerwowana.

– Gdzie byłaś? – spytała Ophélie, marszcząc brwi. Nadal była zła na Amy. Ta dziewczyna zachowuje się beznadziejnie, ale oprócz niej nie ma nikogo, kto zechciałby przypilnować Pip, kiedy Ophélie jedzie do miasta.

– Poszłam z Musem na spacer, aż tam. – Pip pokazała ręką na publiczną plażę. – I droga z powrotem zabrała mi więcej czasu, niż myślałam. Mus biegał za mewami.

Ophélie w końcu rozluźniła się i uśmiechnęła. Pip jest naprawdę słodkim dzieckiem. Ophélie pamiętała swoją młodość w Paryżu i wakacje w Bretanii. Uwielbiała tamte letnie miesiące i kiedyś zabrała do Bretanii małą Pip, żeby pokazać jej miejsce, w którym spędziła dzieciństwo.

– Co to jest? – Spojrzała na papier.

– Narysowałam Musa. Teraz już wiem, jak narysować jego tylne łapy.

Nie wyjaśniła jednak, skąd to wie. Matka byłaby niezadowolona, zabraniała jej rozmawiać z obcymi. Wiedziała, że Pip jest bardzo ładna, choć dziewczynka na razie nie zdawała sobie z tego sprawy.

– Nie wyobrażam sobie, że pozował ci do portretu – powiedziała z uśmiechem rozbawiona Ophélie.

Kiedy się uśmiechała, widać było, że jest piękną kobietą, z regularnymi rysami twarzy, doskonałymi zębami, ślicznym uśmiechem i wesołymi oczami. Jednak od października prawie nigdy się nie uśmiechała. A wieczorami każda z nich pogrążała się we własnym świecie i właściwie ze sobą nie rozmawiały. Ophélie bardzo kochała córkę, ale nie wiedziała, o czym z nią rozmawiać. Wymagało to zbyt dużego wysiłku. Wszystko stało się za trudne, czasem nawet oddychanie, a przede wszystkim rozmowa. Codziennie wieczorem chowała się w swoim pokoju i leżała po ciemku na łóżku. Pip szła do siebie i zamykała drzwi, a jeśli potrzebowała towarzystwa, wołała psa.

– Znalazłam dla ciebie muszelki. – Pip wyjęła z kieszeni dwie ładne muszle i podała je matce. – Znalazłam też piaskowego dolara, ale był połamany.

– Rzadko znajduje się je w całości – powiedziała Ophélie. Ruszyły w stronę domu. Zapomniała pocałować córkę na powitanie, ale dziewczynka już się do tego przyzwyczaiła. Kontakty międzyludzkie czy dotyk drugiego człowieka sprawiały matce trudność. Schowała się za wzniesionym przez siebie murem. Matka, jaką Pip znała przez jedenaście lat, znikła. Kobieta, która zajęła jej miejsce, choć niby taka sama, była osobą kruchą i załamaną. Ktoś zamienił ją w robota. Pip nie miała wyboru i musiała to zaakceptować. I starała się nie okazywać, że jej to przeszkadza.

W ciągu ostatnich dziewięciu miesięcy dojrzała psychicznie i wyostrzyła się jej intuicja, umiała wyczuwać nastroje innych ludzi, a w szczególności matki.

– Jesteś głodna? – spytała nerwowo Ophélie. Przygotowywanie posiłków stało się męczarnią, jeszcze bardziej nie cierpiała jedzenia. Od wielu miesięcy nie czuła głodu. Obie schudły, nie były w stanie wiele zjeść.

– Nie. Chcesz, żebym potem zrobiła pizzę? – To była jedna z potraw, nad którą siedziały, nie jedząc, choć Ophélie chyba nie zauważała, że Pip bardzo mało je.

– Może – odparła niedbale matka. – Mogę coś zrobić, jeśli chcesz.

Jadły pizzę przez ostatnie cztery dni. W zamrażarce było ich pełno. Inne potrawy wydawały się zbyt pracochłonne. Najłatwiej dawało się nie jeść pizzy.

– Właściwie nie jestem głodna – stwierdziła Pip. Codziennie odbywały tę samą rozmowę. Czasami, mimo wszystko, Ophélie piekła kurczaka i robiła sałatę, których również nie jadły. Jedzenie sprawiało za dużo kłopotu. Pip żyła kanapkami z masłem orzechowym i pizzą. Matka prawie nic nie jadła i to było widać.

Ophélie poszła do siebie i położyła się. Pip w swoim pokoju oparła portret Musa o lampę na nocnym stoliku. Karton był dostatecznie sztywny. Przyglądała się rysunkowi i myślała o Matthew. Chciała go znów zobaczyć w czwartek. Polubiła go. A rysunek z jego poprawkami wyglądał znacznie lepiej. Mus przypominał prawdziwego psa, a nie pół psa, pół królika, jak na jej wcześniejszych rysunkach. Matthew jest prawdziwym artystą.

Kiedy Pip weszła do pokoju matki, już się ściemniło. Chciała zaproponować, że przygotuje kolację, ale matka spała. Leżała tak nieruchomo, że Pip się przestraszyła, gdy jednak podeszła bliżej, zobaczyła, że oddycha. Przykryła ją kocem, który leżał w nogach łóżka. Matce zawsze było zimno, pewnie dlatego że tak schudła. Albo ze smutku. I dużo spała.

Pip poszła do kuchni i otworzyła lodówkę. Nie miała ochoty na pizzę i tak zjadała zawsze najwyżej jeden kawałek. Zrobiła sobie kanapkę z masłem orzechowym i zjadła przed telewizorem. Oglądała przez chwilę telewizję z psem śpiącym jej u stóp. Mus zmęczył się bieganiem po plaży i teraz chrapał cicho. Obudził się dopiero, kiedy Pip wyłączyła telewizor, zgasiła światło w dużym pokoju i bezszelestnie poszła do swojego pokoju. Umyła zęby, włożyła piżamę, weszła do łóżka i zgasiła lampkę. Leżąc, rozmyślała o Matthew Bowlesie, starając się nie pamiętać, jak bardzo zmieniło się jej życie od października. Zasnęła po paru minutach. Ophélie obudziła się dopiero następnego dnia.

Rozdział 3

Była środa. Wstał upalny, słoneczny dzień, jakie rzadko zdarzały się w Safe Harbour i sprawiały, że wszyscy wybierali się na plażę, żeby godzinami leżeć na słońcu. Kiedy Pip wstała i weszła w piżamie do kuchni, powietrze było już gęste i gorące. Ophélie siedziała z parującą filiżanką herbaty przy kuchennym stole, miała zmęczoną twarz. Nigdy, nawet po najdłuższym śnie, nie wstawała wypoczęta. Zaledwie chwilę po przebudzeniu okropne poczucie rzeczywistości uderzało ją w samo serce. Zawsze istniała ta jedna cudowna chwila zapomnienia i tym gorsza była konstatacja, jaka jest rzeczywistość. A między tymi dwiema chwilami pojawiało się instynktowne przeczucie, że stało się coś bardzo złego. Wstawała z łóżka zmęczona i zniechęcona. Poranki nie były łatwe.

– Dobrze spałaś? – spytała grzecznie Pip, nalewając sobie do szklanki soku pomarańczowego i wkładając kawałek chleba do tostera.

Nie zrobiła grzanki dla matki, bo Ophélie i tak by jej nie zjadła. Nigdy nie jadała śniadań.

Matka nie odpowiedziała. Obie wiedziały, że to bez sensu.

– Przepraszam, że wczoraj tak nagle zasnęłam. Chciałam wstać. Zjadłaś kolację?

Martwiła się, wiedząc, jak niewiele robi dla córki, ale nie potrafiła sobie z tym poradzić. Była jak sparaliżowana, choć męczyły ją nieustanne wyrzuty sumienia. Pip skinęła głową. Nie miała nic przeciwko temu, by samej przygotowywać sobie coś do jedzenia. Zdarzało się to coraz częściej. Prawie zawsze. Wolała jedzenie w samotności przed telewizorem od siedzenia z matką w milczeniu przy kuchennym stole. Od miesięcy nie miały sobie nic do powiedzenia. Zimą, kiedy miała do odrabiania lekcje, łatwiej przychodziło jej wykorzystać je jako usprawiedliwienie, żeby szybko pójść do siebie.

Grzanka głośno wyskoczyła z tostera. Pip chwyciła ją, posmarowała masłem i zjadła, nie biorąc talerzyka. Wiedziała, że Mus wyliże z podłogi wszystkie okruchy. Prawdziwy psi odkurzacz. Wyszła na ganek i usiadła na słońcu na leżaku. Ophélie wyszła za nią.

– Andrea powiedziała, że przyjedzie dziś z dzieckiem.

Pip ucieszyła się. Uwielbiała tego malucha. William, syn Andrei, miał trzy miesiące i był symbolem niezależności i odwagi swojej matki. W wieku czterdziestu czterech lat Andrea doszła do wniosku, że nie spotka już księcia z bajki i nie wyjdzie za mąż. Dzięki sztucznemu zapłodnieniu zaszła w ciążę i w kwietniu urodziła zdrowego, pięknego, ciemnowłosego i tłuściutkiego chłopca ze śmiejącymi się niebieskimi oczami i cudownym uśmiechem. Ophélie została jego matką chrzestną, tak jak wcześniej Andrea została matką chrzestną Pip.

Kobiety zaprzyjaźniły się przed osiemnastoma laty, kiedy Ophélie z mężem przyjechała do Kalifornii. Przez poprzednie dwa lata mieszkali w Cambridge, gdzie Ted wykładał fizykę na uniwersytecie Harvarda. Nikt nigdy nie miał najmniejszych wątpliwości co do geniuszu Teda. Był niesłychanie uzdolnionym, spokojnym, małomównym człowiekiem, a jednocześnie łagodnym, czułym i kochającym mężczyzną. Czas i problemy życiowe w końcu go zmieniły i sprawiły, że stał się zgorzkniały. Przez wiele trudnych lat nic nie działo się tak, jak tego chciał i z trudem utrzymywał rodzinę. Poszczęściło mu się dopiero przed pięciu laty. Zrobił majątek na dwóch wynalazkach i wszystko stało się łatwiejsze. Ale Ted się zmienił.

Kochał Ophélie i dzieci. Wiedzieli o tym, a przynajmniej tak mówili, choć już im tego nie okazywał. Zagubił się w nieustannych próbach opracowania nowych projektów i rozwiązań. I ostatecznie zarobił miliony dolarów, sprzedając patenty swoich wynalazków z dziedziny technologii energii. Zyskał nie tylko światową sławę, ale i powszechny szacunek i uznanie. Odnalazł na końcu tęczy garnek ze złotem, ale nie pamiętał już, że była jakaś tęcza. Koncentrował się wyłącznie na pracy i zapomniał o żonie i dzieciach. Ophélie nigdy nie przestała go kochać, gdyż mimo trudnego charakteru i dziwactw nie znała drugiego takiego mężczyzny i nadal była z nim mocno związana. Kiedyś powiedziała do Andrei: „Przypuszczam, że pani Beethoven też nie było łatwo". Nigdy o nic męża nie oskarżała, chociaż tęskniła za ich wczesnymi wspólnymi latami. Oboje wiedzieli, że zmiany w pewnym sensie spowodował Chad. Kłopoty chłopca wpłynęły nieodwołalnie na ojca. Odsuwając się od syna, odsuwał się także od jego matki, jakby ją za to winił. Ich jedyny syn od dziecka miał poważne problemy i wreszcie po wielu ciężkich przeżyciach dostał w wieku czternastu lat diagnozę depresji dwubiegunowej. Wtedy Ted, dla własnego spokoju, całkowicie się od niego odsunął, zrzucając odpowiedzialność na matkę. Odnalazł ratunek w odrzuceniu.

– O której przyjedzie Andrea? – spytała Pip.

– Jak się ze wszystkim upora. Mówiła, że przed południem.

Ophélie cieszyła się z przyjazdu przyjaciółki. Dziecko stanowiło przyjemne oderwanie się od rzeczywistości, zwłaszcza dla Pip, która je uwielbiała. A Andrea, mimo wieku i braku doświadczenia, była bardzo wyluzowaną matką. Nie przeszkadzało jej, że Pip nosi dziecko, całuje je i łaskocze w małe stópki, gdy Andrea karmi go piersią. Bobas kochał Pip. Jego radosne usposobienie wnosiło do ich życia trochę słońca. Nawet Ophélie się przy nim ożywiała.

Ku powszechnemu zdumieniu Andrea, ceniona prawniczka, wzięła roczny urlop, żeby zająć się dzieckiem. Uważała, że urodzenie Williama jest najlepszą rzeczą, jaka jej się w życiu przydarzyła, i nie żałowała tego ani przez moment. Wszyscy mówili jej, że urodzenie dziecka przeszkodzi w znalezieniu męża, ale Andrea w ogóle się tym nie przejmowała. Wystarczał jej syn. Ophélie uczestniczyła przy porodzie i obie wzruszyły się do łez. William urodził się szybko i bez problemów; był to pierwszy poród, jaki Ophélie widziała, nie licząc własnych. Doktor podał jej dziecko, by wręczyła je Andrei, parę minut po urodzeniu, i to związało obie kobiety jeszcze mocniej. Często wspominały to niezwykłe wydarzenie, które stało się czymś nadzwyczajnym w ich dotychczasowej przyjaźni.

Matka z córką posiedziały chwilę na słońcu, nie czując się zobligowane do rozmowy. Zadzwonił telefon i Ophélie poszła go odebrać. Dzwoniła Andrea, która właśnie skończyła karmić Williama i wyruszała na plażę. Ophélie postanowiła wziąć prysznic, a Pip przebrała się w kostium kąpielowy i zawołała do matki, że idzie z psem na plażę. Brodziła w wodzie, gdy czterdzieści pięć minut później zjawiła się Andrea. Jak zwykle wparowała do domu niczym huragan. Po paru minutach wszędzie leżały torby z pieluchami, ubranka, kocyki i zabawki. Ophélie weszła na wydmę i gestem przywołała Pip. Po chwili dziewczynka bawiła się z Williamem, a Mus obszczekiwał ich z przejęciem. Tak wyglądała normalna wizyta Andrei i jej synka. Po dwóch godzinach znów nakarmiła dziecko i wszystko trochę przycichło. Pip zjadła kanapkę i wróciła na plażę. Andrea siedziała zadowolona na kanapie, pijąc sok pomarańczowy. Ophélie uśmiechnęła się do niej.

– Jest śliczny… Masz szczęście, że go urodziłaś – stwierdziła z zazdrością. Małe dziecko wnosiło coś bardzo uspokajającego i radosnego. Było początkiem, a nie końcem, nadzieją, a nie rozczarowaniem, stratą i smutkiem. W jednej chwili życie Andrei stało się przeciwieństwem życia Ophélie, która miała wrażenie, że jej życie się skończyło.

– Jak się czujesz? Jak ci się tu mieszka? – Andrea stale martwiła się o przyjaciółkę.

Teraz siedziała wygodnie rozparta na kanapie, z wyciągniętymi nogami, z dzieckiem przy odkrytej piersi. Była dumna ze swojej nowej roli. Ładna kobieta, z przenikliwymi ciemnymi oczami i długimi ciemnymi włosami splecionymi w warkocz. Znikły nagle sądowe kostiumy i oficjalny sposób bycia. Miała na sobie różową bluzkę bez pleców i białe szorty. Boso, tak jak teraz, przewyższała Ophélie o głowę. W butach na obcasach miała ponad metr osiemdziesiąt. Mimo wysokiego wzrostu była seksowną kobietą.

– Lepiej – odparła Ophélie, nie całkiem zgodnie z prawdą, choć rzeczywiście czasami czuła się trochę lepiej. Przynajmniej mieszkała w domu pozbawionym wspomnień, oprócz tych, które nosiła w głowie. – Czasem wydaje mi się, że spotkania grupy wpędzają mnie w depresję, czasem myślę, że mi pomagają. Przeważnie sama nie wiem, jak to jest.

– Pewnie jedno i drugie. Jak większość rzeczy w życiu. Ale jesteś z innymi ludźmi, którzy przeżywają to samo. My przypuszczalnie nie rozumiemy twoich odczuć.

Dobrze, że Andrea to przyznała. Ophélie nienawidziła ludzi, którzy twierdzili, że rozumieją, co czuje, choć było to niemożliwe.

– Mam nadzieję, że nigdy nie przeżyjesz czegoś podobnego. – Ophélie uśmiechnęła się smutno. Andrea przystawiła dziecko do drugiej piersi. Nadal ssało energicznie, ale wiedziała, że za parę minut naje się i zaśnie. – Mam wyrzuty sumienia wobec Pip. Straciłam z nią kontakt. Jakbym unosiła się gdzieś w przestrzeni.

I niezależnie od tego, jak bardzo chciała wrócić na ziemię, ciągle jeszcze nie potrafiła tego zrobić.

– Mimo to jakoś daje sobie radę. Od czasu do czasu chyba łapie z tobą kontakt. To poważny dzieciak. Wiele przeszła. Obie wiele przeszłyście. – Chad przez ostatnie lata przysporzył rodzinie stresów, a Ted miał swoje dziwactwa. Pip i tak nieźle radziła sobie w życiu, podobnie jak Ophélie. Do października. Była spoiwem łączącym rodzinę w obliczu licznych zmartwień i poważnych problemów. Dopiero październik rzucił ją na kolana. Ale Andrea nie miała wątpliwości, że przyjaciółka znowu stanie na nogi. I chciała jej w tym pomóc.

Przyjaźniły się od prawie dwudziestu lat. Poznały się przez wspólnych znajomych i od razu polubiły, być może dlatego, że tak bardzo się od siebie różniły. Ophélie – spokojna i łagodna, Andrea – wygadana i stanowcza, czasem wręcz męska w swoich poglądach. Zdecydowanie heteroseksualna, z bogatym życiem erotycznym, nigdy nie pozwoliła żadnemu mężczyźnie sobą dyrygować. Ophélie była kobieca, wciąż bardzo europejska, jeśli chodzi o wyznawane wartości i poglądy, podporządkowana mężowi, co jej absolutnie nie przeszkadzało. Andrea zawsze namawiała ją, by stała się bardziej niezależna, bardziej amerykańska. Łączyła je namiętność do sztuki, muzyki i teatru. Raz czy dwa poleciały do Nowego Jorku na premierę nowej sztuki. Andrea kiedyś nawet poleciała z Ophélie do Francji. Poza tym Andrea miała świetny kontakt z Tedem. Stanowili trójkąt, w którym wszystkie osoby jednakowo się lubią. Andrea skończyła fizykę na politechnice w Massachusetts, a później prawo w Stanford i stamtąd przyjechała do Kalifornii, gdzie już została. Nie cierpiała myśli, że mogłaby wrócić do śnieżnych zim w Bostonie, skąd pochodziła. Zamieszkała w Kalifornii trzy lata przed Ophélie i Tedem i z determinacją postanowiła tam urządzić swoje życie. Ted godzinami rozmawiał z nią o swoich projektach zadowolony, że przyjaciółka żony zna się na fizyce. Andrea rozumiała je znacznie lepiej niż Ophélie, która z kolei cieszyła się, że ma tak mądrą przyjaciółkę. Nawet Ted, przy trudnym usposobieniu, musiał przyznać, że jest pod wrażeniem wiedzy Andrei.

Andrea reprezentowała duże korporacje w procesach przeciwko rządowi, co odpowiadało jej konfrontacyjnej osobowości. To także pozwalało jej czasami trzymać w karbach Teda, który podziwiał ją również za to. Pod pewnymi względami dawała sobie z nim radę lepiej niż żona. Jednak Andrea mogła sobie na to pozwolić, bo nie miała nic do stracenia. Ophélie nigdy nie odważyłaby się mówić mu takich rzeczy, które bez skrępowania mówiła Andrea. Lecz Andrea nie musiała żyć z nim na co dzień. Ted zachowywał się jak udzielny geniusz i wymagał od rodziny szacunku. Wyłamywał się jedynie Chad, który od dziesiątego roku życia twierdził, że nienawidzi ojca. Nie cierpiał jego wyniosłego sposobu bycia i poczucia wyższości. Chad też był mądrym chłopcem, tylko coś popsuło się w jego połączeniach mózgowych. Niestety w tych najważniejszych.

Ted nie potrafił zaakceptować faktu, że syn nie był doskonały i mimo wysiłków Ophélie się go wstydził. I Chad dobrze o tym wiedział. Dochodziło między nimi do okropnych scen. Jedynie Pip udało się zachować dystans i nie dać się pokonać konfliktom, które omal nie zniszczyły rodziny. Już jako małe dziecko była kimś w rodzaju wróżki, która delikatnie usiłowała przywrócić spokój. To właśnie kochała w niej Andrea. To magiczne dziecko przynosiło błogosławieństwo każdemu, kogo dotknęło, tak jak teraz Ophélie. Pip wyrozumiale traktowała matkę i jej chwilową nieumiejętność zrobienia czegokolwiek, choćby prostego posiłku. I wszystko jej wybaczała, nie tak jak Chad i Ted. Żaden z nich nie umiałby tolerować choroby Ophélie, nawet jeśli sami stali się jej przyczyną. Nadal winiliby ją za wszystko. Zwłaszcza Ted. Chociaż Ophélie nigdy tak tego nie widziała. Podziwiała męża, który nie traktował jej tak, jak na to zasłużyła jako doskonała żona – cierpliwa, namiętna, wyrozumiała, wybaczająca. Stała za nim murem od samego początku, kiedy jeszcze żyli w biedzie.

– Masz tu jakieś rozrywki? – spytała Andrea. Dziecko zasnęło.

– Czytam. Śpię. Spaceruję na plaży.

– Inaczej mówiąc, uciekasz przed życiem – stwierdziła, jak zwykle brutalnie, Andrea.

– Czy to takie straszne? Może tego mi właśnie trzeba.

– Może. Ale niedługo minie rok. Musisz w którymś momencie wrócić do świata, Ophélie. Nie można się schować na zawsze.

Nawet nazwa miejscowości, w której Ophélie wynajęła dom, symbolizowała to, czego szukała. Safe Harbour. Bezpieczna Przystań. Chroniąca przed sztormami, które atakowały ją od października, a nawet dużo wcześniej.

– Dlaczego nie? – spytała Ophélie głosem całkowicie pozbawionym nadziei.

Andrea znowu poczuła przypływ serdecznego współczucia. Jej przyjaciółka ma naprawdę ciężkie życie.

– To nie jest dla ciebie dobre. Ani dla Pip. Jesteś jej potrzebna. Nie możesz się chować przed ludźmi i przed światem. Musisz zacząć nowe życie. Wychodzić, spotykać się z ludźmi, z czasem zacząć chodzić na randki. Nie możesz być ciągle sama.

Andrea pomyślała także, że Ophélie powinna znaleźć sobie jakąś pracę, ale nie odważyła się powiedzieć tego na głos. Ophélie na razie nie była w stanie pracować. Ani żyć.

– Nie mogę sobie tego wyobrazić! – zawołała z przerażeniem Ophélie. Nie widziała siebie z nikim innym oprócz Teda. Nadal uważała się za jego żonę. Nie potrafiła pojąć, że mogłaby dzielić życie z innym mężczyzną. Że mogłaby tego chcieć. W jej oczach nikt nie mógł dorównać Tedowi, chociaż życie z nim nie należało do łatwych.

– Mogłabyś zacząć od czegoś innego. Na przykład uczesać się, przynajmniej raz na jakiś czas.

Kiedy się spotykały, Ophélie przeważnie była nieuczesana, ubierała się niechlujnie. Brała prysznic, wkładała dżinsy i stary sweter, przejeżdżając ręką po włosach. Czesała się i wkładała porządne ubranie tylko wtedy, kiedy jechała na spotkanie grupy. Poza tym praktycznie nie jeździła nigdzie, tylko odwoziła Pip do szkoły. Wtedy też się nie czesała. Zdaniem Andrei minęło już sporo czasu i przyjaciółka powinna wziąć się w garść. To ona wymyśliła wyjazd na lato do Safe Harbour i sama znalazła dom przez znajomego pośrednika. Teraz, patrząc na Pip i na Ophélie, widziała, że to był dobry pomysł. Ophélie wyglądała znacznie lepiej, opalona i ładna.

– Co będziesz robiła, gdy wrócisz do miasta? Nie możesz znowu zamknąć się na całą zimę w domu.

– Właśnie że mogę – odparła Ophélie. – Teraz mogę robić, co mi się żywnie podoba.

Obie wiedziały, że to prawda. Ted zostawił jej ogromny majątek, choć Ophélie się tym nie przechwalała. Żyła w paradoksalnym kontraście do pierwszych, biednych lat małżeństwa. W pewnym momencie mieszkali w dwupokojowym mieszkaniu, w złej dzielnicy. Dzieci miały jeden pokój, a Ophélie i Ted spali na rozkładanym łóżku w drugim. W garażu Ted urządził laboratorium. I tamte, trudne i biedne lata Ophélie uważała za najszczęśliwsze. Sprawy skomplikowały się, kiedy Ted się wybił. Z sukcesem gorzej sobie radził.

– Wybiję ci z głowy te głupoty o życiu jak odludek po powrocie do miasta – zagroziła Andrea. – Zmuszę cię, żebyś chodziła do parku ze mną i z Williamem. Może wybierzemy się do Nowego Jorku na otwarcie sezonu w Metropolitan. Jeżeli będzie trzeba, wyciągnę cię z domu za włosy – zapowiedziała z groźbą w głosie.

Willie poruszył się i znów zasnął, mrucząc coś do siebie. Obie kobiety uśmiechnęły się, patrząc na niego. Andrea pozwoliła mu spać przy piersi, tam było mu najlepiej.

– Nie wątpię – odparła Ophélie.

Kilka minut później wróciła Pip z psem. Miała ręce pełne kamyków i muszelek, które ostrożnie położyła na stoliku do kawy, razem z garścią piasku. Ophélie nie miała serca jej ganić.

– To dla ciebie, Andreo – powiedziała z dumą Pip. – Możesz je zabrać do domu.

– Dziękuję. Czy piasek też mogę wziąć? Co robiłaś? Poznałaś tu jakieś dzieci? – Andrei leżało na sercu dobro Pip.

Dziewczynka wzruszyła ramionami. Nie poznała nikogo. Rzadko widywała na plaży jakichś ludzi, a ponieważ matka żyła jak odludek, nie poznała też żadnych rodzin z osiedla.

– Chyba zacznę tu częściej przyjeżdżać, żeby was trochę rozruszać. Muszą tu być przecież jakieś dzieci. I znajdziemy je dla ciebie.

– Mnie nic nie trzeba – powiedziała, jak zwykle, Pip. Nigdy nie narzekała, bo to niczego by nie dało. Matka nie mogła na razie zrobić nic więcej, niż robiła. I już. Być może pewnego dnia jej się polepszy. Pip akceptowała taką sytuację. Była dojrzalsza niż dzieci w jej wieku, a ostatnich ich dziewięć miesięcy znacznie przyspieszyło proces jej dorastania.

Andrea została z nimi do wieczoru i wyjechała tuż przed kolacją. Chciała wrócić do domu przed nadejściem mgły. Przez cały czas śmiały się i rozmawiały, Pip bawiła się z dzieckiem i je łaskotała, siedziały na ganku, rozkoszując się słońcem, i spędziły cudowne popołudnie. Jednak gdy Andrea pojechała, dom znowu stał się pusty i smutny. Miała w sobie tyle rado-ści, że mogła obdzielić nią wszystkich.

– Czy chcesz, żebym wypożyczyła jakiś film na wideo? – zaproponowała Ophélie. Od dawna nie myślała o takich rze-czach, ale wizyta Andrei ją zmobilizowała.

– Niekoniecznie. Pooglądam telewizję – odparła cicho Pip.

– Jesteś pewna?

Pip skinęła głową.

Potem zajęły się codziennym problemem kolacji, choć tym razem Ophélie zaproponowała, że zrobi hamburgery i sa-łatę. Hamburgery były trochę zbyt wysmażone, ale Pip nic nie powiedziała. Nie chciała zniechęcać matki. Smakowały w każdym razie lepiej niż mrożona pizza. Pip zjadła całego hamburgera, a matka pół i całą porcję sałaty. Pod wpływem Andrei sprawy przybierały lepszy obrót.

Idąc spać, Pip pomyślała, że chciałaby, by matka utuliła ją w łóżku. Oczywiście w istniejących warunkach trudno było tego oczekiwać, jednak sama myśl o tym sprawiła jej przyjemność. W dzieciństwie ojciec utulał ją przed snem, choć już dawno przestał to robić. Oboje przestali. Ojciec rzadko przebywał w domu, a matka przeważnie zajmowała się Chadem…

Pip sama poszła do łóżka. Nikt nie przyszedł jej przykryć, powiedzieć dobranoc, pomodlić się razem z nią czy poczytać. Już się do tego przyzwyczaiła. Chociaż wyobrażała sobie, że w innym życiu, w innym świecie mogło być inaczej.

Tego wieczoru matka poszła do siebie zaraz po kolacji, kiedy dziewczynka jeszcze oglądała telewizję. Później, gdy Pip leżała w łóżku, pies polizał ją po twarzy, ziewnął i ułożył się na podłodze. Wyciągnęła rękę i pogłaskała go za uchem.

Zasypiając, uśmiechnęła się do siebie. Wiedziała, że na-stępnego dnia matka wybiera się do miasta, dzięki czemu ona będzie mogła pójść na plażę i znowu spotkać się z Matthew Bowlesem. Zasnęła szybko i śniła jej się Andrea z dzieckiem.

Rozdział 4

W CZWARTEK NAD OCEANEM ZNÓW WISIAŁA MGŁA. Pip jeszcze na wpół spała, kiedy matka wyjechała. Przed spotkaniem grupy Ophélie miała wizytę u adwokata i musiała być w mieście przed dziewiątą. Amy przygotowała Pip śniadanie, a potem, kiedy dziewczynka oglądała w telewizji filmy rysunkowe, zasiadła przy telefonie. Dopiero w porze lunchu Pip postanowiła pójść na plażę. Wprawdzie myślała o tym przez cały ranek, ale obawiała się, że wcześniej nie zastanie tam Matthew.

– Dokąd idziesz? – spytała Amy, która nagle poczuła się odpowiedzialna za dziewczynkę.

– Na plażę z Musem – odpowiedziała niewinnie Pip, schodząc z ganku.

– Chcesz, żebym poszła z tobą?

– Nie, dziękuję.

Amy wróciła do rozmowy telefonicznej z poczuciem dobrze spełnionego obowiązku. Po chwili Pip i Mus biegli brzegiem morza.

W końcu go zobaczyła. Siedział w tym samym miejscu, na składanym krzesełku, przed sztalugami. Usłyszał szczekanie psa i się odwrócił. Myślał o Pip poprzedniego dnia i teraz z przyjemnością spojrzał na jej opaloną buzię.

– Cześć! – zawołała, jakby witała starego znajomego.

– Witaj! Jak się macie?

– Świetnie. Przyszłabym wcześniej, ale obawiałam się, że pana nie zastanę.

– Jestem tu od dziesiątej.

Podobnie jak Pip bał się, że się nie spotkają. Oczekiwał kolejnego spotkania, choć przecież się nie umawiali.

– Dodał pan jeszcze jedną łódź – zauważyła Pip, przyglądając się obrazowi. – Podoba mi się. Ładna. – Na horyzoncie, niedaleko zachodzącego słońca, widniała mała czerwona łódź rybacka, która dodawała obrazowi dynamizmu. Ku zadowoleniu Matthew dziewczynce od razu się spodobała. – Jak pan je sobie tak dobrze wyobraża? – zapytała z podziwem. Mus znikł w trawie porastającej wydmy.

– Widziałem wiele łodzi – powiedział i uśmiechnął się ciepło. Polubiła go i nie miała wątpliwości, że jest jej przyjacielem. – Mam niewielką żaglówkę, którą trzymam w lagunie. Kiedyś ci pokażę. – Tę małą, starą, drewnianą żaglówkę darzył szczególną sympatią i wypływał na niej w morze, kiedy tylko mógł. Od dziecka lubił żeglować. – Co robiłaś wczoraj? – zapytał. Lubił jej słuchać i lubił na nią patrzeć. Lubił także z nią rozmawiać, czego nie mógł powiedzieć o innych dzieciach. Poza tym miał ochotę naszkicować jej portret.

– Przyjechała moja mama chrzestna ze swoim synkiem. On ma trzy miesiące, nazywa się William i jest naprawdę fajny. Często się śmieje. Wolno mi go nosić na rękach. Nie ma ojca – dodała rzeczowo.

– To niedobrze. Dlaczego?

– Andrea nie wyszła za mąż. Dostała Williama z banku, czy coś w tym rodzaju. Nie wiem. To skomplikowane. Moja mama mówi, że to nie jest takie ważne. Po prostu William nie ma taty.

Matthew zaintrygowała ta sytuacja. Brzmiało to bardzo nowocześnie. Nadal wierzył w tradycyjne małżeństwo i tradycyjnych rodziców, chociaż zdawał sobie sprawę, że życie nie zawsze podporządkowuje się zasadom. Ciekaw był, co się stało z ojcem Pip, bo miał wrażenie, że dziewczynka już z nim nie mieszka, ale bał się pytać. Nie chciał jej zasmucać ani wydać się wścibski. Ich pączkująca przyjaźń opierała się w dużej mierze na dyskrecji i delikatności, co leżało zarówno w jej, jak i jego naturze.

– Chcesz dzisiaj rysować? – spytał, przyglądając jej się uważnie. Wyglądała jak mały elf skaczący po plaży. Lekka i zwinna.

– Poproszę – odparła grzecznie.

Podał jej blok i ołówek.

– Co dziś narysujesz? Znowu Musa? Teraz już wiesz, jak narysować tylne łapy, i powinno ci być łatwiej – dodał.

Pip z namysłem przyjrzała się jego obrazowi.

– Czy mogłabym narysować łódkę?

– Czemu nie. Chcesz spróbować i przerysować ode mnie? Czy wolałabyś narysować żaglówkę? Mogę ci ją naszkicować, jeśli chcesz.

– Mogę przerysować te z pana obrazu.

Nie chciała sprawiać kłopotu, była przyzwyczajona do tego, żeby nie stwarzać dodatkowych problemów. Zawsze ostrożnie postępowała z ojcem i na tym wygrywała. Nigdy nie złościł się na nią tak jak na Chada. Chociaż kiedy zamieszkali w dużym domu, przeważnie nie zwracał na nią uwagi. Wychodził do biura, wracał późno i dużo podróżował. Nauczył się pilotażu i kupił samolot. Kilka razy zabrał ją na przejażdżkę i pozwolił jej nawet wziąć psa. Mus był bardzo grzeczny.

– Dobrze stąd widzisz? – spytał Matthew. Pip kiwnęła głową. Matthew rozwinął kanapkę, którą przyniósł ze sobą na plażę. Wcześniej postanowił, że nie będzie wracał do domu na lunch, żeby nie rozminąć się z Pip, i teraz zaproponował jej pół kanapki. – Jesteś głodna?

– Nie, dziękuję, proszę pana. Dobrze stąd widzę.

– Jadłaś lunch?

– Nie, ale nie jestem głodna. – Po chwili, rysując, powiedziała coś, co go zaskoczyło. Łatwiej jej było mówić, kiedy patrzyła na rysunek, a nie na niego. – Moja mama w ogóle nie je. A w każdym razie bardzo rzadko. Strasznie schudła.

Najwyraźniej Pip się o nią martwi.

– Dlaczego? Jest chora?

– Nie, tylko smutna.

Rysowali w milczeniu, Matt nie chciał jej wypytywać. Wiedział, że powie tyle, ile zechce, i wtedy, kiedy będzie na to gotowa. Miał wrażenie, że zna tę dziewczynkę od dawna.

Wreszcie przyszło mu do głowy, żeby zadać jej zasadnicze pytanie.

– Ty też byłaś smutna?

W milczeniu skinęła głową, nie podnosząc oczu znad rysunku. Tym razem celowo nie zapytał dlaczego. Czuł otaczające ją bolesne wspomnienia i z trudem powstrzymał się przed pogłaskaniem jej po włosach. Nie chciał jej przestraszyć ani zachować się zbyt obcesowo.

– Jak się teraz czujesz?

To pytanie wydało mu się bezpieczniejsze. Dziewczynka podniosła wzrok.

– Lepiej. Na plaży jest fajnie. I mama chyba też się lepiej czuje.

– Cieszę się. Może znów zacznie jeść.

– To samo powiedziała moja mama chrzestna. Bardzo się martwi o mamę.

– Masz rodzeństwo, Pip? – Reakcja dziewczynki na to niewinne, jego zdaniem, pytanie, zupełnie go zaskoczyła. Wyraz żalu w jej oczach ranił jego serce.

– Ja… Tak… – Zawahała się, a po chwili podjęła, patrząc na niego smutnymi bursztynowymi oczami. – Nie… To znaczy… Trudno mi to wyjaśnić. Mój brat miał na imię Chad. Ma piętnaście lat… To znaczy miał… W październiku zdarzył się wypadek…

Przeklął się w duchu za swoje wścibstwo i zrozumiał, dlaczego jej matka przestała jeść. Nie mógł sobie nawet tego wyobrazić, ale wiedział, że nie ma nic gorszego od straty dziecka.

– Tak mi przykro, Pip… – Brakowało mu słów.

– Chad był bardzo mądry, tak samo jak mój tata. – Jej dalsze słowa zmroziły go i wyjaśniły wszystko. – Samolot taty miał wypadek i obaj… Obaj zginęli. Samolot wybuchł w powietrzu – dodała ze ściśniętym gardłem, choć była zadowolona, że mu o tym powiedziała. Chciała, aby wiedział.

Matt przyglądał jej się bez słowa dłuższą chwilę.

– To straszne. Jest mi naprawdę przykro, Pip. Na szczęście twoja mama ma ciebie.

– Tak – mruknęła Pip bez przekonania. – Bardzo to przeżywa. Często nie wychodzi nawet ze swojego pokoju.

Pip zastanawiała się wiele razy, czy mama nie wolałaby, żeby to ona zginęła, a nie Chad. Bardzo kochała syna i po jego śmierci wpadła w rozpacz.

– Zupełnie mnie to nie dziwi.

On także cierpiał, ale nie można było porównywać jego tragedii z przeżyciami tej kobiety. Z tym, czego on doświadczył, dawało się żyć, natomiast strata syna i męża jest czymś znacznie poważniejszym i mógł sobie jedynie wyobrażać, jak czuje się Pip, zwłaszcza jeśli jej matka wpadła w depresję i zamknęła się w sobie.

– Jeździ do miasta na spotkania grupy, żeby o tym rozmawiać. Ale nie jestem pewna, czy to jej pomaga. Mówi, że tam wszyscy są bardzo smutni.

Mattowi wydawało się to makabryczne, wiedział jednak, że w dzisiejszych czasach takie spotkania są bardzo popularne. Niemniej gromadka zrozpaczonych ludzi starających się stanąć na nogi po tragedii nie może chyba nikomu naprawdę ulżyć ani pomóc.

– Tata był wynalazcą. Robił coś z energią. Nie wiem co, ale coś ważnego. Najpierw byliśmy biedni, a kiedy miałam sześć lat, przeprowadziliśmy się do dużego domu i tata kupił samolot. – Jej słowa nie wyjaśniały, kim był jej ojciec, ale w skrócie podsumowała sytuację i to mu na razie wystarczało. – Chad był naprawdę mądry, jak tata. Ja jestem bardziej podobna do mamy.

– Co to znaczy? – Mattowi nie podobało się takie stwierdzenie w ustach inteligentnej dziewczynki. – Ty też jesteś mądra, Pip. Bardzo mądra. Z pewnością odziedziczyłaś zdolności po obojgu rodzicach.

Wyglądało na to, że musiała ustąpić miejsca zdolnemu starszemu bratu, który przypuszczalnie bardziej był zainteresowany dziedziną nauki ojca. Mattowi się to nie spodobało. Zupełnie jakby Pip była kimś gorszym.

– Tata i brat często się kłócili – powiedziała. Najwyraźniej chce o nim rozmawiać i pewno nie ma z kim, skoro matka jest załamana. – Chad mówił, że go nienawidzi, ale to nie była prawda. Mówił tak, kiedy się wściekał na tatę.

– To normalne u piętnastolatka – powiedział Matt z łagodnym uśmiechem, chociaż nie wiedział o tym z własnego doświadczenia. Nie widział swojego syna od sześciu lat, odkąd Robert skończył dwanaście lat. A Vanessa dziesięć.

– Ma pan dzieci? – spytała Pip, jakby czytała w jego myślach. Teraz mógł jej się odwdzięczyć za szczerość.

– Tak. – Nie powiedział, że nie widział ich od sześciu lat, bo trudno byłoby wyjaśnić całą sytuację. – Vanessa ma szesnaście lat, a Robert osiemnaście. Mieszkają w Nowej Zelandii. – Wyjechali dziewięć lat temu. Po trzech latach się poddał. Pokonało go ich milczenie.

– Gdzie to jest? – spytała zdumiona Pip. Nigdy nie słyszała o Nowej Zelandii. No, może raz, ale i tak nie pamiętała, gdzie to jest. Może w Afryce? Nie chciała wyjść na ignorantkę.

– Bardzo daleko stąd. Samolotem leci się dwadzieścia godzin. Mieszkają w mieście, które nazywa się Auckland. Wydaje mi się, że są tam szczęśliwi.

Szczęśliwsi niż mógł to znieść czy przyznać nawet przed sobą.

– Musi panu być smutno, że są tak daleko. Na pewno tęskni pan za nimi. Ja tęsknię za tatą i za Chadem – powiedziała, wycierając łzę, co ugodziło go w samo serce. Tego popołudnia dużo powiedzieli sobie o swoich uczuciach i przez ponad godzinę żadne z nich niczego nie narysowało. Nie przyszło jej do głowy spytać, jak często Matt widuje swoje dzieci. Współczuła mu, że są tak daleko.

– Ja też tęsknię za Vanessą i Robertem – przyznał. Wstał z krzesełka i usiadł obok Pip na piasku. Spojrzała na niego ze smutnym uśmiechem.

– Jak oni wyglądają?

– Robert ma ciemne włosy i brązowe oczy, tak jak ja. A Vanessa jest blondynką z dużymi niebieskimi oczami. Jest podobna do matki. Czy w waszej rodzinie ktoś jeszcze ma rude włosy?

Pip z nieśmiałym uśmiechem pokręciła głową.

– Tata miał ciemne włosy, tak jak pan, i niebieskie oczy. Chad tak samo. Mama jest blondynką. Mój brat nazywał mnie marchewką, bo mam chude nogi i rude włosy.

– Nie wyglądasz jak marchewka. – Matt pogłaskał ją po krótkich rudych lokach.

– Właśnie, że wyglądam – orzekła z dumą. Nagle to przezwisko jej się podobało, bo przypomniało brata. Odkąd zginął, tęskniła nawet za jego obraźliwymi słowami i napadami gniewu. Tak samo jak Ophélie tęskniła za gorszymi dniami Teda. Kiedy ktoś odchodzi, człowiekowi brakuje różnych dziwnych rzeczy z nim związanych.

– Będziemy dziś rysowali? – Matt doszedł do wniosku, że dość już się narozmawiali o bolesnych sprawach i potrzebują wytchnienia.

Pip z ulgą przyjęła jego propozycję. Chciała mu o wszystkim opowiedzieć, ale znów zrobiło jej się smutno.

– Tak, bardzo chętnie. – Wzięła szkicownik, a Matt wrócił do sztalug. W ciągu następnej godziny wymieniali jedynie błahe uwagi. Miło im się razem rysowało, zwłaszcza ze świadomością, że teraz wiedzą o sobie więcej i że są to istotne informacje.

Tymczasem słońce wyszło zza chmur, wiatr ucichł. Zrobiło się piękne popołudnie i dopiero o piątej nagle zdali sobie sprawę, że jest późno. Wspólnie spędzony czas minął jak z bicza strzelił. Pip zmarszczyła brwi, gdy Matt powiedział jej, która godzina.

– Czy twoja mama już wróciła? – spytał. Nie chciał, żeby dziewczynka wpadła w kłopoty. Poza tym był zadowolony, że mogli porozmawiać, i miał nadzieję, że jakoś jej pomógł.

– Chyba tak. Muszę lecieć. Będzie się złościła.

– Albo martwiła – dodał, zastanawiając się, czy nie powinien pójść z Pip i uspokoić matkę. Lecz, jeśli Pip wróci do domu z obcym mężczyzną, może jej to tylko zaszkodzić. Spojrzał na rysunek, nad którym pracowała. Zrobił na nim duże wrażenie. – Fantastycznie to narysowałaś, Pip. Wracaj teraz do domu. Niedługo się zobaczymy.

– Może przyjdę jutro, jeśli mama się położy. Będzie pan tutaj, Matt? – Mówiła do niego w szczególnie intymny sposób, jakby naprawdę byli starymi przyjaciółmi. I tak się czuli po tym, co sobie opowiedzieli.

– Jestem tu codziennie po południu. Uważaj na siebie, mała, żebyś nie miała kłopotów.

– Nic mi nie będzie. – Przystanęła na chwilę, jak ptaszek zawieszony w powietrzu, uśmiechnęła się, pomachała mu i przyciskając rysunek, pobiegła z psem do domu. Gdy była już dość daleko, jeszcze raz odwróciła się i mu pomachała. Matt długo odprowadzał ją wzrokiem.

Dobiegła do domu, ile sił w nogach. Mama siedziała z książką na ganku. Amy nie było. Ophélie spojrzała na córkę, marszcząc brwi.

– Amy powiedziała, że poszłaś na plażę. Nigdzie cię nie widziałam, Pip. Gdzie byłaś? Znalazłaś koleżankę?

Ophélie nie złościła się na córkę, ale była zdenerwowana i zmuszała się, by zachować spokój. Nie chciała, żeby Pip chodziła do jakiegoś obcego domu, o czym dziewczynka dobrze wiedziała i przestrzegała tej zasady. Ophélie denerwowała się wszystkim bardziej niż kiedyś.

– Byliśmy tam. – Pip machnęła ręką w bliżej nieokreślonym kierunku. – Rysowałam łódkę i nie wiedziałam, która godzina. Przepraszam, mamo.

– Obiecaj, że więcej tego nie zrobisz, Pip. Nie wolno ci odchodzić tak daleko. I nie chcę, żebyś chodziła na publiczną plażę. Kręcą się tam różni ludzie.

Chciała wyjaśnić matce, że niektórzy są całkiem mili, przynajmniej Matt, ale bała się powiedzieć jej o nowym znajomym. Instynktownie wyczuwała, że mama źle ją zrozumie.

– Następnym razem zostań koło domu.

Nie przyszło jej do głowy, żeby obejrzeć rysunek. Pip poszła do swojego pokoju i położyła kartkę na stoliku, obok rysunku psa. To były pamiątki godzin spędzonych z Mattem.

– Jak ci minął dzień? – spytała Pip matkę, kiedy wróciła na ganek, choć widziała, że Ophélie jest zmęczona, co często się zdarzało po spotkaniach grupy.

– Nieźle. – Spotkała się z adwokatem w sprawie spadku po mężu. Nadal zostały jej do zapłacenia jakieś podatki i dostała ostatnią ratę odszkodowania z ubezpieczenia. Ale na zakończenie postępowania spadkowego musiała jeszcze trochę poczekać. Ted zostawił wszystkie sprawy w porządku i Ophélie miała teraz więcej pieniędzy, niż potrzebowała. Większość odziedziczy kiedyś Pip. Ophélie nie była rozrzutna, co więcej, miała czasem wrażenie, że w biednych czasach była szczęśliwsza. Sukces Teda przyniósł tylko zmartwienia i stres. Nie mówiąc o samolocie, w którym zginął z synem.

Ophélie codziennie przez wiele godzin walczyła ze wspomnieniami, zwłaszcza z tego ostatniego dnia. Bo przecież to ona zmusiła Teda, by zabrał Chada ze sobą. Chciała trochę odetchnąć i spędzić czas z Pip, którą tak bardzo zaniedbywała.

Nocami przez całe godziny odtwarzała w głowie film z ich wspólnego życia, starając się je uporządkować, zapamiętać, jak było naprawdę, ciesząc się miłymi chwilami i przesuwając film w przyspieszonym tempie, żeby ominąć nieprzyjemne wspomnienia. W końcu została jej tylko pamięć o człowieku, którego kochała mimo jego wad, kochała bezwarunkowo.

Problem z kolacją rozwiązały kanapkami, chociaż Pip mało tego dnia jadła. W domu panowała przytłaczająca cisza. Nigdy nie słuchały muzyki, prawie się do siebie nie odzywały. Gdy Pip przeżuwała kanapkę z indykiem przygotowaną przez matkę, myślała o artyście z plaży. Zastanawiała się, gdzie jest Nowa Zelandia, i współczuła mu, że mieszka tak daleko od dzieci. Mogła sobie wyobrazić, że nie jest mu z tym lekko. Uważała, że dobrze zrobiła, opowiadając mu o ojcu i Chadzie, choć nic nie powiedziała o chorobie brata. To wydawało jej się nielojalne. O tym nie wiedział nikt poza nimi i Andreą.

Choroba Chada dawała się we znaki wszystkim. Życie z nim pod jednym dachem to były nieustające dramaty i kłopoty. Chad wiedział, że ojciec nie przyjmuje do wiadomości jego choroby psychicznej. Pip także zdawała sobie z tego sprawę. Raz wspomniała coś na ten temat w rozmowie z ojcem, kiedy Chad znalazł się w szpitalu. Nakrzyczał na nią i zarzucił, że nie wie, co mówi, chociaż ona lepiej od niego rozumiała, jak bardzo brat był chory. Duma nie pozwalała mu jednak zaakceptować choroby syna. Niezależnie od tego, co mówili lekarze, Ted upierał się, że nie byłoby żadnych problemów, gdyby Ophélie inaczej wychowywała syna i stosowała większą dyscyplinę. Zawsze winił żonę i nie przyjmował choroby Chada do wiadomości.

Weekend minął spokojnie. Andrea obiecała, że znów je odwiedzi, ale nie przyjechała. Zadzwoniła i powiedziała, że William jest przeziębiony. W niedzielę Pip nie mogła się doczekać, kiedy znów zobaczy Matta. Matka po południu zasnęła na ganku. Pip obserwowała ją spokojnie przez godzinę, a potem wyszła z psem. Nie zamierzała iść na publiczną plażę, ale gdy znalazła się daleko od domu, pobiegła do miejsca, w którym spodziewała się zastać Matta. Znalazła go tam gdzie przedtem, malującego nową akwarelę. Tym razem z dzieckiem na tle zachodzącego słońca. Mała dziewczynka miała rude włosy, białe szorty i różową bluzkę. Daleko za nią skakał brązowy pies.

– Czy to ja i Mus? – spytała cicho, zaskakując Matta.

Nie widział, jak podchodziła. Odwrócił się do niej z uśmiechem. Spodziewał się jej dopiero po weekendzie, kiedy matka znowu wybierze się do miasta. Bardzo się ucieszył na jej widok.

– Być może, przyjaciółko. Co za miła niespodzianka – dodał.

– Mama śpi, a ja nie miałam co robić i pomyślałam, że pana odwiedzę.

– Cieszę się. Nie będzie się o ciebie martwiła, jak się obudzi?

Pip pokręciła głową.

– Czasem śpi cały dzień. Chyba tak woli.

Dziewczynka usiadła na piasku i przez jakiś czas przyglądała się, jak maluje. Później poszła na brzeg morza poszukać muszelek. Mus nie odstępował jej na krok. Matt przestał malować i z przyjemnością ją obserwował. Była słodka, jakby nie z tego świata, niby leśny duszek tańczący na plaży. Patrzył na nią tak intensywnie, że nie zauważył nadchodzącej kobiety. Kiedy się odwrócił, stała niedaleko niego, z poważnym wyrazem twarzy.

– Dlaczego obserwuje pan moją córkę? I dlaczego ją pan namalował?

Ophélie natychmiast skojarzyła mężczyznę i rysunki, które Pip przyniosła do domu. Przyszła na plażę, żeby znaleźć córkę i sprawdzić, co robi podczas swych długich wypraw. Była przekonana, że ten człowiek ma jakiś związek z Pip. Zwłaszcza gdy zobaczyła ją na obrazku.

– Ma pani fantastyczną córkę. Na pewno jest z niej pani bardzo dumna – odpowiedział Matt, starając się zachować spokój. Peszyło go jej przenikliwe spojrzenie. Rozumiał jej obawy i chciał ją uspokoić, ale obawiał się, że tłumaczenia jedynie wzmogą jej podejrzenia.

– Czy pan wie, że ona ma dopiero jedenaście lat?

Ophélie podejrzewała go o najgorsze. Jego niewinne na pozór malowanie mogło, w jej mniemaniu, być przykrywką dla czegoś groźnego, a Pip była zbyt dziecinna, aby cokolwiek podejrzewać.

– Tak. Mówiła mi.

– Dlaczego pan z nią rozmawia? I rysuje z nią?

Chciał jej powiedzieć, że dziewczynka jest tragicznie samotna, ale się powstrzymał. Pip spostrzegła matkę i szybko podeszła do nich z rękami pełnymi muszelek. Natychmiast spojrzała na matkę, aby się przekonać, czy zanosi się na kłopoty. I równie prędko zrozumiała, że w tarapatach jest Matt. Mama była przestraszona i zła.

– Mamo, to jest Matt – powiedziała Pip, jakby chciała przydać sytuacji trochę formalności i powagi.

– Matthew Bowles – przedstawił się, wyciągając rękę.

Ophelié nie zareagowała, tylko zła spojrzała na córkę. Pip wiedziała, co to oznacza. Mama rzadko się na nią złościła, zwłaszcza ostatnio, ale teraz była naprawdę zła.

– Mówiłam ci, żebyś nigdy nie rozmawiała z obcymi. Nigdy! Rozumiesz?! – krzyknęła i odwróciła się do Matta. – Wiemy, jak to się nazywa, i nie są to przyjemne nazwy. Jak pan śmie zagadywać małą dziewczynkę na plaży i zaprzyjaźniać się z nią, pod pretekstem rysowania?! Jeśli jeszcze raz się pan do niej zbliży, zawiadomię policję. Ostrzegam!

Oburzona Pip próbowała go bronić.

– To mój przyjaciel! Tylko razem rysowaliśmy. Nigdzie mnie nie zapraszał.

Ophélie wiedziała lepiej, a przynajmniej tak jej się zdawało. Taki mężczyzna potrafił nawiązać przyjacielski kontakt z dzieckiem, a potem gdzieś je zwabić i robić z nim nie wiadomo co.

– Nie wolno ci tu więcej przychodzić, słyszysz? *Tu entends? Je t'interdis!* – Ze złości Ophélie przeszła na język ojczysty. Wyglądała jak prawdziwa Francuzka. Jej gniew wynikał ze strachu i Matt to rozumiał.

– Twoja mama ma rację, Pip. Nie powinnaś rozmawiać z obcymi. – Odwrócił się do Ophélie. – Przepraszam. Nie chciałem pani zdenerwować. Zapewniam panią, że wszystko jest w porządku. Rozumiem pani troskę, moje dzieci są tylko trochę starsze od Pip.

– Gdzie one są? – rzuciła podejrzliwie Ophélie. Nie wierzyła mu.

– W Nowej Zelandii – wtrąciła Pip, co wcale nie pomogło. Matt widział, że Ophélie nie ufa mu za grosz.

– Nie mam pojęcia, kim pan jest i dlaczego zaczepił pan moją córkę, ale mówię poważnie, zawiadomię policję, jeśli będzie ją pan zachęcał, aby tu przychodziła.

– Doskonale rozumiem to, co pani mówi – powiedział z irytacją.

W innych warunkach powiedziałby jej coś ostrego. Zachowała się wobec niego obraźliwie, ale nie chciał sprawić przykrości Pip. Po tym wszystkim, co przeszła, matce dziewczynki należy się wyrozumiałość, choć ostatnimi słowami niemal ją wyczerpała. Nikt nigdy nie oskarżał go o takie rzeczy.

Gestem wskazała córce drogę do domu. Pip obróciła się i spojrzała na niego ze łzami w oczach. Matt miał ochotę przytulić ją, ale, oczywiście, nie mógł tego zrobić.

– Nie martw się, Pip – powiedział. – Rozumiem.

– Przepraszam – załkała.

Nawet Mus stracił animusz, jakby wyczuwał, że stało się coś dziwnego. Ophélie wzięła Pip za rękę i stanowczo pociągnęła za sobą. Matt spoglądał za nimi. Żal mu było dziecka, do którego zdążył się już przywiązać, i przez moment miał ochotę potrząsnąć Ophélie. Potrafił zrozumieć jej zdenerwowanie, ale było całkiem nieuzasadnione, a Pip brakowało kogoś, z kim mogłaby porozmawiać.

Schował farby, zdjął obraz, złożył sztalugi i krzesełko i z opuszczoną głową i ponurym wyrazem twarzy odniósł je do domu. Pięć minut później był już w drodze do laguny, gdzie trzymał żaglówkę. Żeglowanie zawsze go odprężało i rozjaśniało umysł.

W drodze do domu Ophélie przepytywała córkę:

– Tu przychodziłaś, kiedy znikałaś na plaży? Jak go poznałaś?

– Zobaczyłam, że rysuje – odparła z płaczem Pip. – Wiem, że jest dobry.

– Nic o nim nie wiesz. To obcy człowiek. Nie wiesz, czy powiedział ci prawdę. Nic nie wiesz. Zapraszał cię do domu? – dopytywała się Ophélie z paniką w głosie. Bała się o tym wszystkim myśleć.

– Nie! Nie chciał mnie zabić. Nauczył mnie rysować tylne łapy Musa. I łódkę.

Ophélie nie myślała o zabijaniu. Pip była niewinnym dzieckiem, które łatwo można by zgwałcić, porwać, torturować… Zaufała temu człowiekowi, a on mógł z nią zrobić, co chciał. Ta myśl ją przerażała. Protesty córki nic nie znaczyły. Jedenastoletnie dziecko nie ma pojęcia o potencjalnych niebezpieczeństwach znajomości z obcym, dorosłym mężczyzną, o którym nic nie wie.

– Masz się trzymać od niego z daleka – powtórzyła Ophélie. – Zabraniam ci wychodzić z domu samej. Jeśli nie potrafisz tego zrozumieć, wrócimy do miasta.

– Byłaś niegrzeczna dla mojego przyjaciela. – Nagle Pip była nie tylko zrozpaczona, lecz także wściekła. Straciła tylu bliskich ludzi, a teraz także Matta. Jedynego człowieka, jakiego poznała przez całe lato.

– Nie jest twoim przyjacielem. Jest obcym człowiekiem. Nie kłóć się ze mną.

Resztę drogi przeszły w milczeniu. W domu Ophélie kazała pójść Pip do swojego pokoju i zadzwoniła do Andrei. Przyjaciółka wysłuchała całej historii opowiedzianej wzburzonym głosem, a potem zaczęła zadawać prokuratorskie pytania:

– Zadzwonisz na policję?

– Nie wiem. Uważasz, że powinnam to zrobić? Wyglądał dość przyzwoicie. Był porządnie ubrany, choć to o niczym nie świadczy. Może być zboczonym mordercą. Czy mogę dostać nakaz sądowy zabraniający mu zbliżania się do Pip?

– Nie masz do tego podstaw. Nie groził jej niczym, nie molestował jej ani nie chciał, żeby gdzieś z nim poszła, prawda?

– Pip mówi, że nie, ale mógł dopiero przygotowywać grunt.

Ophélie trudno było uwierzyć w czystość intencji tego człowieka. Mimo wszystkiego, co mówiła Pip, a może właśnie dlatego czuła niebezpieczeństwo. Czemu dorosły mężczyzna chciałby się zaprzyjaźniać z dzieckiem?

– Mam nadzieję, że się mylisz – powiedziała z namysłem Andrea. – Skąd się biorą twoje podejrzenia? Czy wyglądał jak dziwak?

– A jak wygląda dziwak? Nie, wyglądał normalnie. I mówił, że ma dzieci, ale mógł kłamać.

– Może po prostu jest życzliwy z natury.

– Nie ma powodu, aby się zaprzyjaźniał z jedenastoletnim dzieckiem, zwłaszcza z dziewczynką. W idealnym wieku dla takich facetów. W dodatku Pip jest naiwna i niewinna i ci faceci takie właśnie lubią.

– To prawda, ale może ten człowiek wcale nie jest pedofilem. Przystojny?

– Nie bądź obrzydliwa – parsknęła oburzona Ophélie.

– A nosi obrączkę? Może jest wolny?

– Nie chcę tego słuchać. Ten obcy mężczyzna zaprzyjaźnił się z moją córką. Jest czterdzieści lat od niej starszy i to jest podejrzane. Jeśli to przyzwoity człowiek, tym bardziej nie powinien tego robić, zwłaszcza że sam ma dzieci. Ciekawe, co by pomyślał, gdyby obcy mężczyzna podrywał jego córkę?

– Nie wiem. Spytaj go. Prawdę mówiąc, mnie wydaje się interesujący. Może Pip wyświadczyła ci przysługę.

– Przestań. Naraziła się na niebezpieczeństwo i więcej nie wypuszczę jej samej z domu.

– Wystarczy, jak powiesz, żeby tam nie chodziła. Jest posłuszna.

– Już jej powiedziałam. A jemu zagroziłam policją.

– Jeśli jest porządnym człowiekiem, musiało mu się to bardzo spodobać. Może powinnyśmy trochę przytępić ci ząbki. Nie jestem pewna, czy jesteś gotowa na „powrót".

Matt zaczynał jej się podobać. Nie wiedziała dlaczego, ale instynkt podpowiadał jej, że może być całkiem w porządku. Z pewnością nie zachwyciło go kazanie Ophélie.

– Żaden „powrót" mnie nie interesuje. Zamierzam zostać tu, gdzie jestem. Interesuje mnie wyłącznie bezpieczeństwo Pip. Nie przeżyłabym, gdyby coś jej się stało – powiedziała Ophélie drżącym głosem, a w jej oczach zabłysły łzy.

– Rozumiem – odparła cicho Andrea. – Uważaj na nią. Może czuje się samotna.

Po jej słowach zapadła cisza. Ophélie się rozpłakała.

– Wiem – wyszlochała w końcu. – Ale nie wiem, co mam robić. Chada i Teda już nie ma, a ja wariuję. Z trudem funkcjonuję. Nawet ze sobą nie rozmawiamy.

– Masz odpowiedź na to, dlaczego rozmawia z obcymi ludźmi – powiedziała spokojnie Andrea.

– Podobno razem rysują – rzuciła z rozpaczą Ophélie.

– No widzisz, to nic złego. Zaproś go do domu na drinka i może się okaże, że to naprawdę porządny facet. Jeszcze go polubisz.

Ophélie pokręciła głową.

– Nie sądzę, żeby chciał mieć ze mną coś wspólnego po tym, co mu powiedziałam.

– Mogłabyś jutro pójść i go przeprosić. Wytłumaczyć, że masz problemy i łatwo się denerwujesz.

– Nie bądź głupia. Nie mogę. A poza tym może to ja mam rację. Może jest pedofilem.

– No to nie idź i nie przepraszaj. Choć ja uważam, że on sobie po prostu malował na plaży i że lubi dzieci. Wygląda na to, że to Pip go zaczepiła.

– I dlatego kazałam jej pójść do pokoju.

– Biedny dzieciak. Nie zamierzała robić nic złego, przy-puszczalnie potraktowała to jako rozrywkę.

– Od tej pory będzie musiała być blisko domu i znajdo-wać sobie rozrywki na miejscu.

Kiedy Ophélie odłożyła słuchawkę, pomyślała, że na-prawdę za mało zajmuje się córką. Nie zapewniła jej żadne-go towarzystwa, żadnych rozrywek. Ostatni raz robiły coś razem tego dnia, kiedy zginęli Chad i Ted.

Poszła na górę i zapukała do drzwi pokoju córki. Kiedy na-cisnęła klamkę, okazało się, że drzwi są zamknięte od środka.

– Pip? – Cisza. Zastukała ponownie. – Pip? Mogę wej-ść?

Po długiej chwili ciszy usłyszała zapłakany głosik.

– Byłaś niemiła dla mojego przyjaciela. Wstrętna. Nie-nawidzę cię. Idź sobie.

Stała pod drzwiami bezradna, ale nie czuła się winna. Musi chronić córkę, nawet jeśli Pip tego nie chce, czy nie rozumie.

– Przykro mi, ale nie wiesz, kto to jest – powiedziała stanowczo.

– Wiem. Jest miłym człowiekiem. I ma dzieci w Nowej Zelandii.

– Może cię okłamał – upierała się Ophélie, choć czuła się głupio, dyskutując z Pip przez zamknięte drzwi. A córka najwyraźniej nie zamierzała jej wpuścić. Ani wyjść. – Wyjdź i porozmawiaj ze mną.

– Nie chcę z tobą rozmawiać. Nienawidzę cię.

– Porozmawiajmy przy kolacji. Jeśli chcesz, możemy gdzieś pójść.

W Safe Harbour były dwie restauracje, do których ni-gdy nie chodziły.

– Nie chcę z tobą nigdzie chodzić. Nigdy.

Ophélie chciała powiedzieć, że Pip ma teraz tylko ją, ale ugryzła się w język. Nie mogą zostać wrogami ani skakać so-bie do gardła. Za bardzo się potrzebują.

– Otwórz drzwi. Nie wejdę, jeśli nie chcesz, ale nie musisz się zamykać.

– Muszę – burknęła Pip. Trzymała rysunek Musa, który narysowała razem z Mattem, i płakała. Już za nim tęskni. I nie zamierza słuchać się matki i się z nim nie spotykać. Będzie się z nim widywała, gdy matka pojedzie do miasta. Nienawidziła tego, co matka do niego powiedziała. Wstydziła się za nią.

Jeszcze przez chwilę Ophélie namawiała ją do wyjścia z pokoju, ale w końcu zrezygnowała i poszła do siebie. Żadna z nich nie zjadła tego dnia kolacji i następnego dnia rano głód wygnał Pip na dół. Wzięła sobie grzankę i płatki i wróciła do pokoju. Przygotowując śniadanie, nie odezwała się do matki ani słowem.

Matt spędził bezsenną noc, rozmyślając o Pip i martwiąc się o nią. Nawet nie wiedział, gdzie mieszka i nie mógł pójść, żeby jeszcze raz przeprosić Ophélie i przekonać ją do zmiany zdania. Nie chciał, by Pip znikła z jego życia. Mało ją znał, ale już mu jej brakowało.

Wojna między Pip a Ophélie trwała do wczesnego popołudnia. W milczeniu zjadły obiad. Wyraz twarzy Pip działał Ophélie na nerwy.

– Na litość boską, Pip, co w nim jest takiego specjalnego? Mógłby być twoim ojcem. Dlaczego zależy mu na twoim towarzystwie? To nie jest normalne.

– Może tęskni za dziećmi. Nie wiem. Może mnie lubi. Chyba jest samotny. – Tak jak ja, ale tego już nie dodała.

– Mogłabym pójść z tobą, jeśli tak ci zależy, żeby z nim rysować. Choć nie będzie zbytnio zadowolony, kiedy mnie zobaczy.

Po tym, co powiedziała, nie zdziwiłaby się, gdyby rzucił w nią sztalugami. I właściwie nie mogła mieć do niego pretensji. Może jednak trochę przesadziła. W końcu właściwie oskarżyła go o pedofilię. Ale w tamtej chwili bała się o córkę.

58

Każdy by się przeraził na jej miejscu, choć może nie każdy tak by zarcagował.

– Mogę go zobaczyć, mamo? – Pip spojrzała na nią z nadzieją. – Obiecuję, że nie pójdę do niego do domu. Zresztą nigdy mi tego nie proponował. – I wiedziała, że nigdy by tego nie zrobił.

– Zobaczymy. Muszę się nad tym zastanowić. Może on nie zechce się z tobą widzieć po tym wszystkim, co powiedziałam. Na pewno nie był zachwycony.

– Powiem mu, że jest ci przykro. – Pip uśmiechnęła się do matki.

– Może powinnaś chodzić tam z Amy. Wybierzemy się tam razem i go przeproszę. Mam nadzieję, że na to zasługuje.

– Dziękuję, mamo. – Oczy Pip rozbłysły. Wygrała.

Po popołudniu poszły na plażę. Pip, szczęśliwa, biegła brzegiem morza w towarzystwie Musa. Ophélie została z tyłu, zastanawiając się, co ma powiedzieć. Robiła to wyłącznie dla Pip.

Kiedy jednak doszły na miejsce, gdzie dziewczynka zawsze spotykała Matta, nie zastały nikogo. Ani śladu artysty, jego sztalug czy składanego krzesełka. Wydarzenia poprzedniego dnia tak go zniechęciły, że mimo lazurowego nieba został w domu i czytał książkę. O dziwo, nie miał nawet ochoty żeglować.

Pip i Ophélie przez dłuższy czas siedziały na piasku, rozmawiając o nim. W końcu wróciły do domu, trzymając się za ręce. Po raz pierwszy od bardzo dawna Pip tak dobrze czuła się w towarzystwie matki.

Matt przez długi czas wyglądał przez okno. Widział ptaki, rybacką łódź i kawałki drewna, które wyrzuciło morze. Ale Pip i Ophélie wcześniej odeszły z plaży.

Rozdział 5

Następnego dnia tuż przed południem Pip powiedziała Amy, że wybiera się na plażę, żeby spotkać się z przyjacielem. Tym razem wzięła kanapki i jabłko, żeby wynagrodzić Mattowi zachowanie matki. Amy spytała, czy Ophélie jej pozwoliła, a dziewczynka potwierdziła. Miała nadzieję, że mimo nie-obecności poprzedniego dnia zastanie Matta na zwykłym miejscu. Zastanawiała się, dlaczego nie przyszedł, choć mówił, że jest tam codziennie, i miała nadzieję, że to nie z powodu mamy. Kiedy go jednak zobaczyła i spojrzała mu w oczy, nim zdążył powiedzieć choćby słowo, zrozumiała, że tak było. Czuł się urażony.

– Przepraszam pana, Matt – powiedziała prosto z mostu. – Mama przyszła wczoraj pana przeprosić, ale pana nie było.

– To miło z jej strony – stwierdził obojętnie, choć cie-kaw był, co ją do tego skłoniło. Na pewno Pip. To go wzru-szyło. – Przykro mi, że tak się zdenerwowała. Bardzo była na ciebie zła?

– Bardzo – odparła szczerze Pip zadowolona, że Matt już nie jest obrażony. – Ale powiedziała, że mogę tu przyjść dzisiaj i zawsze, kiedy będę chciała. Tylko nie mogę iść do pana do domu.

– W porządku. Jak udało ci się ją przekonać? – spytał, siadając na krzesełku. Ucieszył się na widok Pip.

– Zamknęłam się w pokoju i zagroziłam, że nie wyjdę – wyjaśniła Pip z uśmiechem. – Chyba miała wyrzuty sumie-nia. Była wobec pana okropnie niegrzeczna, przepraszam… Mama bardzo się zmieniła. Wszystkim się martwi i czasem wścieka się z powodu głupich drobiazgów. A kiedy indziej robi wrażenie, że nic jej nie obchodzi. Chyba nie może się pozbierać.

– Albo cierpi na posttraumatyczny stres – stwierdził Matt ze współczuciem. Oczywiście tamtego dnia na plaży matka Pip nie zrobiła na nim dobrego wrażenia, w jej głosie słyszał histerię. Potrafił jednak zrozumieć jej punkt widzenia.

– Co to jest? – spytała Pip, częstując go kanapką. – To post coś tam. Co to jest?

– Dziękuję. – Rozwinął starannie zapakowaną kanapkę i odgryzł kęs. – Posttraumatyczny stres. To jest coś, co się zdarza osobom, które przeżyły poważny szok. Jakby nadal trwały w tym szoku. Tak jak chyba z twoją mamą. Przeżyła coś naprawdę strasznego, kiedy twój brat i ojciec zginęli.

– Czy takim ludziom się poprawia? Czy to się da wyleczyć?

– Myślę, że tak, choć czasem trwa to dość długo. Czy mama jest w lepszym stanie niż na początku?

– Trochę – powiedziała z namysłem Pip, choć bez większego przekonania. – Więcej teraz śpi i nie mówi tyle co przed wypadkiem. Prawie nigdy się nie uśmiecha. Ale też nie płacze przez cały czas, jak na początku. Ja też...

– Na twoim miejscu również bym płakał. Dziwne byłoby, gdybyś nie płakała, Pip. Straciłaś połowę rodziny.

A mama, która jej została, nie przypomina w niczym najbliższej rodziny, pomyślała Pip, choć lojalność nie pozwoliła jej powiedzieć tego na głos.

– Mamie było naprawdę przykro za to wszystko, co panu powiedziała – zapewniła.

– Nic się nie stało. W pewnym sensie miała rację. Faktycznie jestem obcym człowiekiem i niewiele o mnie wiesz. Mógłbym ci zrobić krzywdę. Twoja mama może mnie podejrzewać o najgorsze i ty także powinnaś być ostrożniejsza.

– Dlaczego? Był pan dla mnie miły i pomógł mi pan narysować tylne łapy Musa. Wciąż mam ten rysunek w swoim pokoju.

– I jak wygląda?

– Nieźle – uśmiechnęła się, a kiedy Matt zjadł kanapkę, podała mu jabłko. Podzielił je na pół i oddał jej lepszą połowę. – Zawsze wiedziałam, że jest pan dobrym człowiekiem. Od samego początku.

– Skąd wiedziałaś? – zapytał rozbawiony.

– Wiedziałam. Ma pan miłe oczy. – Nie powiedziała mu, że miał smutne oczy, kiedy mówił o dzieciach, które mieszkają tak daleko. To też jej się podobało. Byłoby gorzej, gdyby za nimi nie tęsknił.

– Ty także masz ładne oczy. Chciałbym cię któregoś dnia narysować. Może nawet namalować. Co o tym sądzisz? Myślał o jej portrecie od pierwszego dnia.

– Mojej mamie to by się bardzo spodobało. To mógłby być prezent na jej urodziny.

– Kiedy ma urodziny? – Jeszcze nie został fanem Ophélie, ale może to zrobić dla Pip.

– Dziesiątego grudnia.

– A ty? – Chciał wiedzieć o niej jak najwięcej. Bardzo przypominała mu Vanessę. A poza tym podziwiał ją. Jest odważną i mądrą dziewczynką, udało jej się przekonać matkę, żeby pozwoliła jej przychodzić na plażę, i namówiła ją, aby przyszła go przeprosić. Kobieta, którą widział w niedzielę, nie wyglądała na taką, która kogokolwiek przeprasza. No, może z pistoletem przystawionym do głowy. W tym przypadku pistolet trzymała Pip.

– Moje urodziny są w październiku. – Niedługo po śmierci Chada i ojca.

– Jak je spędziłaś w zeszłym roku? – spytał od niechcenia.

– Poszłyśmy z mamą do restauracji. – Nie powiedziała mu, że było okropnie. Mama prawie zapomniała o urodzinach, nie urządziła przyjęcia, nie upiekła tortu. Marzyła, aby ten dzień się wreszcie skończył.

– Często gdzieś wychodzicie?

– Nie. Kiedyś wychodziliśmy częściej. Przedtem. Tata lubił zabierać nas do restauracji. Ale to zawsze za długo trwa i ja się nudzę – przyznała.

– Trudno mi w to uwierzyć. Nie wyglądasz na kogoś, kto się nudzi.

– Z panem się nie nudzę. Lubię z panem rysować.

– Ja też lubię z tobą rysować.

Podał jej blok i ołówek. Pip postanowiła narysować jedną z tych bezczelnych mew, które siadały przy nich i podrywały się do lotu, gdy Mus zaczynał je gonić. Przekonała się, że mewa nie jest łatwym modelem. Po jakimś czasie przerzuciła się na łódki. Pod okiem Matta jej umiejętności rysowania zdecydowanie się poprawiły. Rysowała coraz lepiej, pod warunkiem że wybierała to, co lubiła. Zresztą w jego przypadku było tak samo.

Spędzili razem kilka godzin w pełnym słońcu. Pip nie spieszyło się do domu. Cieszyła się, że już nie musi nikogo oszukiwać. Po powrocie mogła powiedzieć, że rysowała razem z Mattem na plaży. O wpół do piątej zaczęła się zbierać do domu. Mus, który leżał spokojnie u jej stóp, też wstał.

– Idziecie do domu? – spytał z ciepłym uśmiechem Matt.

Pip spostrzegła, że kiedy się uśmiecha, bardzo przypomina jej ojca, choć ojciec uśmiechał się raczej rzadko. Był poważnym człowiekiem, zapewne dlatego że znał swoją wartość. Wszyscy uważali go za geniusza i pewnie mieli rację. Dlatego akceptowali jego sposób zachowania. Pip wydawało się czasem, że ojcu wolno było więcej niż innym ludziom.

– Mama wraca mniej więcej o tej porze. Zwykle po spotkaniach grupy jest bardzo zmęczona. Czasem od razu idzie spać.

– Te spotkania są chyba trudne.

– Nie wiem. Nie mówi o nich. Może ludzie płaczą. – Ta myśl ją zdeprymowała. – Przyjdę jutro albo w czwartek. Czy to panu nie przeszkadza?

Do tej pory nigdy o to nie pytała.

– Będzie mi bardzo miło, Pip. Zawsze. Pozdrów ode mnie mamę.

Skinęła głową, pomachała i odfrunęła jak motyl. Patrzył za nią, dopóki razem z psem nie znikła mu z oczu. Uważał ją za cenny prezent, który dostał od życia. Mały ptaszek, który przylatywał i odlatywał, z wielkimi oczami pełnymi tajemnic. Rozmowy z nią wzruszały go i sprawiały, że się uśmiechał. Zastanawiał się także, jaka właściwie była jej matka. I ojciec, którego uważała za geniusza. Sądząc z tego, co mówiła, musiał być trudnym człowiekiem. Łatwo wpadającym w gniew. Brat również był inny. Nietypowa rodzina. A Pip jest szczególnym dzieckiem. Podobnie jak jego własne. Wspaniałe dzieciaki. Choć wolał teraz o nich nie myśleć.

Kiedy Matt wracał do siebie przez wydmy, przyszło mu do głowy, że mógłby zabrać Pip na żaglówkę, może nawet nauczyć ją żeglować, tak jak nauczył własne dzieci. Vanessa uwielbiała wyprawy na morze, w przeciwieństwie do Roberta. Choć ze względu na Ophélie nie może proponować tego Pip. Wolał nie ryzykować.

Pip wróciła do domu jednocześnie z matką. Ophélie, jak zwykle, była wykończona. Spytała córkę, skąd wraca.

– Widziałam się z Mattem. Przesyła ci pozdrowienia. Dzisiaj rysowałam łodzie. Nie umiałam narysować mewy, jest za trudna.

Pip położyła na stole w kuchni kilka kartek. Ophélie rzuciła na nie okiem i zobaczyła, że są to naprawdę dobre rysunki. Ze zdumieniem stwierdziła, że córka poczyniła znaczne postępy.

– Zrobię kolację – zaproponowała Pip, a Ophélie się uśmiechnęła.

– Chodźmy do restauracji.

– Nie musimy. – Pip wiedziała, że matka jest zmęczona, choć dziś wyglądała trochę lepiej.

– Chodźmy, naprawdę, to będzie coś nowego. – Dla Ophélie to był duży krok naprzód i Pip zdawała sobie z tego sprawę.

– Dobrze – zgodziła się zadowolona.

Pół godziny później siedziały przy dwuosobowym stoliku w Mermaid Café, jednej z dwóch restauracji w Safe Harbour. Obie zamówiły hamburgery. Po raz pierwszy wyszły gdzieś razem. Przy jedzeniu rozmawiały beztrosko. Kiedy wróciły do domu, były szczęśliwe, najedzone i zmęczone.

Tego wieczoru Pip położyła się spać wcześnie i następnego dnia poszła zobaczyć się z Mattem. Ophélie nie miała nic przeciwko temu. Po powrocie Pip, jak zwykle, położyła na stole swoje rysunki. Pod koniec następnego tygodnia miała już niezłą kolekcję, większość całkiem dobrych. Dużo się od Matta nauczyła.

W piątek rano poszła na plażę z kanapkami i jabłkiem. W pewnej chwili wybrała się z psem na brzeg morza, by poszukać muszelek. Matt zobaczył, że nagle odskoczyła do tyłu. Uśmiechnął się, myśląc, że zobaczyła kraba albo meduzę, i spodziewał się, że za moment usłyszy szczekanie Musa. Jednak pies zaskowyczał przejmująco, a Pip usiadła na pisaku, trzymając się za stopę.

– Wszystko w porządku?! – zawołał, nie bardzo wiedząc, czy go w ogóle słyszy. Pip pokręciła głową. Matt odłożył pędzel i przyglądał jej się przez chwilę. Nie poruszyła się ani nie wstała. Siedziała nieruchomo, trzymając się za stopę. Nie widział jej twarzy. Z pochyloną głową wpatrywała się w stopę, a pies nadal skomlał. Matt ruszył w jej stronę, żeby zobaczyć, co się stało. Miał nadzieję, że nie nadepnęła na gwóźdź. Na plaży pełno było zardzewiałych gwoździ, luzem albo wbitych w kawałki drewna, które wyrzuciła woda.

Kiedy podszedł bliżej, zobaczył, że to nie gwóźdź, lecz kawałek ostrego szkła. Rozorał głęboko piętę.

– Jak to się stało? – Usiadł przy niej. Piasek zabarwił się krwią.

– Szkło leżało pod wodorostami, na które stanęłam – wyjaśniła dzielnie Pip, ale widział, że bardzo pobladła.

– Boli? – spytał ze współczuciem i wyciągnął rękę.

– Nie bardzo – skłamała.

– Na pewno boli. Pozwól, że zobaczę. – Chciał się upewnić, że w pięcie nie został kawałek szkła. Skaleczenie było gładkie, ale głębokie. Pip spojrzała na niego zmartwiona.

– I jak?

– Wszystko będzie dobrze, jak ci obetnę nogę.

Roześmiała się mimo bólu, ale widział, że się boi.

– Z jedną nogą też można rysować – powiedział i wziął ją na ręce. Była lekka jak piórko. Nie chciał, żeby piasek dostał się do rany, choć na pewno trochę go tam było. I natychmiast przypomniał sobie pouczenia Ophélie, żeby Pip pod żadnym pozorem nie szła do niego do domu. Nie mogła jednak wracać do siebie na piechotę, a w dodatku był niemal pewien, że trzeba będzie założyć szwy, choć nie powiedział tego Pip.

– Twoja mama będzie się na nas złościła, ale zaniosę cię do domu i trochę to obmyję.

– Będzie bolało? – spytała z obawą.

Uśmiechnął się uspokajająco.

– Nie tak bardzo, jak awantura twojej mamy – zapewnił. Niósł Pip na rękach przez wydmy, a z rany wciąż kapała krew. W domu poszedł wprost do kuchni. Posadził Pip na krześle i oparł jej nogę o zlew. Po chwili krew była wszędzie, na nim też.

– Czy będę musiała jechać do szpitala? – spytała zdenerwowana dziewczynka, spoglądając na niego wielkimi oczami. Była blada jak papier. – Chad kiedyś rozciął sobie głowę i zalał wszystko krwią. Założyli mu dużo szwów. – Nie powiedziała, że w ataku złości zaczął walić głową w ścianę. Miał wtedy dziesięć lat, a Pip sześć, ale wszystko doskonale pamiętała. Ojciec krzyczał na mamę i na Chada. A mama płakała. To było straszne.

– Pokaż. – Noga nie wyglądała lepiej niż na plaży. Podniósł Pip i posadził na brzegu zlewu. Podłożył stopę pod strumień zimnej wody. Ból trochę zelżał, ale spływająca woda zrobiła się czerwona. – Zawinę ranę ręcznikiem. – Zdjął czysty ręcznik z haczyka. Pip zauważyła, że kuchnia jest ciepła i przytulna, choć meble są stare i zniszczone. – A potem zabiorę cię do mamy. Jest w domu?

– Tak.

– To dobrze. Zawiozę cię samochodem, żebyś nie musiała iść. Zgadzasz się?

– Tak. Czy potem będziemy musieli jechać do szpitala?

– Zobaczymy, co powie mama. Chyba że chcesz, żebym od razu tu obciął ci nogę. To potrwa zaledwie chwilkę, jeśli Mus nie będzie przeszkadzał. – Pies siedział posłusznie w kącie, przyglądając im się ze spokojem. Pip zachichotała, ale nadal była blada i Matt podejrzewał, że stopa bardzo ją boli. I naprawdę bolała, choć Pip nie chciała się do tego przyznać. Za wszelką cenę starała się być dzielna.

Tak jak obiecał, owinął jej nogę w ręcznik i wziął ją na ręce, zabierając po drodze kluczyki od samochodu. Mus poszedł grzecznie za nimi i gdy tylko Matt otworzył drzwi starego kombi, wskoczył na tylne siedzenie.

– Czy jest bardzo źle? – spytała Pip, gdy ruszyli.

Usiłował zbagatelizować sprawę.

– Nie, ale nie bardzo dobrze. Ludzie nie powinni rozrzucać takiego szkła po plaży.

Rana była jak rozcięta nożem.

Dojechali do domu w niecałe pięć minut i Matt zaniósł ją do środka. Pies nie odstępował ich na krok. Gdy Ophélie zobaczyła Pip na rękach u Matta, była przerażona.

– Co się stało, Pip?! – wykrzyknęła.

– Nic takiego, mamo. Skaleczyłam się.

– Co się stało? – powtórzyła, tym razem zwracając się do Matta.

Posadził dziewczynkę na krześle i delikatnie odwinął ręcznik.

– Myślę, że to nic poważnego, ale powinna pani zobaczyć. – Nie chciał mówić przy Pip, że jego zdaniem należy założyć szwy, ale jak tylko Ophélie rzuciła okiem na stopę córki, sama doszła do tego wniosku.

– Musimy pojechać do lekarza, trzeba zszyć ranę – stwierdziła spokojnie.

Oczy Pip napełniły się łzami. Matt poklepał ją po ramieniu.

– Najwyżej jeden lub dwa – powiedział i delikatnie dotknął jej jedwabistych kędziorków. Mimo najlepszych chęci Pip się w końcu rozpłakała, choć nie chciała, by Matt uważał ją za mazgaja. – Lekarz najpierw znieczuli to miejsce. Miałem to samo w zeszłym roku i nic nie bolało.

– Właśnie że będzie bolało! – krzyknęła Pip jak normalna jedenastoletnia dziewczynka. – Nie chcę szwów! – dodała, przytulając się do matki.

– Później zrobimy coś fajnego, obiecuję – powiedział Matt, patrząc na Ophélie i zastanawiając się, czy przypadkiem nie powinien sobie pójść. Nie chciał być intruzem. Ale zarówno Pip, jak i jej matka były wdzięczne za jego towarzystwo. Działał na nie uspokajająco.

– Czy jest tu jakiś lekarz? – spytała Ophélie.

– Obok sklepu jest przychodnia z pielęgniarką. Zakładała mi szwy w zeszłym roku. Możemy też pojechać do miasta. Chętnie was zawiozę.

– Pojedźmy najpierw do przychodni i zobaczymy co dalej.

W samochodzie Pip znowu zaczęła popłakiwać. Matt opowiedział kilka śmiesznych historyjek i udało mu się trochę ją rozweselić. Pielęgniarka zrobiła Pip zastrzyk znieczulający, założyła siedem szwów i zabandażowała stopę. Powiedziała, że dziewczynka nie może stawać na tej nodze przez parę dni, a w następnym tygodniu ma przyjechać na zdjęcie szwów. Po wszystkim Matt zaniósł zmęczoną dziewczynkę do samochodu.

– Czy mogę was zaprosić na lunch? – zapytał, ale Pip odparła słabym głosem, że jest jej trochę niedobrze i postanowili wrócić do domu. Matt delikatnie położył Pip na kanapie, a Ophélie włączyła jej telewizor. Pięć minut później dziewczynka spała.

– Biedna mała, paskudnie się skaleczyła. Ale była bardzo dzielna.

– Dziękuję za pomoc – powiedziała z wdzięcznością Ophélie.

Aż trudno było uwierzyć, że to ta sama kobieta, która obrzuciła go oskarżeniami i podejrzewała o najgorsze. Przed nim stała łagodna kobieta z najsmutniejszymi oczami, jakie w życiu widział, bardzo podobnymi do oczu Pip. I tak samo jak córka przypominała bezdomne dziecko. Ją także miał ochotę wziąć w ramiona. Wszystko, co przeszła, odbijało się w jej twarzy i oczach. Mimo to zauważył, że jest piękną kobietą i wygląda zaskakująco młodo na swój wiek.

– Muszę się pani do czegoś przyznać... – powiedział z przejęciem. Wolał mieć to jak najszybciej za sobą. – Zabrałem Pip do siebie do domu, żeby obmyć jej nogę. Byliśmy tam najwyżej pięć minut, a potem przywiozłem ją tutaj. Musiałem oczyścić ranę z piasku, a poza tym tak mocno krwawiła, że musiałem czymś owinąć stopę.

– Dzięki Bogu, że pan przy tym był. I dziękuję, że mi pan to powiedział.

– Początkowo zamierzałem przywieźć ją wprost do domu, ale chciałem obejrzeć ranę. Była gorsza, niż myślałem.

– Tak. – Kiedy przyglądała się zakładaniu szwów, jej także zrobiło się niedobrze. Tak samo jak wtedy, kiedy Chad rozciął sobie głowę. To był okropny dzień. Ale dziś przynajmniej wszystko było prostsze, dzięki Mattowi. Zrozumiała, dlaczego córka tak go polubiła. To bardzo sympatyczny człowiek. – Dziękuję za życzliwość. Pomógł pan Pip. I mnie.

– Przykro mi, że to się w ogóle stało. Te szkła na plaży są szalenie niebezpieczne. Zawsze je zbieram, żeby zapobiegać takim wypadkom.

Rzucił okiem na Pip i uśmiechnął się.

– Czy mogę pana czymś poczęstować? – zaproponowała Ophélie.

Matt zawahał się. Mieli za sobą męczące przedpołudnie.

– Na pewno jest pani wykończona. To zawsze jest bardzo przykre, kiedy dziecku coś się dzieje.

– Mogę zrobić kanapki. To nie potrwa długo.

– Jest pani pewna?

– Jak najbardziej. Napije się pan wina?

Zdecydował się na colę, a po paru minutach Ophélie postawiła przed nim talerz z kanapkami. Zrobiła na nim wrażenie osoby spokojnej i zaradnej. Usiedli naprzeciwko siebie przy kuchennym stole.

– Pip mówiła mi, że jest pani Francuzką, chociaż wcale się tego nie słyszy. Świetnie mówi pani po angielsku.

– Nauczyłam się angielskiego jako dziecko i mieszkam w Stanach ponad dwadzieścia lat. Przyjechałam na studia i wyszłam za mąż za jednego z moich profesorów.

– Co pani studiowała?

– Wstępny kurs medycyny. Ale nie poszłam na medycynę. Wyszłam za mąż. – Nie powiedziała mu, że studiowała w Radcliffe, byłoby to zbyt pretensjonalne.

– Żałuje pani, że nie skończyła medycyny? – zapytał. Ophélie, podobnie jak jej córka, bardzo go intrygowała.

– Nie. Nigdy nie żałowałam. Nie byłabym dobrą lekarką. Nie mogłam patrzeć, jak pielęgniarka zszywała Pip ranę.

– Przy własnym dziecku to co innego. Zresztą nawet ja czułem to samo, a Pip nie jest przecież moją córką.

Przypomniało jej się, że zna kilka faktów z jego życia.

– Pip mówiła, że pańskie dzieci mieszkają w Nowej Zelandii. – Kiedy tylko to powiedziała, zorientowała się, że sprawiła mu ból. Matt spojrzał na nią smutno. – Ile mają lat?

– Szesnaście i osiemnaście.

– Mój syn w kwietniu skończyłby szesnaście lat – westchnęła.

Matt postanowił zmienić temat.

– Przez rok studiowałem w Beaux Arts w Paryżu. Co za cudowne miasto. Już od paru lat tam nie byłem, ale kie-

70

dyś korzystałem z każdej okazji, by wrócić. Luwr jest moim najbardziej ulubionym miejscem na ziemi.

– W zeszłym roku zabrałam Pip do Luwru i okropnie jej się tam nie podobało. Za poważne dla niej. Ale lubiła międzynarodową kawiarnię w suterenie. Bardziej niż McDonalda.

Oboje roześmiali się z kulinarnych i kulturalnych preferencji dzieci.

– Często bywa pani we Francji?

– Każdego lata. Ale w tym roku nie chciałam jechać. Wydawało mi się, że tu będzie mi łatwiej i spokojniej. W dzieciństwie jeździłam do Bretanii, tutaj jest podobnie.

Matt stwierdził ze zdumieniem, że zaczyna lubić Ophélie. Jest ciepłą, prostolinijną, bezpretensjonalną i praktyczną osobą, i nie zachowuje się jak żona człowieka, który zrobił majątek i latał własnym samolotem. Zauważył jednak, że pod długimi, jasnymi, kręconymi włosami błyszczą małe diamentowe kolczyki, a Ophélie ma na sobie piękny czarny sweter z kaszmiru. Jednak te luksusy wydawały się nieważne przy jej łagodnym usposobieniu i urodzie. Spostrzegł też, że nadal nosiła obrączkę, i to go poruszyło. Sally powiedziała mu, że wyrzuciła obrączkę tego dnia, kiedy od niego odeszła. Wtedy ta informacja mało go nie zabiła. Podobało mu się to, że Ophélie nie zdjęła obrączki. Był to przejaw miłości i szacunku dla zmarłego męża. Podziwiał ją za to.

Rozmawiali cicho i ze zdziwieniem stwierdzili, że minęły dwie godziny. Pip poruszyła się, jęknęła i przewróciła na drugi bok. Mus leżał przy niej na podłodze.

– Ten pies ją uwielbia – stwierdził Matt.

Ophélie skinęła głową.

– Kiedyś należał do mojego syna, a teraz zaadoptował Pip. Ona go kocha.

Matt wstał w końcu, podziękował za poczęstunek i zaproponował, by któregoś dnia wybrała się na plażę razem z Pip. Opowiedział jej także o żaglówce i zaprosił na przejażdżkę, gdy Ophélie przyznała, że lubi ocean.

– Pip chyba przez następny tydzień nigdzie się nie wybierze – powiedział ze smutkiem. Wiedział, że będzie mu jej brakowało.

– Może ją pan tu odwiedzać. Będzie zachwycona.

Nie mógł uwierzyć, że zaprasza go ta sama kobieta, która niecałe dwa tygodnie temu zabroniła córce się z nim widywać. Jednakże sytuacja się zmieniła. Z powodu nieustępliwej lojalności Pip Ophélie też mu zaufała. A po wypadku nawet go polubiła i była mu wdzięczna za pomoc. Poznała powód przyjaźni Pip i Matta. Trochę przypominał Teda. Nie tyle z rysów twarzy, ile ze wzrostu i sposobu, w jaki się poruszał. Ophélie dobrze się czuła w jego towarzystwie.

– Dziękuję za lunch – powiedział. Dała mu numer telefonu i Matt obiecał, że zadzwoni przed przyjściem i że najpierw da Pip parę dni, żeby poczuła się lepiej.

Dziewczynka przeżyła bolesne rozczarowanie, kiedy się obudziła i stwierdziła, że Matt już pojechał. Spała prawie cztery godziny i znieczulenie przestało działać. Stopa bardzo bolała. Pielęgniarka ostrzegła, że może tak być dzień lub dwa. Ophélie dała córce aspirynę i otuliła ją kocem. Pip znów zasnęła.

Wciąż spała, gdy zadzwoniła Andrea i Ophélie opowiedziała jej, co się stało.

– Ten Matt raczej nie jest pedofilem – orzekła Andrea. – Może to ty powinnaś go trochę pomolestować – dodała, chichocząc. – A jeśli nie chcesz, to ja się nim zajmę. – Odkąd urodziła dziecko, nie była na żadnej randce i to zaczynało ją denerwować. Andrea lubiła męskie towarzystwo i uważnie obserwowała każdego faceta z dzieckiem na placu zabaw. Często spotykała się z kolegami z pracy, nawet żonatymi.

– Zobaczymy – mruknęła enigmatycznie Ophélie. Z przyjemnością zjadła lunch z Mattem, ale nie zamierzała się z nim umawiać. Z nim ani z nikim innym. Nadal uważała się za żonę Teda. Często mówiła o tym na spotkaniach grupy i nie wyobrażała sobie, by mogło być inaczej. Na myśl o tym, że znów jest samotną kobietą, zadrżała. Przez dwadzieścia lat była zakochana w Tedzie i nawet jego śmierć tego nie zmieniła. Jej miłość trwała nadal.

– Przyjadę do was w tym tygodniu – obiecała Andrea. – Zaproś go wtedy na obiad. Chcę go zobaczyć.

– Jesteś okropna – powiedziała ze śmiechem Ophélie.

Rozmawiały jeszcze przez kilka minut. Potem Ophélie zaniosła śpiącą Pip do łóżka i otuliła ją kołdrą. Zdała sobie sprawę, że nie robiła tego od bardzo dawna. Miała wrażenie, że bardzo powoli budzi się z głębokiego snu. Trudno było uwierzyć, że Ted i Chad zginęli dziesięć miesięcy temu. Zupełnie jakby wycięto jej z życia rok. Stopniowo wracała do życia.

Matt był pod wrażeniem jej godności i wdzięku. Na początku, po rozwodzie, miał na temat randek takie samo zdanie jak Ophélie. Dopiero po dobrych paru latach przestał myśleć o Sally, przestał cierpieć z jej powodu. Nie kochał jej ani nie nienawidził. Miał pustkę w sercu. Jedyne, na co potrafił się zdobyć, przynajmniej we własnym mniemaniu, była przyjaźń z jedenastoletnią dziewczynką.

Rozdział 6

Pip NIE BYŁA ZADOWOLONA, że cały tydzień musi siedzieć w domu. Dni spędzała na kanapie, oglądając telewizję i czytając książki lub, jeśli Ophélie miała ochotę, grając w karty. Przeważnie jednak matka była zbyt rozkojarzona. Pip rysowała także na kawałkach papieru, które wpadły jej w ręce, ale najbardziej złościło ją to, że nie mogła iść na plażę i zobaczyć Matta. Musiała pilnować, żeby piasek nie dostał się do rany. W dodatku od dnia, w którym się skaleczyła, była piękna pogoda i to sprawiło, że siedzenie w domu stawało się jeszcze bardziej nieznośne.

Pip nie wychodziła z domu od trzech dni, kiedy Ophélie postanowiła pójść na spacer plażą i bezwiednie skierowała się ku jej publicznej części. Po jakimś czasie zobaczyła Matta przy sztalugach. Był pogrążony w pracy. Zawahała się, jak kiedyś Pip, i zatrzymała w pewnej odległości. W końcu Matt wyczuł jej obecność i się odwrócił. Znowu uderzyło go nadzwyczajne podobieństwo między matką i córką. Uśmiechnął się i Ophélie podeszła bliżej.

– Jak się pan miewa? Nie chciałam przeszkadzać – powiedziała z nieśmiałym uśmiechem.

– Wcale mi pani nie przeszkadza. I proszę mi mówić po imieniu. – Miał na sobie dżinsy i bawełnianą koszulkę, podkreślające wysportowaną sylwetkę z silnymi ramionami i szerokimi barami. – Jak się czuje Pip?

– Nudzi się, biedaczka. Dostaje szału, kiedy nie może wyjść z domu. Brak jej spotkań z tobą. Proszę, i ty mów mi po imieniu.

– Chętnie, Ophélie. Odwiedzę Pip, jeśli nie masz nic przeciwko temu. – Nie chciał się narzucać ani matce, ani córce.

– Będzie zachwycona.

– Może dam jej jakieś zadanie rysunkowe.

Ophélie zauważyła, że na sztalugach stoi pejzaż morski, z dużymi, spienionymi falami podczas sztormu i małą łódką. Obraz, mocny i poruszający, przedstawiał nieustępliwość oceanu i samotność.

– Podoba mi się ten obraz – powiedziała szczerze.

– Dziękuję.

– Zawsze malujesz akwarelami?

– Nie, wolę farby olejne. I lubię malować portrety.

Przypomniało mu się, że obiecał namalować portret Pip na urodziny Ophélie. Chciał zacząć, nim wyjadą z Safe Harbour. Z powodu wypadku nie zrobił jeszcze wstępnych szkiców, ale miał w głowie wyraźny wizerunek, który chciał uwiecznić na płótnie.

– Mieszkasz tu na stałe? – spytała.

– Tak. Od prawie dziesięciu lat.

– W zimie musi tu być dość pusto – zauważyła cicho. Nie wiedziała, czy usiąść na piasku, czy nadal stać obok niego. Miała wrażenie, że ta część plaży należy do Matta i że powinna zaczekać na zaproszenie, żeby się rozgościć.

– Jest spokojnie. Tak jak lubię.

Prawie wszyscy mieszkańcy przyjeżdżali tu tylko na lato. W części położonej między strzeżonym osiedlem a plażą publiczną mieszkało na stałe tylko kilka osób. W zimie na plaży i w miasteczku były pustki. Matt wydawał się Ophélie człowiekiem samotnym, choć nie nieszczęśliwym. Najwyraźniej dobrze czuł się w swojej skórze, jak mawiają Francuzi.

– Często jeździsz do miasta? – spytała. Rozumiała już, dlaczego Pip polubiła Matta. Choć nieszczególnie rozmowny, sprawiał, że ludzie dobrze się czuli w jego towarzystwie.

– Bardzo rzadko. Nie mam powodów. Sprzedałem interes dziesięć lat temu, kiedy się tu przeprowadziłem. Myślałem, że tylko robię sobie przerwę, ale, jak się okazało, zostałem tu na stałe.

Pozwoliła mu na to sprzedaż agencji reklamowej u szczytu powodzenia. Nawet po oddaniu połowy sumy Sally. A później dostał jeszcze niewielki spadek po rodzicach. Początkowo chciał odczekać rok i wziąć się do czegoś innego, ale Sally wyjechała do Nowej Zelandii i usiłował utrzymywać kontakt z dziećmi. Gdy po czterech latach wreszcie przestał tam latać, otwieranie nowego interesu już go nie interesowało. Marzył tylko o malowaniu. W ciągu tych lat miał kilka indywidualnych wystaw, choć z tego też już zrezygnował. Nie musi pokazywać swoich prac.

– Podoba mi się tutaj. – Ophélie usiadła na piasku dwa metry od Matta. Stał na tyle blisko, że widziała, jak maluje, i mogła z nim rozmawiać, a jednocześnie na tyle daleko, by nie wkraczać w jego przestrzeń. Tak jak czasem Pip, siedziała i w milczeniu przyglądała się jego pracy, dopóki się nie odezwał.

– To jest dobre miejsce dla dzieci. – Przyglądał się obrazowi zmrużonymi oczami, a potem zapatrzył się w dal. – Jest bezpiecznie, mogą swobodnie biegać po plaży, łatwiej je dopilnować niż w mieście.

– Dla mnie wygodne jest to, że mam blisko do miasta. Mogę bez trudu pojechać i wrócić, zostawiając tu Pip. I niczego nie musimy.

– Mnie też się to podoba – uśmiechnął się do niej. I postanowił trochę ją podpytać. Był ciekaw, jaka jest, wydawała mu się inteligentna, a zarazem bardzo spokojna i udręczona. – Pracujesz gdzieś? – Mało prawdopodobne, bo Pip nigdy o tym nie mówiła.

– Nie. Pracowałam kiedyś, dawno temu, kiedy mieszkaliśmy w Cambridge, zanim urodziłam dzieci. Później przestałam pracować, bo i tak nie zarobiłabym tyle, żeby zarobić na pensję dla opiekunki. Pracowałam jako asystentka w laboratorium biochemicznym na Harvardzie. Uwielbiałam tę pracę.

Ted załatwił jej to zajęcie, które wówczas doskonale korespondowało z jej planami studiowania medycyny. Zrezygnowała jednak z marzeń, a jej jedynym marzeniem został Ted. On i dzieci były dla niej całym światem.

– To brzmi poważnie. Nie mogłabyś wrócić na kurs medyczny?

W odpowiedzi roześmiała się głośno.

– Jestem za stara. Zostałabym lekarzem najwcześniej koło pięćdziesiątki.

W wieku czterdziestu dwóch lat dawno zapomniała o medycynie.

– No to co? Myślę, że by ci się to spodobało.

– Kiedyś na pewno. Ale byłam zadowolona, pomagając mężowi.

Pod wieloma względami nadal była typową Francuzką, całkowicie usatysfakcjonowaną drugim miejscem w rodzinie. Zresztą wcale tego tak nie odbierała, uważała się za podporę Teda, kogoś, kto zachęcał go do dalszych starań i pozwalał przeżyć ciężkie czasy. Głównie dlatego ich małżeństwo przetrwało. Ted potrzebował jej, by kontaktować się z realnym światem.

– Zastanawiam się nad podjęciem jakiejś pracy. A raczej inni się nad tym zastanawiają. Ludzie z grupy i moja najbliższa przyjaciółka. Uważają, że potrzebuję czegoś, co by mnie zajęło. Pip jest cały dzień w szkole i nie mam co robić. Nie wiem, czym mogłabym się zająć. Nie mam żadnego wykształcenia.

– A co lubisz robić? – spytał. Kiedy Ophélie mówiła, nie przerwał malowania, tylko od czasu do czasu rzucał jej przelotne spojrzenia. I to się jej podobało, nie czuła się oceniana, miała wrażenie, że może się otworzyć.

– Aż wstyd się przyznać, ale nie jestem pewna. Od dawna nie robiłam niczego dla siebie, zawsze zajmowałam się tylko mężem i dziećmi. A Pip potrzebuje mnie dużo mniej niż mąż i syn.

– Jesteś tego pewna? – zapytał spokojnie Matt. Chciał jej powiedzieć, że Pip robi wrażenie bardzo samotnego dziecka, ale w końcu nic nie powiedział. – A co sądzisz o pracy wolontariuszki? – Sądząc po domu, który wynajmuje, oraz z faktu, że jej mąż latał własnym samolotem, na pewno nie musi zarabiać na życie.

– Zastanawiałam się nad tym.

– Kiedyś uczyłem rysunku w szpitalu psychiatrycznym. To było fantastyczne. Jedna z najlepszych rzeczy, jaka mi się przytrafiła. Nauczyłem się od pacjentów więcej, niż ja nauczyłem ich. O życiu, cierpliwości i odwadze. Poznałem wspaniałych ludzi. Przestałem tam uczyć, gdy się tu przeprowadziłem. – Akurat to nie było do końca prawda.

Przestał uczyć w szpitalu psychiatrycznym, bo wpadł w depresję po tym, jak się okazało, że nie będzie widywał się z dziećmi. Kiedy doszedł do siebie, a przynajmniej poczuł się trochę lepiej, nie chciał więcej jeździć do miasta.

– Ludzie chorzy umysłowo są często nadzwyczajni – przyznała cicho Ophélie, a sposób, w jaki to powiedziała, kazał mu się odwrócić i na nią spojrzeć.

Widział, że dobrze wie, o czym mówi. Spojrzeli sobie w oczy, Matt wrócił do malowania. Bał się zapytać, dlaczego to powiedziała, ale ona wyczuła jego pytanie.

– Mój syn chorował na psychozę maniakalno-depresyjną… Był bardzo dzielny. W roku poprzedzającym śmierć dwukrotnie próbował popełnić samobójstwo.

To wyznanie oznaczało, że obdarzyła Matta ogromnym zaufaniem. Podobnie jak Pip uważała go za człowieka współczującego i pełnego zrozumienia.

– Czy Pip o tym wie?

– Tak, ciężko to przeżyła. Za pierwszym razem ja go znalazłam, Pip za drugim. To było okropne przeżycie.

– Biedne dziecko… Jak to zrobił?

– Za pierwszym razem podciął sobie żyły, na szczęście nieudolnie. Za drugim razem usiłował się powiesić. Pip weszła do jego pokoju, żeby go o coś zapytać… Zdążył już zsinieć i omal nie umarł. Zawołała mnie, zdjęłyśmy go i zaczęłam mu robić sztuczne oddychanie. Przyjechała karetka, długo go reanimowali, był naprawdę bliski śmierci. – Mówiła to wszystko prawie bez tchu. Do tej pory jej się to śniło. – Tuż przed śmiercią czuł się znacznie lepiej i dlatego posłałam go z ojcem do Los Angeles. Ted leciał na spotkanie i pomyślałam, że może będzie im przyjemnie pobyć trochę ze sobą. Na ogół Ted nie miał na to czasu. – I nie chciał zawracać sobie głowy problemami syna. Nawet po próbach samobójczych upierał się, że Chad chciał tylko zwrócić na siebie uwagę.

Jednak Matt znał mężczyzn i dzieci.

– Jak się odnosił do syna? Czy trudno mu było zaakceptować jego chorobę?

Zawahała się, a potem skinęła głową.

– Bardzo trudno. Ted uważał, że Chad z tego wyrośnie. Niezależnie od tego, co mówili lekarze, nie chciał przyjąć do wiadomości, że to poważna choroba. Za każdym razem, kiedy Chadowi się polepszało, sądził, że wyzdrowiał. Ja zresztą początkowo też tak myślałam. Ted zawsze powtarzał, że Chad z tego wyjdzie, jak dojrzeje, że go rozpuszczam, że potrzeba mu dziewczyny. Rodzicom trudno zaakceptować nieuleczalną chorobę dziecka, która czasem na chwilę odpuszcza pod wpływem lekarstw i terapii, ale nigdy nie odchodzi na zawsze.

Ophélie od początku wiedziała, że Chad jest poważnie chory, mimo że był bystrym i czarującym dzieckiem. Tak długo zasięgała porad u kolejnych specjalistów, aż postawiono właściwą diagnozę. Jednak nawet wtedy Ted nie uwierzył. Powiedział, że psychiatrzy to szarlatani, że testy nie są wiarygodne. A przecież próby samobójcze, bezsenne noce i ataki depresji Chada mówiły same za siebie. Lekarstwa i terapia trochę pomagały, ale nigdy nie wyleczyły chłopca. Jedynie Ted nie przyjął do wiadomości, że syn nigdy nie wyzdrowieje.

– Wiele przeszłyście… Musi być ci bardzo ciężko ze świadomością, że dwa razy udało ci się uratować synowi życie po to, by zginął w tym samolocie.

– Przeznaczenie – westchnęła cicho. – Co możemy na to poradzić? Dziękuję Bogu, że nie posłałam z nimi Pip – dodała.

– Czy chciałabyś pracować jako wolontariuszka z chorymi psychicznie dziećmi? – spytał Matt, starając się zmienić temat, nie wracając więcej do bolesnej przeszłości Ophélie.

– Nie wiem – odparła, wpatrując się w morze i wyciągając nogi na piasku. – Tyle lat spędziłam z Chadem, czasem na bardzo intensywnej terapii, że chciałabym wykorzystać to, czego się nauczyłam, by pomóc innym. Choć mam już dość i wolałabym robić coś innego. To może brzmi egoistycznie, ale mówię szczerze, jak jest.

Wydawała się ponad tym wszystkim, mądra, troskliwa, zraniona. Matt czuł dla niej szacunek i współczucie, tak samo jak dla Pip. Ona też przeszła swoje, choć była taka mała.

– Być może masz rację i potrzebujesz oddechu, czegoś przyjemniejszego. A praca z dziećmi? Bezdomnymi dziećmi lub całymi rodzinami? Tam można zdziałać wiele dobrego.

– To byłoby ciekawe. Niesamowite, ile się ostatnio widzi bezdomnych, nawet we Francji, nie tylko tutaj. To problem ogólnoświatowy.

Przez jakiś czas rozmawiali o bezdomności, jej politycznych i ekonomicznych przyczynach. Na razie sprawa wydawała się niemożliwa do rozwiązania, ale przynajmniej prowadzili interesującą rozmowę. W końcu Ophélie wstała i powiedziała, że musi wracać do domu. Matt przekazał pozdrowienia dla Pip, co podsunęło Ophélie pomysł.

– Pozdrów ją osobiście – powiedziała z uśmiechem.

– Zadzwonię do niej – obiecał Matt. Zrobiło mu się głupio, że nie wpadł na to wcześniej, ale nie chciał się narzucać.

– Przyjdź dziś na kolację. Jedzenie będzie okropne, ale Pip się ucieszy. Mnie też będzie miło.

Uśmiechnął się. To było najprzyjemniejsze zaproszenie, jakie otrzymał od wielu lat.

– Chętnie. Jesteś pewna, że nie sprawię kłopotu?

– Wprost przeciwnie, będziemy zachwycone. Nic nie powiem Pip, będzie miała niespodziankę. Przyjdź koło siódmej, dobrze?

– Doskonale. Czy mogę coś przynieść? Ołówki? Wino? Gumkę?

Ophélie się roześmiała.

– Wystarczy, że przyjdziesz. Pip się ucieszy.

Matt miał na końcu języka, że i dla niego to będzie prawdziwa przyjemność. Czuł się jak sztubak.

– Do zobaczenia – powiedział z uśmiechem.

Ophélie pomachała mu, kierując się w stronę domu, a Matt znów pomyślał, że są z Pip szalenie do siebie podobne.

Rozdział 7

Kiedy zadzwonił dzwonek przy drzwiach, znudzona Pip leżała na kanapie, z nogą na poduszce. Ophélie poszła otworzyć. Matt miał tym razem na sobie szary golf i dżinsy, w ręku trzymał butelkę wina. Ophélie położyła palec na ustach. Matt wkroczył do pokoju z szerokim uśmiechem. Pip na jego widok pisnęła głośno i zeskoczyła z kanapy na zdrową nogę.

– Matt! – Spojrzała na niego i na matkę, bardzo zadowolona, nie mając pojęcia, skąd taka niespodzianka. – Jak…? Co…? – pytała ucieszona i skonfundowana.

– Spotkałem dziś na plaży twoją mamę, która była tak miła i zaprosiła mnie na kolację. Jak noga?

– Beznadziejnie. Głupia noga. Mam jej dość. Przez nią nie mogę z panem rysować. – Dużo szkicowała, ale miała wrażenie, że nabyte niedawno umiejętności gdzieś przepadły. Tego popołudnia miała kłopoty z tylnymi łapami Musa. Zapomniałam, jak się rysuje tylne łapy.

– Pokażę ci jeszcze raz. I mów mi po imieniu, dobrze? – Matt wręczył jej nowiutki blok i pudełko kredek. Niczego więcej nie potrzebowała i zaraz zabrała się do pracy.

Ophélie tymczasem nakryła stół na trzy osoby i otworzyła butelkę dobrego francuskiego wina. Chociaż rzadko piła alkohol, lubiła to wino, przypominało jej Francję.

Wstawiła kurczaka do piecyka, ugotowała szparagi i dziki ryż, zrobiła sos holenderski. To był jej największy wysiłek kulinarny od roku. I sprawił jej ogromną przyjemność.

Kiedy usiedli do stołu, Matt i Pip docenili starania Ophélie.

– Nie podałaś mrożonej pizzy? – spytała ze śmiechem Pip.

– Przestań, Pip. Nie zdradzaj moich sekretów. – Ophélie uśmiechnęła się do córki.

– Mrożona pizza to główny składnik mojej diety – powiedział Matt. – I zupy w proszku.

Był elegancki i przystojny, wyglądał świeżo i zdrowo i pachniał dobrą wodą kolońską. Ophélie uczesała się na jego cześć, włożyła czarny kaszmirowy sweter i dżinsy. Nie umalowała się, tak jak nie malowała się przez cały zeszły rok. Nadal nosiła żałobę po mężu i synu, ale po raz pierwszy pomyślała, że mogła pomalować usta. Nie przywiozła ze sobą żadnych kosmetyków, zostały w szufladzie w domu. Przez ten cały czas w ogóle nie czuła ich braku. Aż do tej pory. Nie zależało jej, by podobać się Mattowi, lecz chciała znowu wyglądać jak kobieta. Robot, jakim się stała, powoli ożywał.

Podczas kolacji rozmawiali z ożywieniem. O Paryżu, o sztuce, o szkole. Pip oznajmiła, że wcale nie ma ochoty wracać do szkoły. Na jesieni skończy dwanaście lat i zacznie siódmą klasę. Na pytanie Matta odparła, że ma wprawdzie dużo koleżanek, ale czuje się dziwnie w ich towarzystwie. Sporo rodziców jej przyjaciół rozwiodło się, nikt jednak nie stracił ojca. Nie chciała, żeby jej żałowano, żeby koleżanki zachowywały się „zbyt miło". Nie chciała czuć się inna. Matt wiedział, że to nieuniknione.

– Nawet nie mogę wziąć udziału w „kolacji z ojcem" – stwierdziła płaczliwie. – Z kim miałabym pójść?

Ophélie też się nad tym zastanawiała, ale niczego nie wymyśliła. Kiedyś, gdy Ted nie miał czasu, Pip poszła z bratem, teraz jednak i jego zabrakło.

– Możesz wziąć mnie, jeśli chcesz – zaproponował Matt i spojrzał na Ophélie. – Jeżeli mamie to nie przeszkadza. Można zabrać przyjaciela, można nawet zabrać mamę. Mama jest tak samo dobra jak tata.

– Nie da się, w zeszłym roku ktoś chciał przyjść z mamą i mu nie pozwolili.

Mattowi wydało się to przesadnym trzymaniem się zasad.

Pip była zachwycona jego propozycją, a Ophélie skinęła głową z aprobatą.

– To bardzo miło z twojej strony, Matt – powiedziała cicho i podała deser. Lody waniliowe z zamrażarki, polane roztopioną czekoladą. Ulubiony deser Pip. Ted też go lubił. Ophélie i Chad woleli lody owocowe. Pomyślała, że zamiłowanie do smaku lodów to czasem sprawa genów.

– Kiedy jest ta kolacja z ojcem? – spytał Matt.

– Niedługo przed Świętem Dziękczynienia – odparła podekscytowana Pip.

– Jeśli podasz mi dokładną datę, na pewno przyjadę. I włożę garnitur.

Nie nosił garnituru od lat. Chodził wyłącznie w dżinsach i starych swetrach, od czasu do czasu wkładał starą tweedową marynarkę. Garnitury nie były mu potrzebne. Nigdzie nie jeździł, nie prowadził życia towarzyskiego. Bardzo rzadko, coraz rzadziej odwiedzał go ktoś ze starych znajomych z miasta. Polubił odludne życie. Znajomi zostawili go w spokoju.

Pip długo z nimi siedziała, ale w końcu zaczęła ziewać. Dawno minęła pora, kiedy powinna pójść do łóżka. Stwierdziła, że nie może się już doczekać zdjęcia szwów, i złościła się, że przez następny tydzień będzie musiała nosić na plaży sandały.

– Mogłabyś jeździć na Musie – zażartował Matt.

Kilka minut później Pip przyszła w piżamie, żeby powiedzieć im dobranoc. Siedzieli na kanapie, Matt rozpalił w kominku. Pip z przyjemnością spojrzała na ten ciepły obrazek i z zadowoleniem, jakiego dawno nie odczuwała, poszła do łóżka. Ophélie także czuła się zadowolona. Obecność mężczyzny wypełniała cały dom i dawała poczucie komfortu. Mus, który leżał przy kominku, od czasu do czasu unosił łeb i machał ogonem.

– Masz szczęście – powiedział cicho Matt do Ophélie, kiedy zamknęła drzwi od pokoju córki. Dom składał się z salonu, kuchni, jadalni i dwóch sypialni. Nikomu nie zależało na szczególnej prywatności czy elegancji letniego domu nad morzem, niemniej był gustownie urządzony. Właściciele mieli trochę ładnych rzeczy i nowoczesne obrazy, które podobały się Mattowi. – To fantastyczny dzieciak. – Przypominała mu jego córkę, choć nie był pewien, czy jego dzieci potrafiłyby zachowywać się tak naturalnie i otwarcie, czy tak dorośle. Nie miał pojęcia, jakie teraz są. Należą do Hamisha, Sally się o to postarała.

– To prawda. Na szczęście mamy siebie. – Ophélie znowu podziękowała w duchu Bogu, że Pip nie leciała samolotem razem z ojcem i z bratem. – Jest wszystkim, co mam. Moi rodzice i teściowie od dawna nie żyją. Oboje byliśmy jedynakami. Mam tylko jakichś dalekich kuzynów we Francji i ciotkę, której nie lubię i której nie widziałam od wieków. Lubię jeździć do Francji z Pip, chcę, żeby miała świadomość swoich korzeni, ale nie mamy nikogo bliskiego. Jesteśmy same.

– Może to wystarczy. – On nie ma nawet tego. Tak jak Ophélie jest jedynakiem i też nie ma nikogo. Podczas tych złych lat po rozwodzie trudno mu było utrzymać kontakt z przyjaciółmi, podobnie jak Pip nie chciał niczyjego współczucia. Trudno znieść to, co stało się między nim a Sally. – Masz dużo przyjaciół w San Francisco, Ophélie?

– Trochę. Ted nie był zbyt towarzyski. Spędzał całe dnie pogrążony w pracy i oczekiwał, że zawsze będę do jego dyspozycji. Zresztą ja też tego chciałam. Ale trudno mi było podtrzymywać stare przyjaźnie i straciłam kontakt z wieloma osobami. Została mi tylko jedna bliska przyjaciółka. Ostatnich kilka lat całkowicie poświęciłam Chadowi. Nigdy nie wiedziałam, jak się zachowa, czy zacznie walić głową w ścianę, czy wpadnie w depresję i nie będę mogła ani na chwilę zostawić go samego. – A ty? – spytała. – Spotykasz się w mieście z przyjaciółmi?

– Z nikim się nie spotykam – odparł z krzywym uśmieszkiem. – Jakoś nie umiałem sobie z tym poradzić. W Nowym Jorku miałem wspólnie z żoną agencję reklamową, ale wplątaliśmy się w paskudny rozwód. Sprzedaliśmy interes i postanowiłem osiąść tutaj. Zachowałem mieszkanie w mieście, a tu wynająłem mały domek, do którego mogłem przyjeżdżać na weekendy. Później sytuacja jeszcze się pogorszyła, choć wydawałoby się to niemożliwe. Sally przeniosła się do Nowej Zelandii, a ja usiłowałem dojeżdżać tam do dzieci, co okazało się dość trudne. Tam nie miałem żadnego zaplecza. Trochę mieszkałem w hotelu, raz wynająłem mieszkanie, ale czułem się jak piąte koło u wozu. Dziewięć lat temu Sally wyszła za porządnego faceta, mojego przyjaciela, który pokochał moje dzieci, a one go uwielbiają. Jest bogaty, kupował im dużo zabawek. Miał czworo dzieci z pierwszego małżeństwa, a potem Sally urodziła jeszcze dwoje. Moje dzieci zostały wchłonięte przez nową, dużą rodzinę i były tym zachwycone. Nie mam im tego za złe. Po jakimś czasie, za każdym razem, kiedy leciałem do Auckland, Robert i Vanessa nie mieli czasu, by się ze mną spotkać. Woleli spędzać czas z przyjaciółmi. Jak to mówią w twoim kraju, czułem się jak włos w zupie.

Ophélie uśmiechnęła się na to znajome określenie, doskonale rozumiejąc, co czuje Matt. Czasami ona także czuła się jak włos w zupie w skomplikowanym i zapracowanym życiu męża. Bez własnego miejsca. Zbędna.

– Musiało ci być ciężko – stwierdziła ze współczuciem, poruszona wyrazem zagubienia w oczach Teda.

– Owszem – przyznał szczerze. – Bardzo ciężko. Wytrwałem cztery lata. Ostatnich kilka razy, kiedy poleciałem do Nowej Zelandii, prawie nie widziałem dzieci, a Sally wytłumaczyła mi, że przeszkadzam w ich ustabilizowanym życiu. Uważała, że powinienem przyjeżdżać, kiedy oni będą chcieli się ze mną zobaczyć, to znaczy praktycznie rzecz biorąc nigdy. Coraz rzadziej mogli podejść do telefonu, gdy dzwoniłem. W końcu zacząłem pisać listy, na które nie dostawałem odpowiedzi. Kiedy Sally wyszła drugi raz mąż, Vanessa miała siedem lat, a Robert dziewięć. W ciągu dwóch pierwszych lat Sally urodziła dwoje dzieci i wszyscy tworzyli jedną wielką, kochającą się rodzinę. W pewnym sensie czułem, że utrudniam życie moim dzieciom. Przemyślałem sobie wszystko i w końcu zadałem w liście pytanie, czego ode mnie oczekują. Nigdy nie dostałem odpowiedzi. Przez rok nie dawali znaku życia, a ja ciągle pisałem. Doszedłem do wniosku, że jeśli zechcą mnie zobaczyć, to poproszą, żebym przyjechał. Muszę przyznać, że dużo piłem tamtego roku. Pisałem jeszcze przez trzy lata. Bez skutku. W końcu Sally poinformowała mnie, że Vanessa i Robert nie chcą mnie więcej widzieć, ale boją się do tego przyznać. To było trzy lata temu i wreszcie zrezygnowałem. Nie miałem z nimi żadnego kontaktu od sześciu lat. Oprócz alimentów, które nadal posyłam Sally. I świątecznych życzeń, które co roku dostaję od niej. Nigdy nie dążyłem do konfrontacji. Moje dzieci wiedzą, gdzie jestem. Czasami wydaje mi się, że powinienem był jeszcze raz tam pojechać i wszystko z nimi przedyskutować, ale nie chciałem ich stawiać w trudnej sytuacji. Sally powiedziała mi wyraźnie, jakie są ich odczucia. Kiedy je ostatni raz widziałem, Vanessa miała dziesięć lat, a Robert dwanaście. Trudno w tym wieku powiedzieć własnemu ojcu, żeby się odczepił. Ich milczenie było dostatecznie wymowne. Zrozumiałem i się wycofałem.

Przez te lata, nim zrezygnowałem z pisania, wysyłałem im żałosne listy. Nigdy nie odpisywali. Nawet dziś czasem do nich piszę, ale tych listów nie wysyłam. To byłoby nie w porządku tak ich naciskać. Tęsknię za nimi do szaleństwa. Wydaje mi się, że dla nich już nie istnieję. Ich matka mówi, że tak jest najlepiej. Mówi, że są szczęśliwi i mnie nie potrzebują. Z mojego punktu widzenia nigdy nie zrobiłem niczego złego, ale po prostu nie jestem im potrzebny. Ich ojczym jest fantastycznym człowiekiem. Sam go lubię czy raczej lubiłem. Zanim ożenił się z Sally, przyjaźniliśmy się. Taka jest historia moich dzieci i ostatnich dziesięciu lat. Sześciu bez nich. Sally przysyła mi zdjęcia z życzeniami świątecznymi i wiem, jak teraz wyglądają. Nie wiem, czy to lepiej, czy gorzej. Czasem lepiej, czasem gorzej. Czuję się tak jak kobieta, która urodziła dziecko, a potem oddała je do adopcji. I raz na rok dostaje zdjęcie swojego dziecka. Sally przysyła mi życzenia ze zdjęciami wszystkich ośmiorga dzieci, jego, moich i ich wspólnych. Przeważnie płaczę, kiedy je oglądam. Wycofałem się dla ich dobra. Tego potrzebowali czy też chcieli. Tak przynajmniej twierdzi moja była żona.

Robert ma osiemnaście lat, niedługo zacznie studia, może nawet tu, w Ameryce. Mają w Auckland świetne życie. Hamish jest właścicielem największej agencji reklamowej w tamtej części świata. Sally prowadzi ją razem z nim, tak jak przedtem pracowała ze mną. Jest bardzo zdolna. Niezbyt miła czy serdeczna, lecz szalenie kreatywna. I chyba jest dobrą matką. Wie, czego trzeba dzieciom. Zapewne lepiej ode mnie. Ja już ich nie znam. Nie jestem nawet pewien, czy poznałbym je na ulicy, choć trudno mi to przyznać. Staram się o tym nie myśleć. Odszedłem dla dobra dzieci. Kilka lat temu Sally spytała w liście, czy się zgadzam, żeby Hamish zaadoptował Roberta i Vanessę. O mało nie umarłem. Wciąż są moimi dziećmi i zawsze nimi będą, choć teraz nie jestem im potrzebny. Nie zgodziłem się. Przedtem rozmawiałem czasem z Sally przez telefon, od tamtej pory się nie odzywa. Wydaje mi się, że chcieliby, abym gdzieś zniknął, i właściwie tak zrobiłem. Wyniosłem się nie tylko z życia moich dzieci, lecz praktycznie z życia wszystkich znajomych. Żyję bardzo spokojnie. Dużo czasu zabrało mi dojście do siebie po tym wszystkim.

To była wstrząsająca historia, choć wiele wyjaśniała. Jest człowiekiem, który tak jak ona stracił prawie wszystko, co się dla niego liczyło: pracę, żonę, dzieci. I żyje jak odludek. Ophélie przynajmniej ma Pip. Nie mogła sobie wyobrazić życia bez córki.

– Dlaczego twoje małżeństwo się skończyło?

Zdawała sobie sprawę, że nie było to grzeczne pytanie, ale chciała dołożyć ten brakujący kawałek do układanki, a poza tym wiedziała, że jeśli Matt nie zechce, to jej nie powie.

Westchnął i milczał przez chwilę.

– Klasyczna historia. Studiowaliśmy razem z Hamishem. Później on wrócił do Nowej Zelandii, ja zostałem w Nowym

Jorku. Obaj otworzyliśmy agencje reklamowe i nawiązaliśmy coś w rodzaju luźnej współpracy. Miewaliśmy tych samych klientów o międzynarodowych powiązaniach, polecaliśmy sobie interesy, konsultowaliśmy się w sprawach dużych korporacji. Hamish przyjeżdżał do Nowego Jorku kilkanaście razy w roku, my jeździliśmy do Auckland. Sally była dyrektorem kreatywnym naszej agencji i zajmowała się stroną biznesową, ściągając większość klientów. Ja byłem dyrektorem artystycznym. Tworzyliśmy związek nie do pobicia i mieliśmy największe zlecenia. Nadal przyjaźniliśmy się z Hamishem i często jeździliśmy razem na wakacje. Przeważnie do Europy. Raz na safari do Botswany. Pewnego przeklętego lata wynajęliśmy zamek we Francji. Musiałem wcześniej wrócić do domu, a żonie Hamisha zmarła matka i ona poleciała do Auckland. Hamish i Sally z naszymi dziećmi zostali we Francji. Krótko mówiąc, zakochali się w sobie. Miesiąc później Sally wróciła do domu i oznajmiła, że odchodzi. Pokochała Hamisha i chciała poczekać na dalszy rozwój wydarzeń. Potrzebowała czasu i przestrzeni z dala ode mnie. Cóż, takie rzeczy się zdarzają. Niektórym ludziom. Powiedziała mi, że nigdy mnie naprawdę nie kochała, ale tworzyliśmy udany związek biznesowy. Miała ze mną dzieci, bo tak wypadało. Niezbyt przyjemne stwierdzenia, choć chyba prawdziwe. Sally nie jest zbyt taktowna ani wrażliwa i zapewne dlatego odnosi sukcesy zawodowe. Hamish wrócił do domu i wygłosił ten sam tekst swojej żonie, Margaret. I tak się to skończyło. Sally wyprowadziła się z dziećmi z mieszkania w Nowym Jorku i przeniosła do hotelu. Zaproponowała, że odsprzeda mi swoją połowę agencji, ale nie chciałem prowadzić jej bez niej ani szukać nowego partnera. Znokautowała mnie i przez długi czas nie mogłem się podnieść. Sprzedaliśmy cały interes dużej firmie. To była dla nas obojga bardzo korzystna transakcja, lecz ja po piętnastu latach małżeństwa zostałem wprawdzie z dużymi pieniędzmi, ale bez żony, bez pracy, bez dzieci, które wyjechały na drugi koniec świata.

Zostawiła mnie w Święto Pracy*, a w dzień po Bożym Narodzeniu wyjechali do Nowej Zelandii. Jak tylko wysechł atrament na sentencji rozwodu, wzięli ślub. Przedtem miałem nadzieję, że jeśli nie będę jej naciskał, wróci. To było szaleństwo, ale wszyscy czasem zachowujemy się głupio i bez sensu. Po jej wyjeździe nadal kręciło mi się w głowie. I to jest moja odpowiedź na twoje pytanie. Najgorsze jest to, że wciąż uważam Hamisha Greene'a za świetnego faceta. Nie okazał się najlepszym przyjacielem, lecz jest fajny, mądry, zabawny. Z tego, co wiem, są ze sobą szczęśliwi. A ich interes kwitnie.

Słuchając tego, Ophélie pomyślała, że zna takie historie, ale żadna nie była aż tak okrutna. Matt stracił wszystko oprócz pieniędzy, na których najwyraźniej mu nie zależy. Ma jedynie domek i swój talent. Była tak oburzona, że nie wiedziała, co powiedzieć.

– Straszna historia – stwierdziła w końcu, marszcząc brwi. – Okropna. Nienawidzę ich obojga po tym, co mi powiedziałeś. Ale dzieci są takimi samymi ofiarami jak ty. Wyraźnie widać, że zostały zmanipulowane. Twoja żona była odpowiedzialna za to, żeby utrzymywały z tobą kontakt.

To, co mówiła, brzmiało sensownie i Matt nie zaprzeczył. Nigdy nie winił dzieci za zaistniałą sytuację. Były za małe, by zdawać sobie sprawę z tego, co robią, a Sally potrafiła być bardzo przekonująca. Umiała każdemu zamącić w głowie.

– Chciała całkowitego zerwania i doprowadziła do tego. Sally zawsze dostaje to, czego chce. Od Hamisha też. Nie wiem, komu zależało na wspólnych dzieciach, ale znając Sally, jestem pewien, że uważała, iż w ten sposób jeszcze bardziej przywiąże go do siebie. On jest trochę naiwny, to zawsze w nim lubiłem. Sally nie. Jest cwana i wyrachowana i zawsze robi to, co jest najlepsze dla niej samej.

* Święto Pracy w Stanach Zjednoczonych jest obchodzone w pierwszy poniedziałek września (przyp. red.).

– Robi wrażenie złej kobiety – stwierdziła Ophélie i to wzruszyło Matta.

Dołożył do ognia, a potem siedzieli przez jakiś czas w milczeniu.

– Nie spotkałeś już później nikogo ważnego?

To by mu pomogło, ale nie widziała śladów kobiety w jego życiu. Wiódł bardzo samotną egzystencję, a przynajmniej takie robił wrażenie.

– Przez pierwszych parę lat po rozwodzie nie byłem w stanie w nic się zaangażować. Później większość czasu zajmowały mi podróże do Auckland, do dzieci, i nie miałem nastroju na szukanie nowych znajomości. Nikomu nie ufałem i nie zamierzałem zaufać. Przysiągłem sobie, że nigdy nie zwiążę się z żadną kobietą. Jakieś trzy lata temu poznałem świetną kobietę, ale była dużo młodsza ode mnie i pragnęła wyjść za mąż, mieć dzieci. Ja sobie tego zupełnie nie wyobrażałem. Nie chciałem się żenić i mieć dzieci, a potem znów przeżyć kolejny rozwód i wszystko stracić. Miałem czterdzieści cztery lata, ona trzydzieści dwa i postawiła mi ultimatum. Nie mam do niej pretensji, ale nie mogłem się wiązać. Wycofałem się, a ona pół roku później wyszła za kogoś innego. W lecie urodziło im się trzecie dziecko. Mam nadzieję, że znowu nawiążę kontakt z moimi dziećmi, kiedy będą starsze, ale nie mam ochoty na nową rodzinę ani ponowne przeżywanie takich rozczarowań. Raz w życiu wystarczy.

Ophélie pomyślała, że czterdziestosiedmioletni mężczyzna nie powinien poprzestawać na kontaktach z obcymi dziećmi. Zasługuje na coś więcej. Jak na kogoś tak zdolnego i o takich możliwościach wiedzie marne życie, choć najwyraźniej mu to odpowiada.

– A jakie było twoje małżeństwo, Ophélie? Mam wrażenie, że twój mąż nie był najłatwiejszą osobą. Co podobno jest normalne u geniuszy.

– Ted był genialnym człowiekiem. Z niewiarygodną wyobraźnią. Zawsze, od samego początku wiedział, czego chce. I postępował zgodnie z wytyczonym celem, nie pozwalając, aby cokolwiek mu przeszkodziło. Włączając w to mnie i dzieci, choć nie stawaliśmy mu na drodze. Robiliśmy wszystko, żeby mu pomagać, przynajmniej ja. W końcu osiągnął to, co chciał i o czym zawsze marzył. Ostatnich pięć lat jego życia było jednym pasmem sukcesów.

– Jaki był dla ciebie? – dopytywał się Matt.

Z tego, co słyszał, był geniuszem i odniósł sukces, ale Matt chciał wiedzieć, jakim był człowiekiem i mężem. Ophélie odpowiedziała wymijająco.

– Zawsze go kochałam. Od pierwszej chwili, odkąd zostałam jego studentką. Podziwiałam go, takiego kogoś nie sposób nie podziwiać.

Jego trudny charakter nie był dla niej przeszkodą. Takiego go akceptowała i uważała, że miał prawo być taki, jaki był.

– A o czym ty marzyłaś?

– O tym, żeby za niego wyjść – uśmiechnęła się smutno. – Tylko tego chciałam. Kiedy się ze mną ożenił, myślałam, że umarłam i poszłam prosto do nieba. Z pewnością czasem bywało trudno. Borykaliśmy się z biedą przez piętnaście lat, a potem Ted zarobił tyle, że nie wiedzieliśmy, co robić z pieniędzmi, choć one nigdy nie były ważne, przynajmniej dla mnie. Kochałam go tak samo, kiedy byliśmy biedni.

– Czy spędzał z wami dużo czasu? – spytał Matt.

– Czasami. Kiedy tylko mógł. Był zawsze niesamowicie zajęty znacznie ważniejszymi sprawami.

– Co może być ważniejszego od żony i dzieci? – zdziwił się Matt, ale on różnił się od Teda pod wieloma względami. A Ophélie od Sally. Miała wszystkie cechy, których brakowało jego byłej żonie – była łagodna, miła, uczciwa, współczująca. Chwilowo zamknęła się w świecie własnych trosk, ale i tak widać było, że nie jest samolubna, tylko zagubiła się i cierpi. On dobrze to rozumiał, wiedział, że żal potrafił przesłonić człowiekowi inne sprawy.

– Naukowcy są specyficznymi ludźmi – wyjaśniała cierpliwie Ophélie. – Mają inne potrzeby, inaczej postrzegają świat, inaczej odczuwają emocje. Ted był niezwykłym człowiekiem.

Matta, mimo wszystko, nie przekonywały słowa Ophélie. Podejrzewał, że świętej pamięci doktor Mackenzie był egoistą, zapatrzonym w siebie i w dodatku niedobrym ojcem. Podejrzewał nawet, że był kiepskim mężem. Jednak Ophélie miała na ten temat inne zdanie, a w każdym razie nie chciała niczego takiego przyznać. Matt wiedział, że śmierć jest czymś innym niż rozwód i często idealizuje się zmarłego. Łatwo zapomnieć o wadach kogoś, kogo się kochało, a kto umarł. Po rozwodzie zaś pamięta się wyłącznie wady drugiej strony. Matt serdecznie współczuł Ophélie.

Tego wieczoru przegadali wiele godzin – o swoim dzieciństwie, o małżeństwie, o dzieciach. Ophélie ściskało serce za każdym razem, kiedy uświadamiała sobie, że Matt nie ma żadnego kontaktu ze swoimi dziećmi. Gdy o nich mówił, widać było, ile go to kosztuje. Omal nie zwariował, choć skończyło się na tym, że stracił wiarę w ludzi i chęć do kontaktów z innymi, zwłaszcza z kobietami.

Ophélie podejrzewała, że jego była żona manipulowała dziećmi, nie mogła uwierzyć, że dzieci w tym wieku mogłyby zerwać kontakt z ojcem z własnej woli.

Matt już wychodził, kiedy przypomniało mu się coś, o czym myślał wcześniej.

– Lubisz żeglować? – spytał z nadzieją.

Żeglowanie, tak jak malowanie, odpowiadało jego samotniczej naturze.

– Kiedyś bardzo lubiłam. Żeglowałam jako dziecko, gdy jeździliśmy na wakacje do Bretanii. I na Cape Cod, kiedy chodziłam do szkoły.

– Mam w lagunie małą łódkę, którą czasem wypływam w morze. Chętnie cię kiedyś zabiorę, jeśli zechcesz. To stara drewniana żaglówka, którą sam wyremontowałem po przeprowadzce tutaj.

– Z przyjemnością się z tobą wybiorę – powiedziała Ophélie z entuzjazmem.

– Zadzwonię do ciebie, gdy będę planował rejs – odparł zadowolony. Żeglowanie było kolejną rzeczą, która ich łączy, i był pewien, że przejażdżka z nią będzie przyjemnością.

Ophélie na wiadomość o łódce rozjaśniły się oczy. Ona i Ted wypływali kilka razy z przyjaciółmi, ale on nie lubił spędzać czasu w ten sposób. Narzekał na zimno i wilgoć, za każdym razem robiło mu się niedobrze. Ophélie natomiast czuła się na łódce doskonale i świetnie sobie radziła.

Matt wyszedł po północy. Spędzili razem miły wieczór. Każde z nich potrzebowało przyjaciela, którego właśnie znalazło. Pip wyświadczyła im wielką przysługę.

Po wyjściu Matta Ophélie zgasiła światło w salonie, przeszła cicho do pokoju Pip i uśmiechnęła się na jej widok. Mus spał w nogach łóżka i nawet się nie poruszył. Pogłaskała rude loki córki i pochyliła się, by ją pocałować.

Rozdział 8

KIEDY W DRUGIEJ POŁOWIE TYGODNIA Ophélie pojechała na spotkanie grupy i opowiedziała o miłym wieczorze spędzonym z Mattem, inni uczestnicy podchwycili temat kontaktów z osobami przeciwnej płci. Grupa składała się z dwunastu osób, w wieku od dwudziestu sześciu do osiemdziesięciu trzech lat, i pod względem wieku Ophélie znajdowała się mniej więcej pośrodku. Każda ze spotykających się osób utraciła kogoś bliskiego. Brat najmłodszej uczestniczki spotkań zginął w wypadku samochodowym. Najstarszemu członkowi grupy zmarła żona po sześćdziesięciu jeden latach małżeństwa. Opłakiwano mężów, żony, rodzeństwo i dzieci. Mąż młodej kobiety zmarł na udar w wieku trzydziestu dwóch lat,

osiem miesięcy po ślubie, kiedy spodziewała się dziecka. Teraz, po jego urodzeniu, przez większość czasu na spotkaniach
grupy płakała. Innej kobiecie na jej oczach zmarł syn, który
zakrztusił się kawałkiem chleba z masłem orzechowym. Nie
mogła nic zrobić. Chleb miał zbyt miękką konsystencję, by
mógł zadziałać uchwyt Heimlicha, i wpadł zbyt głęboko, by
mogła go wyciągnąć, i teraz walczyła z wyrzutami sumienia,
że nie potrafiła uratować własnego dziecka. Los Ophélie nie
różnił się od innych, nie była jedyną, która straciła aż dwie
osoby. Kobieta po sześćdziesiątce opłakiwała dwóch synów,
którzy zmarli na raka w odstępie trzech tygodni. Inna kobieta
opiekowała się wnukiem, który utopił się w przydomowym
basenie i ona go znalazła. Jej córka i zięć nie odezwali się
do niej od czasu pogrzebu. Tyle tragedii składających się na
życie i niszczących życie.

Ophélie od miesiąca mówiła na spotkaniach grupy
o śmierci Teda i Chada, ale niewiele powiedziała o swoim
małżeństwie poza tym, że jej zdaniem było doskonałe. Opowiadała trochę o chorobie syna i stresie, jaki powodowała,
zwłaszcza u Teda, który nie chciał przyjąć jej do wiadomości. Nie zdawała sobie do końca sprawy, jaki wpływ miało
zachowanie Teda na nią samą, gdy walczyła o kontakty ojca
z synem, starając się nie zapominać o Pip.

Temat spotkań z mężczyznami zupełnie jej nie interesował, nie zamierzała wychodzić po raz drugi za mąż.

Osiemdziesięciotrzyletni mężczyzna stwierdził, że
Ophélie jest za młoda, żeby się tak zarzekać i że on sam,
mimo wielkiego żalu po śmierci żony, zamierza spotykać się
z kobietami i przyznał, że zaczął się już rozglądać.

– Być może dożyję dziewięćdziesięciu pięciu czy nawet
dziewięćdziesięciu ośmiu lat – powiedział z optymizmem. –
Nie chcę tak długo żyć samotnie. Chcę się znowu ożenić.

W grupie można było mówić na każdy temat i nic nikogo
nie szokowało. Chodziło o to, by mówili szczerze. Niektórzy
przyznawali się do gniewu na najbliższych za to, że umarli,

i to było normalnym etapem żałoby. Każdy z uczestników musiał poradzić sobie z tym momentem całego procesu, z którym się akurat zmagał. Do tej pory Ophélie pogrążona była w depresji, ale w tym tygodniu wszyscy zauważyli, że czuje się lepiej. Jej też się tak zdawało, choć obawiała się powrotu do dawnego stanu. Mówiła też, że po wakacjach ma zamiar poszukać sobie jakiegoś zajęcia i że to też powinno jej pomóc.

Kiedy wspomniała o pracy, Blake, prowadzący grupę, zapytał ją, czego szuka, ale nie potrafiła mu na to odpowiedzieć. Do grupy skierował ją lekarz, gdy się dowiedział, że źle sypia po śmierci Teda i Chada. Nie posłuchała go, a przekonanie się do takiej formy terapii zabrało jej osiem miesięcy. Wtedy za dużo spała i za mało jadła. Wreszcie doszła do wniosku, że jest w depresji i że musi coś z tym zrobić. Trudno jej było pozbyć się przekonania, że powinna poradzić sobie sama. Jednak w grupie znaleźli się ludzie z takimi samymi problemami i pomimo początkowego sceptycyzmu Ophélie musiała przyznać, że już po miesiącu czuła się o wiele lepiej. Przynajmniej mogła porozmawiać z ludźmi będącymi w podobnej sytuacji. Czuła się dzięki temu trochę mniej samotna i mniej opuszczona. Nauczyła się bez zażenowania dzielić swoimi problemami, opowiadać o tym, że traciła kontakt z córką, i o tym, że często kładła się na łóżku syna i wdychała zapach jego poduszki. Inni mieli podobne doświadczenia po śmierci męża, żony, dzieci czy rodziców. Jedna z kobiet przyznała się, że przez cały rok po śmierci syna nie była w stanie pójść do łóżka z mężem. Ophélie czuła się bezpiecznie wśród ludzi, którzy dzielili się najbardziej intymnymi myślami i przeżyciami.

Celem grupy było wyleczenie ran i powrót do normalnego życia. Co tydzień Blake zadawał im te same pytania: „Jak sypiasz?", „Czy jesz?" W przypadku Ophélie często pytał ją, czy przebiera się codziennie z nocnej koszuli w dzienne ubranie. Czasami postęp dokonywał się tak małymi kroczkami, że na kimś z zewnątrz nie zrobiłby żadnego wrażenia. Jednak każdy z nich wiedział, z jakim trudem te kroczki przychodzą i jaką różnicę stanowiły między poprzednim a następnym dniem. Celebrowali zwycięstwa i współczuli sobie wzajemnie w niepowodzeniach. Z góry można się było spodziewać, kto osiągnie sukces – ten, kto mimo cierpień chciał iść do przodu, choć nawet zaangażowanie się w dyskusję nie przychodziło łatwo. A rany bywały tak bolesne, że ból po spotkaniu odczuwało się dotkliwiej. Jednak wszystko to składało się na proces zdrowienia. Czasami wypowiedzenie czegoś na głos sprawiało przyjemność, czasami nie można było wydusić z siebie słowa. Podczas ostatniego miesiąca Ophélie doświadczyła obu tych stanów i choć odczuwała później zmęczenie, czuła także wdzięczność. Kiedy się nad tym zastanawiała, wiedziała, że spotkania pomogły jej bardziej, niż się tego spodziewała.

Lekarz polecił jej tę grupę, mniej formalną niż inne, kiedy odmówiła przyjmowania środków antydepresyjnych. Ponadto darzyła głębokim szacunkiem i poważaniem prowadzącego grupę, Blake'a Thompsona, pięćdziesięcioparolatka, który miał doktorat z psychologii klinicznej i zajmował się podobnymi przypadkami od prawie dwudziestu lat. Był ciepłym, praktycznym mężczyzną, otwartym na wszystko, co mogło pomóc, który często przypominał swojej grupie, że nie ma jednego sposobu na pogodzenie się ze stratą kogoś bliskiego. Popierał to, co im pomagało, i podpowiadał wszelkie możliwe sugestie, jak sobie radzić. Wiele razy miał wrażenie, że kiedy ludzie odchodzili z grupy, ich życie stawało się bogatsze, niż było przed traumatycznym przeżyciem. I dlatego polecał lekcje śpiewu kobiecie, która straciła męża, nurkowanie z akwalungiem mężczyźnie, którego żona zginęła w wypadku samochodowym, i rekolekcje zadeklarowanej ateistce odczuwającej po śmierci syna głębokie przeżycia religijne. Chciał, by życie tych ludzi było lepsze niż przed spotkaniem z nim. Przez dwadzieścia lat odnosił znaczące sukcesy. Sesje stanowiły wyzwanie, bywały bolesne, choć – ku powszechnemu zdziwieniu – nie działały depresyjnie. Kiedy zaczynali, wymagał jedynie, aby byli otwarci, starali się być dla siebie sympatyczni i wzajemnie się szanowali. To, o czym mówili, pozostawało między nimi i każda osoba musiała zdeklarować się, że wytrwa cztery miesiące.

Zdarzało się, że uczestnicy grup spotykali tam przyszłych małżonków, ale Blake zniechęcał ludzi do spotkań poza grupą w czasie trwania terapii. Nie chciał, by się popisywali lub coś ukrywali. Kierował się modelem dwunastostopniowym, który uważał za najlepszy, ale zawsze przypominał, że nie ma czegoś jedynie słusznego dla wszystkich.

Niektórzy ludzie znajdowali nowego partnera po latach, inni w ogóle nie chcieli o tym myśleć. Jedni czekali rok, nim zaczęli znów się z kimś spotykać, inni wiązali się ponownie dosłownie w kilka tygodni po śmierci ukochanej osoby. Zdaniem Blake'a nie świadczyło to o braku miłości do tego, kto odszedł, lecz o tym, że było się gotowym do nowego związku. I nikt nie miał prawa tego oceniać.

– Nie jesteśmy żałobną policją – przypominał od czasu do czasu. – Jesteśmy tu po to, żeby sobie pomagać, a nie żeby się osądzać.

Zawsze też mówił, że zajął się tym konkretnym działaniem, kiedy pewnego zimowego wieczoru stracił w wypadku samochodowym żonę i dwoje dzieci. Wtedy myślał, że doszedł do kresu. Pięć lat później ożenił się z cudowną kobietą i ma z nią troje dzieci.

– Ożeniłbym się wcześniej, gdybym ją wcześniej poznał, ale warto było poczekać – powtarzał ze wzruszającym uśmiechem.

Centralnym punktem zainteresowań grupy nie było powtórne małżeństwo, ale ten temat wracał od czasu do czasu, choć nie dla każdego był istotny. Z drugiej strony wszyscy przyznawali, że śmierć kogoś bliskiego, zwłaszcza dziecka, wywiera duży wpływ na małżeństwo. Czasami pary razem brały udział w terapii, ale zdarzało się to, zdaniem Blake'a, stanowczo zbyt rzadko.

Z jakiegoś powodu tego dnia problem spotkań męsko--damskich zdominował sesję i Blake nie wrócił już do kwestii pracy Ophélie, ale zamierzał pomówić z nią o tym po zakończonym spotkaniu. Miał pewien pomysł, który chciał jej przedstawić. Nie wiedział dlaczego, ale był pewien, że jej się spodoba. Jak dotąd szło jej nieźle, choć miał wrażenie, że ona nie jest z siebie zadowolona. Wyrzucała sobie, że nie potrafi dostatecznie zająć się córką, i obawiała się, że taka sytuacja będzie trwała dłużej. Jego zdaniem to, czego doświadczała, nie było inne niż to, czego doświadczyli inni. Gdyby miała bliski kontakt z córką, poczucie winy i ból po prostu by ją zabiły. Jedynym sposobem, by nie poddać się rozpaczy, było trzymanie innych na dystans, nawet córki. Taki problem jeszcze częściej występował wśród małżeństw, które rozwodziły się po stracie dziecka. Nim mąż i żona doszli do siebie, związek się kończył.

Po spotkaniu Blake zapytał Ophélie, czy byłaby zainteresowana pracą społeczną w schronisku dla bezdomnych. Matt sugerował jej coś podobnego i Ophélie pomyślała, że z pewnością odpowiadałoby jej to bardziej niż praca z chorymi umysłowo. Zawsze interesowała się bezdomnymi, choć za życia Teda i Chada nie miała czasu, by zająć się pracą dla nich. Teraz sytuacja się zmieniła.

Gdy wyraziła chęć pomocy, Blake obiecał, że postara się dowiedzieć o szczegóły. Wracając do domu, do Safe Harbour, rozmyślała nad tą propozycją.

Tego dnia zawiozła Pip na zdjęcie szwów. Kiedy było po wszystkim, dziewczynka zapiszczała z radości i po powrocie do domu natychmiast włożyła tenisówki.

– I jak? – spytała Ophélie.

Teraz miała lepszy kontakt z Pip, rozmawiały ze sobą więcej niż przez ostatnie miesiące. Nie tyle, ile dawniej, ale sytuacja znacznie się poprawiła. Przypuszczalnie pomogła także rozmowa z Mattem, który był łagodny i działał na obie uspokajająco. Sam wiele przeżył i rozumiał problemy innych. Spotkania grupy także wywierały na nią dobry wpływ i lubiła ludzi, których tam poznała.

– Nieźle. Jeszcze troszkę boli.

– Musisz uważać. – Wiedziała, że Pip nie może się doczekać pójścia na plażę, do Matta. Miała mu do pokazania dużo rysunków. – Lepiej zaczekaj do jutra – poradziła córce, zupełnie jakby czytała w jej myślach. – Dzisiaj jest już pewnie za późno.

Następnego dnia Pip, z blokiem rysunkowym i kredkami, które dostała od Matta, i z dwiema kanapkami w brązowej papierowej torbie wybrała się na plażę. Ophélie miała ochotę pójść razem z nią, ale nie chciała im przeszkadzać. Przyjaźń Matta i Pip zaczęła się wcześniej. Pomachała córce, która włożyła tenisówki, by ochronić świeżo zagojoną stopę. Dziś Pip nie biegła, jak zwykle, lecz szła ostrożnie i spacer zabrał jej więcej czasu. Kiedy doszła do miejsca, w którym malował Matt, przyjaciel uśmiechnął się szeroko na jej widok.

– Miałem nadzieję, że cię dziś zobaczę. Gdybyś nie przyszła, odwiedziłbym cię wieczorem. Jak noga?

– Lepiej.

Po długim spacerze trochę bolała, ale Pip do niego szłaby po gwoździach i tłuczonym szkle. Była taka szczęśliwa, że znów go widzi.

– Brakowało mi ciebie – wyznał.

– Mnie ciebie też. Okropne było to siedzenie w domu przez cały tydzień. Musowi też się nie podobało.

– Biedak, nie mógł się wybiegać. Spędziłem miły wieczór z tobą i z twoją mamą. Kolacja była pyszna.

– Lepsza niż pizza – odparła Pip z uśmiechem.

Matt poprawił mamie nastrój i tak już zostało. Poprzedniego dnia widziała, że Ophélie odszukała w torebce starą szminkę i umalowała się przed wyjazdem do miasta. A nie robiła tego od bardzo dawna. Pip z radością zrozumiała, że matka ma się lepiej. To było dobre lato.

– Podoba mi się twój nowy obraz – poinformowała Matta. Narysował kobietę na plaży. Patrzyła w morze, jakby tam kogoś straciła. W jej oczach widać było udrękę. Było w niej coś niepokojącego, niemal tragicznego. – Jest bardzo smutna, chociaż ładna. Czy to moja mama?

– Może trochę. Mama mnie zainspirowała, ale to jest po prostu kobieta. Chciałem namalować raczej myśl i uczucie, a nie konkretną osobę. W stylu Wyetha.

Pip poważnie skinęła głową. Lubiła rozmawiać o obrazach. Kilka minut później usiadła przy nim i zajęła się rysowaniem.

Czas mijał szybko i pod wieczór trudno im się było rozstać. Matt chciałby tak siedzieć z Pip przez resztę życia.

– Co robicie dziś wieczorem? – spytał od niechcenia. – Miałem zamiar zadzwonić i zaprosić was na hamburgera. Mógłbym wam wprawdzie przyszykować coś u siebie, ale jestem marnym kucharzem i skończyły mi się mrożone pizze.

Pip roześmiała się głośno.

– Powiem mamie, jak wrócę do domu, żeby do ciebie zadzwoniła.

– Poczekam trochę, żebyś zdążyła dojść, i ja zadzwonię. – Kiedy wstała i ruszyła w stronę domu, zobaczył, że lekko kuleje. – Pip! – Odwróciła się. Przywołał ją gestem. To była zbyt daleka droga dla kogoś, komu właśnie zdjęto szwy, a gumowa tenisówka drażniła zagojoną ranę. – Odwiozę cię do domu. Noga jeszcze nie jest całkiem w porządku.

– Dam sobie radę – stwierdziła dzielnie.

– Jeśli się za bardzo sforsujesz, nie będziesz mogła przyjść tu jutro.

Miał rację i Pip poszła z nim do samochodu zaparkowanego obok domu. Pięć minut później dojechała do domu. Matt nie wysiadł z samochodu, ale Ophélie zobaczyła go przez kuchenne okno i wyszła, by się przywitać.

– Pip lekko utykała – wyjaśnił. – Pomyślałem, że nie będziesz miała nic przeciwko temu, żebym ją odwiózł do domu – dodał z uśmiechem.

– Oczywiście, że nie mam. To bardzo miło z twojej strony, Matt. Co u ciebie?

– W porządku. Zamierzałem zadzwonić. Czy mogę was zaprosić na kolację do restauracji? Na hamburgery i niestrawność. Albo i nie, jeśli się nam poszczęści.

– Chętnie. – Jeszcze nie myślała, co przygotuje na kolację. Jej nastrój trochę się poprawił, zainteresowania kulinarne raczej nie. Tamtego wieczoru, kiedy zaprosiła Matta na kolację, naprawdę bardzo się starała. – Jesteś pewien, że nie jest to dla ciebie kłopot? – Życie na plaży było łatwe i nieformalne, nikt nie celebrował posiłków. Większość ludzi jadła potrawy z grilla, ale Ophélie nie miała wprawy w ich przyrządzaniu.

– Wręcz przeciwnie, będę bardzo zadowolony. Koło siódmej?

– Doskonale. Dziękuję.

Odjeżdżając, pomachał im i punktualnie po dwóch godzinach był z powrotem. Tymczasem Pip, namówiona przez matkę, umyła głowę, żeby wypłukać z włosów piasek. Ophélie też ładnie wyglądała z jasnymi, kręconymi, rozpuszczonymi włosami. Pomalowała usta, by podkreślić poprawę nastroju.

Wybrali się do jednej z dwóch restauracji, Lobster Pot, gdzie wszyscy troje zjedli zupę rybną i homara. Postanowili, że tym razem nie zadowolą się hamburgerem i wychodząc narzekali, że się przejedli. Wieczór bardzo się udał. Nie poruszali żadnych poważnych tematów, żartowali, opowiadali śmieszne historie i kiepskie dowcipy i dużo się śmiali. Ophélie zaprosiła Matta, żeby do nich wstąpił, ale wszedł dosłownie na parę minut, gdyż miał jeszcze coś do zrobienia w domu. Kiedy wyszedł, Ophélie stwierdziła, że jest naprawdę czarującym człowiekiem.

– Podoba ci się, mamo? – spytała Pip z szelmowskim uśmieszkiem. – No wiesz... Jak mężczyzna?

Ophélie, zaskoczona pytaniem, uśmiechnęła się i pokręciła głową.

– Twój ojciec był moim jedynym mężczyzną. Nie mogę sobie nawet wyobrazić, że mogłabym być z kim innym.

To samo mówiła na spotkaniach grupy i wiele osób miało jej to za złe. Pip była rozczarowana słowami matki. Lubiła Matta, a ojciec nie zawsze był dla niej miły. Czasem na nią krzyczał, zwłaszcza kiedy kłócili się o Chada. Kochała ojca, ale Matt był dla niej znacznie milszy.

– Matt jest bardzo sympatyczny, prawda? – stwierdziła z nadzieją głosie.

– Prawda. – Ophélie znów się uśmiechnęła, rozbawiona swatami Pip, która się najwyraźniej zadurzyła w malarzu czy też traktowała go jak niedościgły wzór. – Mam nadzieję, że się zaprzyjaźnimy. Miło byłoby spotkać się z nim czasem, jak wrócimy do miasta.

– Mówił, że będzie nas odwiedzał. I pójdzie ze mną do szkoły na kolację z ojcami. Pamiętasz, że mi to obiecał?

– Tak. – Liczyła, że się nie wykręci, co często zdarzało się Tedowi. Nie znosił brać udziału w jakichkolwiek wydarzeniach szkolnych, choć czasem czuł się do tego zmuszony, gdy nie było innego wyjścia. – Przypuszczam jednak, że Matt jest zajętym człowiekiem. – Tak samo usprawiedliwiała męża i dzieci nie znosiły tych wykrętów. Ojciec zawsze znalazł sobie jakiś pretekst, żeby nie być z nimi.

– Powiedział, że na pewno przyjedzie – podkreśliła Pip, spoglądając na matkę wielkimi, naiwnymi oczami. Ophélie miała nadzieję, że córka nie przeżyje kolejnego rozczarowania. Nie wiedziała, czy przyjaźń z Mattem przetrwa, ale bardzo na to liczyła.

Rozdział 9

Na dwa tygodnie przed wyjazdem z Safe Harbour Andrea znowu przyjechała w odwiedziny. William marudził, miał katar, ząbkował i płakał, kiedy Pip brała go na ręce. Po jakimś czasie dziewczynka postanowiła pójść na plażę. Matt zamierzał zrobić kilka szkiców do jej portretu – urodzinowego prezentu dla Ophélie.

– Co słychać? – spytała Andrea, kiedy dziecko wreszcie zasnęło.

– Nic specjalnego – mruknęła Ophélie. Siedziała zrelaksowana na słońcu. Nadeszły ostatnie złote dni lata, którymi cieszyła się przed powrotem do miasta. Andrea zauważyła, że Ophélie wygląda dużo lepiej. Trzy miesiące w Safe Harbour naprawdę dobrze jej zrobiły. Nie chciała wyjeżdżać. W domu czekały ją smutne wspomnienia.

– A co z tym pedofilem? – zagadnęła od niechcenia Andrea. Wiedziała, że przyjaciółka w końcu się do niego przekonała, i była ciekawa, jaki on jest. Sądząc z opisu Pip, był chyba przystojnym facetem. Ophélie, jak do tej pory, niewiele o nim mówiła, co Andrei wydawało się podejrzane, choć w jej oczach nie widziała żadnej tajemnicy ani poczucia winy.

– Jest bardzo dobry dla Pip. Wczoraj byliśmy razem na kolacji.

– Dziwne, jak na bezdzietnego faceta – stwierdziła Andrea.

– Ma dwoje dzieci.

– A, to wszystko w porządku. Poznałaś je?

– Mieszkają w Nowej Zelandii z jego byłą żoną.

– Coś takiego! A jaki jest jego stosunek do byłej żony? Nienawidzi jej? Jest zniechęcony do kobiet?

Andrea była ekspertem w tej dziedzinie i nic jej nie dziwiło. Znała mężczyzn, którzy zostali oszukani, porzuceni, wykorzystani finansowo i w związku z tym nienawidzili kobiet. Nie mówiąc o tych, którzy nie potrafili się odnaleźć, którzy wciąż tkwili w zawiłych relacjach z żonami, stracili żonę-ideał, takich, którzy nigdy się nie ożenili, i tych, co zapominali powiedzieć, że są żonaci. Starszych, młodszych, w jej wieku, Andrea znała każdy typ. I gotowa była przekraczać granice, gdy spotkała kogoś, kto jej się podobał. Wolała jednak wiedzieć z góry, z kim ma do czynienia.

– Wydaje mi się, że jest nieszczęśliwy – stwierdziła szczerze Ophélie – i współczuję mu. Ale to nie moja sprawa. Żona porzuciła go dla jego przyjaciela, zmusiła Matta, żeby sprzedał firmę i najwyraźniej nie dopuszcza go do dzieci.

– O mój Boże! I co jeszcze? Przedziurawiła mu opony i podpaliła samochód? Co mu jeszcze zostało?

– Raczej niewiele. Za agencję reklamową dostał dużo pieniędzy, ale chyba mu na nich nie zależy.

– To przynajmniej wyjaśnia, dlaczego jest miły dla Pip. Tęskni za swoimi dziećmi.

– To prawda – przyznała Ophélie, przypominając sobie, o czym rozmawiali tamtego wieczoru, gdy zaprosiła go na kolację.

– Kiedy się rozwiódł?

Ophélie się roześmiała.

– Wydaje mi się, że dziesięć lat temu. Mniej więcej. I od sześciu lat nie widział dzieci ani nie miał z nimi żadnego kontaktu. Odcięły się od niego.

– To może jest jednak pedofilem. Albo jego była żona to wyjątkowa zołza. Miał od tego czasu jakieś poważne romanse?

– Jeden. Ona chciała wyjść za mąż i mieć dzieci. Matt nie chciał. Myślę, że czuje się zbyt zraniony, i wcale mnie to nie dziwi. Trudno sobie wyobrazić gorszą sytuację.

– Zapomnij o nim – poradziła Andrea rzeczowo, kręcąc głową. – Uwierz mi, ma za dużo obciążeń psychicznych. Jest poplątany.

– Nie jako przyjaciel – stwierdziła spokojnie Ophélie. Nie oczekiwała od Matta niczego więcej. W sercu i w głowie nadal miała Teda i nikogo innego nie potrzebowała.

– Na co ci przyjaciel? – zapytała retorycznie Andrea. – Masz mnie. Potrzebujesz mężczyzny, a ten jest zbyt pokręcony. Znałam takich facetów. Nigdy się nie pozbierali. Ile on ma lat?

– Czterdzieści siedem.

– Ostrzegam cię, że tracisz czas.

– Niczego nie tracę – parsknęła Ophélie. – Nie szukam mężczyzny. Ani teraz, ani nigdy. Miałam Teda i nie chcę nikogo innego.

– Sama wiesz, że wasze życie nie przebiegało bezproblemowo. Nie chcę przywoływać nieprzyjemnych wspomnień, ale był ten przypadek dziesięć lat temu, jeśli sobie przypominasz...

Spojrzały na siebie i Ophélie odwróciła wzrok.

– To był wybryk. Przypadek. Błąd. I więcej się nie powtórzył.

– Tego nie wiesz. To zresztą nie ma znaczenia. Ted był człowiekiem, a nie świętym. Bardzo trudnym człowiekiem. Wszystko kręciło się wokół niego. Jesteś jedyną kobietą, jaką znam, która potrafiła z nim tak długo wytrzymać. Przyznaję, że był geniuszem, ale niezależnie od tego, jak bardzo go lubiłam, a ty kochałaś, potrafił zachować się jak obrzydliwy drań. Myślał wyłącznie o sobie. Nie był nikim nadzwyczajnym.

– Dla mnie był. – Ophélie zdenerwowały słowa Andrei. Owszem, Ted bywał trudny, ale taki geniusz nie mógł być inny, a przynajmniej ona tak uważała. – Kochałam go przez dwadzieścia lat. To się nie zmieni z dnia na dzień. Ani nigdy.

– Być może. Wiem, że on cię także kochał. Na swój sposób – powiedziała delikatnie Andrea, obawiając się, że posunęła się trochę za daleko. Nie chciała sprawić przyjaciółce przykrości, ale uważała, że Ophélie powinna uwolnić się od

Teda i złudzeń na jego temat i zacząć nowe życie. W ciągu tych wszystkich lat Ophélie i Ted mieli wiele problemów, a „przypadek", o którym mówiła Andrea, a który Ophélie nazwała „błędem", był romansem nawiązanym przez Teda, kiedy Ophélie wyjechała z dziećmi na wakacje do Francji. Złamał jej wtedy serce i o mało nie zostawił. Andrea nie wiedziała, czy później wszystko między nimi znów się ułożyło, ale przyszła choroba Chada i sytuacja znowu się pogorszyła.

– Nie chodzi o to, czy był zły, czy dobry, ale o fakt, że już go nie ma. I nigdy nie wróci. Ty jesteś tutaj, jego nie ma. Możesz dochodzić do siebie przez długi czas, lecz nie możesz na zawsze zostać sama.

– Dlaczego nie? – spytała smutno Ophélie.

– Jesteś za młoda – odparła cicho Andrea. Była głosem rozsądku, myślała o przyszłości, Ophélie natomiast kurczowo trzymała się tego, co minęło. – Musisz się w końcu pogodzić z tym, co zaszło. Może jeszcze nie w tej chwili, lecz wcześniej czy później to musi nastąpić. Jesteś zaledwie w połowie życia. Nie wolno ci myśleć, że do końca zostaniesz sama. To śmieszne i głupie.

– Nie, jeśli tego właśnie chcę.

– Nie chcesz. Nikt nie chce. Po prostu bronisz się przed poszukiwaniami i mnie to nie dziwi. Życie samotnej kobiety szukającej mężczyzny jest paskudne. Wiem coś o tym. Ale ktoś się w końcu zjawi. Ktoś dobry. Może nawet lepszy od Teda. – Zdaniem Ophélie nie było nikogo lepszego, ale nie zamierzała się kłócić. – Nie sądzę, aby tym kimś był twój pedofil. On też jest dość pokręcony. Tak czy owak nadaje się najwyżej na kumpla. Co oznacza, że będziesz musiała poszukać kogoś innego.

– Dam ci znać, jak będę gotowa, i wtedy możesz wypisywać moje nazwisko na ścianach publicznych toalet albo rozdawać ulotki. Przypomniało mi się, że w mojej grupie jest mężczyzna, który koniecznie chciałby się powtórnie ożenić. Mógłby się nadać.

– Samo życie. Wdowy poznają mężczyzn na statkach wycieczkowych, na kursach wieczorowych, w grupach wsparcia. Przynajmniej macie dużo wspólnego. Kto to jest?

– Niejaki pan Feigenbaum. Emerytowany rzeźnik, który uwielbia teatr i operę, jest wyśmienitym kucharzem, ma czworo dorosłych dzieci i osiemdziesiąt trzy lata.

– Biorę! – wykrzyknęła z uśmiechem Andrea. – Widzę, że nie traktujesz poważnie tego, co mówię.

– Nie, ale doceniam twoje wysiłki i troskę.

– Jeszcze mnie nie znasz. Zamierzam być nieustępliwa.

– Wierzę – mruknęła Ophélie, unosząc brew, jak prawdziwa Francuzka.

W tym samym czasie daleko na plaży Matt narysował kilka szkiców Pip i wypstrykał dwa czarno-białe filmy. Był bardzo przejęty myślą o jej portrecie i obiecał, że na pewno zdąży go namalować na urodziny matki, a przypuszczalnie dużo wcześniej.

– Będzie mi ciebie brakowało, gdy wyjedziemy – wyznała ze smutkiem Pip.

– Mnie też będzie smutno. Będę was odwiedzał w mieście, ciebie i twoją mamę. Ale kiedy zacznie się szkoła, będziesz zajęta, a poza tym masz tam koleżanki i kolegów.

Wiedział, że jej życie będzie bardziej wypełnione niż jego.

– To nie to samo – westchnęła Pip.

Ich przyjaźń była specjalna i cenna. Matt stał się jej powiernikiem i najlepszym przyjacielem, w pewnym sensie – substytutem ojca. Ojca, jakim Ted nigdy nie był. Ojciec nigdy nie spędzał z nią tyle czasu co Matt i nigdy nie był miły dla matki. Łatwo się denerwował, choć częściej na mamę i brata niż na nią. A to dlatego że Pip bardzo się pilnowała. I trochę się go bała. Chociaż kiedy była mała, był znacznie lepszym ojcem i miała całkiem miłe wspomnienia.

– Będę za tobą tęskniła – powiedziała bliska łez. Nienawidziła myśli, że ma go zostawić.

– Obiecuję, że przyjadę, kiedy tylko zechcesz. Pójdziemy do kina albo do restauracji. Ale pod warunkiem że mama ci pozwoli.

– Ona też cię lubi – poinformowała z zadowoleniem Pip.

Przez jedną krótką, szaloną chwilę chciał zapytać, jaki był naprawdę jej ojciec. Mimo tego, co mówiła Ophélie, nie potrafił stworzyć dokładnego obrazu. Jedyny portret, jaki mógł namalować w wyobraźni, przedstawiał trudnego, egoistycznego tyrana, który nawet jeśli był geniuszem, na pewno źle traktował żonę. Lecz Ophélie najwyraźniej go uwielbiała i przedstawiała jako niemal świętego. Tymczasem kawałki układanki nie pasowały do siebie, zwłaszcza w kontekście stosunków ojca z synem. Matt miał także wrażenie, że i córce Ted nie poświęcał zbyt wiele czasu.

– Kiedy zaczynasz szkołę? – spytał w końcu.

– Za dwa tygodnie. Następnego dnia po powrocie do miasta.

– Na pewno będziesz miała sporo zajęć.

– Mogę do ciebie czasem zadzwonić?

– Naturalnie – odparł z uśmiechem.

Zabliźniła wieloletnią ranę w jego sercu i wypełniła pustkę po dzieciach. On tak samo pomógł Pip. Stał się w pewnym sensie ojcem, jakiego nigdy nie miała.

On spakował swoje rzeczy, a ona wróciła do domu. Andrea właśnie odjeżdżała.

– Co słychać u Matta? – zapytała Ophélie.

Pip ucałowała na pożegnanie Andreę i jej synka.

– Wszystko w porządku. Prosił, żeby cię pozdrowić.

– Pamiętaj, co mówiłam – przypomniała Andrea.

Ophélie roześmiała się głośno.

– Pan Feigenbaum.

– Nie liczyłabym na niego na twoim miejscu. Tacy ludzie żenią się z siostrami swoich żon albo z ich najlepszymi przyjaciółkami najdalej po pół roku. On już dawno będzie miał drugą żonę, kiedy ty wciąż się będziesz zastanawiała, co robić. Szkoda, że jest taki stary.

– Nie bądź obrzydliwa – powiedziała Ophélie, całując na pożegnanie Andreę i jej dziecko.

– Kto to jest pan Feigenbaum? – spytała zaciekawiona Pip. Nigdy wcześniej o nim nie słyszała.

– Jeden pan z mojej grupy. Ma osiemdziesiąt trzy lata i szuka żony.

Pip szeroko otworzyła oczy.

– Czy on się chce z tobą ożenić?

– Nie. Ani ja nie chcę za niego wychodzić.

Pip miała ochotę spytać matkę, czy wyszłaby za Matta. Chciałaby, aby tak się stało, ale po tym, co mama ostatnio mówiła, nie bardzo mogła na to liczyć. Przynajmniej obiecał, że będzie przyjeżdżał.

Po kolacji Pip wspomniała, że Matt będzie je odwiedzał.

– Pytał, czy nie masz nic przeciwko temu.

– Oczywiście że nie. To byłoby bardzo miłe. Może czasem zostanie na kolacji.

– Powiedział, że zabierze nas do restauracji albo do kina.

– Świetnie – odparła odruchowo Ophélie, wkładając naczynia do zmywarki.

Przyjaźń z Mattem bardzo jej odpowiadała, nawet jeśli Andrea chciała dla niej czegoś zupełnie innego.

Lato w Safe Harbour było bardzo udane. Ophélie i Pip znalazły przyjaciela.

Rozdział 10

W PIĘKNY SŁONECZNY PORANEK, na początku ich ostatniego tygodnia w Safe Harbour, Matt zaproponował Ophélie rejs żaglówką. Po dwóch dniach mgły wszyscy z zachwytem przyjęli powrót lata. Jak się okazało, był to najgorętszy dzień tego roku. Z powodu upału Ophélie i Pip postanowiły zjeść lunch w domu. Kończyły właśnie przygotowane przez Ophélie kanapki, gdy przyjechał Matt. Pip prawie zasypiała z gorąca. Wcześniej myślała o tym, żeby pójść na plażę do Matta, ale upał i prażące słońce nie zachęcały do spacerów. Nie sądziła też, by Matt malował na plaży. Dzień nadawał się na pływanie lub żeglowanie.

– Już od dawna chciałem cię zaprosić – powiedział przepraszająco Matt. Nie mógł wyjaśnić, że był zajęty malowaniem portretu Pip. – Jest taki upał, że moglibyśmy popłynąć żaglówką.

Ophélie bardzo spodobał się ten pomysł. Jest zbyt gorąco, by siedzieć na ganku lub na plaży, a na morzu przynajmniej będzie lekki wiatr. Lekki wiatr zerwał się przed godziną i dlatego Matt pomyślał o żaglówce. Wcześniej siedział w domu i malował portret Pip, z pamięci, ze zdjęć i szkiców.

– Doskonały pomysł – stwierdziła entuzjastycznie Ophélie. – Gdzie trzymasz łódkę?

– W prywatnej przystani w lagunie, niedaleko twojego domu. Właścicieli przeważnie nie ma i łódka w ogóle im nie przeszkadza. A kiedy są na miejscu, uważają, że żaglówka dodaje wdzięku ich posiadłości. W zeszłym roku przeprowadzili się do Waszyngtonu i rzadko tu bywają.

Podał jej adres i zaproponował, by spotkali się tam za dziesięć minut. Ophélie powiedziała Pip, dokąd się wybiera, i zdziwiła się, że córka tak się tym przejęła.

– Czy nic ci się nie stanie, mamo? – dopytywała się zdenerwowana. – Czy to jest bezpieczne?

Ophélie wzruszyła ta troska. Miały teraz tylko siebie, a niebezpieczeństwo nie było już jedynie pojęciem abstrakcyjnym. Tragedia mogła się zdarzyć w każdej chwili i na zawsze odmienić ich życie.

– Nie chcę, żebyś płynęła tą żaglówką – powiedziała Pip.

Nie możemy stale żyć w strachu, myślała Ophélie, w końcu to dobra okazja, żeby pokazać, że możemy żyć normalnie i nic złego się nie stanie. Nie bała się popłynąć łódką z Mattem. Była pewna, że jest dobrym żeglarzem, żegluje niemal od dziecka. Więcej niż ona, choć także ma pewne doświadczenie, i to na bardziej niebezpiecznych wodach.

– Skarbie, nic mi się nie stanie. Możesz nas obserwować z werandy. – Pip nie wyglądała na uspokojoną, wręcz przeciwnie, sprawiała wrażenie, jakby za chwilę miała się rozpłakać. – Naprawdę nie chcesz, żebym popłynęła?

Kiedy przyjęła zaproszenie Matta, w ogóle nie brała pod uwagę takiej reakcji córki. Zamierzała poprosić Amy, żeby została z Pip. Przed chwilą ją widziała i wiedziała, że jest w domu. Pip może też pójść do Amy.

– A jeśli się utopisz? – spytała Pip zduszonym głosem.

Ophélie usiadła i wzięła ją na kolana.

– Nie utopię się, umiem pływać. Matt też. Jeśli chcesz, włożę kamizelkę ratunkową.

Pip zastanowiła się przez chwilę, a potem kiwnęła głową.

– Dobrze. – Na moment się uspokoiła, ale po sekundzie znów wpadła w panikę. – A jeśli łódkę zaatakuje rekin?

Ophélie nie mogła zaprzeczyć, że czasem widywano tutaj rekiny, ale tego lata jeszcze żaden się nie pokazał.

– Oglądasz za dużo telewizji. Obiecuję ci, że nic złego się nie stanie. Możesz nas obserwować. Chcę tylko popłynąć na krótką przejażdżkę. Może wybierzesz się z nami?

Ophélie tak naprawdę nie chciała brać ze sobą córki, z tych samych powodów, z jakich córka niepokoiła się o nią. Poza tym Pip nie bardzo lubiła wodę. Dziewczynka pokręciła głową.

– Nie chcę.

– Wiesz co, powiem Mattowi, że mamy wrócić najpóźniej za godzinę. Zobaczysz, czas szybko minie. Dziś jest taki piękny dzień. Dobrze?

– No dobrze – zgodziła się niechętnie Pip.

Wyglądała tak żałośnie, że Opéhlie zrobiło się przykro, ale naprawdę chciała zobaczyć łódkę Matta i trochę pożeglować. Była też zdania, że powinna przekonać Pip, iż muszą żyć normalnie. To było dla niej bardzo ważne.

Weszła do domu i włożyła szorty na kostium kąpielowy, a potem zadzwoniła do Amy, żeby przyszła posiedzieć z Pip. Nastolatka obiecała, że zjawi się za pięć minut, i dotrzymała słowa. Pip zarzuciła matce ręce na szyję i mocno się do niej przytuliła. Nigdy wcześniej się tak nie zachowywała, co świadczyło tylko o tym, jakim wstrząsem była dla niej śmierć ojca i brata. Z drugiej strony Ophélie przez ostatnich dziesięć miesięcy właściwie nigdzie nie wychodziła.

– Niedługo wrócę. Naprawdę. Możesz nas obserwować z werandy, jeśli nie będzie ci za gorąco, dobrze?

Pocałowała Pip i wyszła, nie oglądając się za siebie. Mus zamachał ogonem. Zamyślona Ophélie ruszyła do domu, koło którego Matt trzymał swoją łódkę. Jego samochód już tam stał. Matt pakował rzeczy na żaglówkę, małą, ładną łódkę w doskonałym stanie. Widać było, że bardzo o nią dba. Wszystko błyszczało lakierem, wypolerowaną miedzią i świeżą białą farbą. Dwunastometrowy maszt sterczał dumnie w górę, z żaglem i kliwrem. Dzięki krótkiemu bukszprytowi żaglówka robiła wrażenie dłuższej niż dziesięć metrów; miała mały silnik i ciasną kabinę tak niską, że Matt nie mógł się wyprostować. Nazywała się „Nessie II", na cześć córki, której Matt nie widział od sześciu lat. Elegancka żaglóweczka była prawdziwym cackiem i Ophélie z uśmiechem podziwiała ją z brzegu.

– To prawdziwe cudo, Matt – powiedziała z entuzjazmem, nie mogąc się doczekać, kiedy wypłyną.

– Prawda? – Wyraźnie ucieszył się z jej pochwały. – Chciałem, żebyś ją zobaczyła przed wyjazdem.

Chciał jak najszybciej wypłynąć w morze. Ophélie zdjęła sandały i Matt pomógł jej wejść na pokład. Zapalił silnik i przy pomocy Ophélie ściągnął cumy. Po chwili sunęli laguną w stronę oceanu.

– Co za wspaniała łódka – zachwycała się Ophélie, podziwiając wszystkie detale, które Matt dopieszczał w wolnych chwilach. – Kiedy ją zbudowano? – spytała, kiedy dopłynęli do ujścia laguny i Matt wyłączył silnik, gdy tylko poczuł wiatr w żaglach. Przez moment rozkoszowała się ciszą.

– W trzydziestym szóstym roku – odparł z dumą. – Mam ją od ośmiu lat. Kupiłem od człowieka, który został jej właścicielem zaraz po wojnie. Była w dobrym stanie, ale sam wiele rzeczy wyremontowałem.

– To prawdziwe cacko – powtórzyła Ophélie. Przypomniała sobie obietnicę daną Pip, wsunęła głowę do kabiny i ściągnęła z wieszaka kamizelkę ratunkową. Matt trochę się zdziwił, gdy zobaczył, że ją wkłada. Mówiła mu przecież, że dobrze pływa i uwielbia żeglować. – Obiecałam Pip – wyjaśniła, odpowiadając na nieme pytanie w jego oczach.

Żagle złapały wiatr i łódka cięła wodę z cudownym wdziękiem. Uśmiechnęli się do siebie z satysfakcją – dwoje żeglarzy płynących przy doskonałej pogodzie piękną łódką.

– Czy możemy wypłynąć trochę dalej? – spytał Matt.

Ophélie skinęła głową. Wyglądała na szczęśliwą. Plaża i rzędy domów zostały daleko z tyłu. Miała nadzieję, że Pip ich obserwuje. Usiadła obok Matta przy sterze i opowiedziała mu o reakcji Pip.

– Nie wiedziałam, jak bardzo się wszystkim przejmuje, odkąd...

Nie dokończyła zdania, ale Matt zrozumiał, co chciała powiedzieć. Ophélie zamknęła oczy i wystawiła twarz do słońca. Nie mógł się zdecydować, co podoba mu się bardziej, ukochana łódź czy kobieta u jego boku.

Płynęli w milczeniu. Plaża znikła. Ophélie obiecała Pip, że nie będzie jej najwyżej godzinę, ale perspektywa podróży przed siebie i zostawienia za sobą reszty świata i kłopotów była kusząca. Zapomniała już, jaką ulgę przynosiło jej żeglowanie.

Ulgę i wielką przyjemność. Wiatr wcale jej nie przeszkadzał. Matt przekonał się, że ma do czynienia z prawdziwą żeglarką, którą ta wycieczka cieszy tak, jak się tego spodziewał. Przez moment, porwana niesamowitym poczuciem wolności i spokoju, pożałowała, że nie mogą odpłynąć na zawsze. Od wielu lat nie czuła się tak spokojna i szczęśliwa.

Minęli kilka łodzi rybackich, a na horyzoncie spostrzegli frachtowiec, który szykował się do wpłynięcia do portu. Zmierzali w kierunku Farallones, kiedy Matt zaczął się czemuś przyglądać. Ophlie spojrzała w tę samą stronę, ale niczego nie zauważyła. Pomyślała, że może zobaczył fokę lub jakąś dużą rybę, oby nie rekina. Przekazał jej ster, zszedł do kabiny i wrócił na pokład z lornetką. Przyłożył ją do oczu i zmarszczył brwi.

– Co się stało? – spytała z zainteresowaniem. Chętnie zdjęłaby ograniczającą ruchy kamizelkę, lecz obiecała Pip, że będzie ją nosiła i chciała dotrzymać słowa, dla zasady, a nie ze strachu przed utonięciem.

– Wydawało mi się, że coś zobaczyłem – mruknął Matt. – Chyba jednak nie.

Fale stały się większe i trochę ograniczały pole widzenia. Ophélie lubiła kołysanie łódki, nawet gwałtowne, i nigdy nie cierpiała na chorobę morską.

– Co takiego? – Ophélie usiadła obok Matta.

Pomyślał, że powinni wracać, odpłynęli dość daleko i żeglowali już prawie od dwóch godzin, z wiatrem w plecy.

– Nie jestem pewien… Jakby deska surfingowa, ale skąd by się tu wzięła? Chyba że wypadła komuś z łódki.

Zmienił ustawienie żagli i kiedy skręcali, Ophélie zauważyła deskę i krzyknęła, wskazując coś dłonią. Wzięła lornetkę i zobaczyła nie tylko deskę, lecz także trzymającego się jej człowieka. Zamachała do Matta, który szybko złapał lornetkę, kiwnął głową i razem opuścili żagle. Matt włączył silnik i ruszył w kierunku człowieka z deską. Ściąganie żagli przy takim wietrze okazało się trudniejsze, niż przypuszczała.

Po paru minutach dopłynęli do deski i stwierdzili, że trzyma jej się kurczowo młody chłopak, prawie nieprzytomny, z szarą twarzą i sinymi wargami. Trudno było zgadnąć, skąd się tu wziął i od jak dawna przebywał w wodzie, tak daleko od brzegu.

Ophélie przytrzymywała łódkę w miejscu, a Matt zszedł do kabiny po linę. Fale były coraz większe i Ophélie zdała sobie sprawę, że wciągnięcie chłopca na żaglówkę jest praktycznie niemożliwe. Kiedy się do niego zbliżyli, spojrzał na nich przerażonymi oczami. Drżał.

– Trzymaj się! – zawołał Matt, zastanawiając się, co robić. Dopóki chłopak trzymał się deski, nie mógł owinąć go liną, a jeśli ją puści, może utonąć. Miał na sobie kombinezon piankowy, który przypuszczalnie uratował mu życie. Ophélie, patrząc na niego ze ściśniętym gardłem, odgadła, że ma najwyżej szesnaście lat, tyle, ile miał Chad. Gdzieś jest kobieta, która może stracić syna i nieprawdopodobnie cierpieć. Ophélie także nie wiedziała, jak zabrać się do ratowania chłopca. Matt miał na łódce małe radio, ale oprócz frachtowca nie widzieli w pobliżu żadnej innej łodzi. Nawet straż przybrzeżna nie zdąży dopłynąć. Muszą uratować go sami, ale nie mają zbyt wiele czasu. Matt wziął z kabiny kamizelkę ratunkową.

– Potrafisz wrócić sama do brzegu? – spytał, nim zeskoczył z łódki.

Bez wahania skinęła głową. Przez wiele lat żeglowała samotnie w Bretanii, często przy złej pogodzie i w gorszych niż te warunkach.

Matt zrobił pętlę z liny i skoczył do wody. Chłopiec złapał się go instynktownie i o mało nie pociągnął na dno, gdy Matt starał się założyć mu pętlę z liny. W końcu udało mu się ustawić za plecami chłopca, który z trudem poruszał rękami. Ophélie ze ściśniętym sercem obserwowała działania Matta, któremu po wielu próbach udało się w końcu zarzucić chłopcu linę pod ramionami i pociągnąć go za sobą w stronę żaglówki. Widziała, ile wysiłku musiał w to włożyć, a był naprawdę silny. Kiedy zbliżyli się do łódki, rzucił jej koniec liny, który cudem złapała i przywiązała do wciągarki. Wiedziała, co ma zrobić, ale nie wiedziała, czy potrafi. Zaczęła, po czterech nieudanych próbach wpadła w lekką panikę, ale za piątym razem lina zaskoczyła i wciągarka powoli uniosła chłopca do góry. Zwisał bezwładnie, Ophélie złapała go, gdy opadł na pokład. Był półprzytomny, drżał konwulsyjnie. Ophélie zdjęła z niego linę i rzuciła ją Mattowi.

Mimo dużej fali złapał linę za pierwszym razem i dał się wciągnąć na łódź. To, że zarówno Matt, jak i chłopak wylądowali na pokładzie, graniczyło z cudem. Matt po namyśle doszedł do wniosku, że przy tak silnym wietrze szybciej dopłyną do brzegu na żaglach. Ophélie wzięła koc z kabiny i przykryła chłopca, który spojrzał na nią niewidzącym wzrokiem. Znała to spojrzenie, widziała je dwukrotnie u Chada po jego samobójczych próbach. Cieszyła się, że uratowali tego dzieciaka. Najwyraźniej wiatr i silne fale porwały go razem z deską i zniosły tak daleko od brzegu. Tylko cud przywiódł ich łódź w to miejsce. Matt, który stał przy sterze, zawołał, że w kabinie jest butelka brandy. Ophélie pokręciła głową. Matt myślał, że go nie usłyszała, i powtórzył, żeby dała chłopcu łyk brandy. Nie wiedząc, co zrobić, wsunęła się pod koc przy drżącym chłopcu i mocno go do siebie przytuliła z nadzieją, że ciepło jej ciała trochę go rozgrzeje. Matt pokazał na ster i zszedł do kabiny, żeby wezwać przez radio pomoc.

Szybciej, niż się spodziewał, skontaktował się ze strażą przybrzeżną i poinformował, że ma na pokładzie rozbitka i płynie do brzegu. Poprosił, by na nabrzeżu czekało pogotowie albo żeby łódź straży spróbowała złapać go na morzu.

Po jakimś czasie wiatr ucichł, więc Matt ściągnął żagle i włączył motor. Teraz widzieli już przed sobą plażę. Matt od czasu do czasu rzucał okiem na Ophélie, która trzymała chłopca w ramionach. Przed dwudziestoma minutami stracił przytomność i wyglądał na bliskiego śmierci. Ophélie była bardzo blada.

– Nic ci nie jest? – zapytał.

Uspokajająco skinęła głową. Dałaby wszystko, by uratować nieznajomego chłopca i uchronić jego matkę przed cierpieniem.

– A on? – pytał dalej Matt.

– Jeszcze żyje.

Tuliła go mocno, była cała mokra, ale nie dbała o to. Miła przejażdżka zmieniła się w wyścig ze śmiercią.

– Dlaczego nie dałaś mu brandy? – spytał Matt, usiłując przyspieszyć. Nigdy nie płynął tak szybko, ale jak na razie łódka go nie zawiodła.

– To by go zabiło. – Chłopiec leżał w jej ramionach wiotki i zimny, choć wyczuwała słaby puls. – Nie można dawać alkoholu komuś tak osłabionemu. – Kończyny chłopca były lodowate, ale najwyraźniej krążenie nie ustało.

Matt modlił się w duchu, żeby zdążyli na czas. Zbliżali się już do ujścia laguny, a kiedy do niej wpłynęli, usłyszeli syreny i zobaczyli migoczące światła. Matt bez wahania przybił do pierwszej z brzegu przystani. Na pokład wbiegli sanitariusze. Ophélie odsunęła się i wstała. Ze łzami obserwowała, jak mężczyźni pobieżnie badają chłopca i kładą go na noszach. Jeden z nich, odchodząc, uniósł w górę kciuk w geście zwycięstwa. Matt wziął ją w ramiona. Ophélie trzęsła się i nie mogła przestać płakać. Na pokład weszło dwóch policjantów.

– Uratowaliście życie temu dzieciakowi – rzekł z podziwem jeden z nich. – Wiecie, jak się nazywa?

Ophélie pokręciła głową. Matt wyjaśnił, co się stało. Policjanci spisali raport i jeszcze raz im pogratulowali. Minęło pół godziny, nim Matt mógł w końcu odpłynąć do swojej przystani. Ophélie siedziała przy nim w milczeniu.

– Przepraszam cię – powiedział Matt, który wciąż obejmował ją ramieniem. Doskonale zdawał sobie sprawę, jakie wspomnienia przywołał ten wypadek. – Myślałem, że to będzie miła przejażdżka.

– Uratowaliśmy mu życie. I serce jego matki. – Nikt nie mógł być na sto procent pewny, czy chłopak przeżyje, ale dzięki nim miał szansę.

Kiedy wreszcie zacumowali „Nessie II", Matt zrobił porządek, zamknęli kabinę i zeszli z łódki, byli wykończeni. Matt musiał jeszcze zmyć sól z pokładu, lecz mógł to zrobić później. Od ich wyjścia z domu minęło pięć godzin. Ophélie ledwo trzymała się na nogach i Matt odwiózł ją do domu samochodem. Jednak żadne z nich nie było przygotowane na to, co tam zastali. Pip leżała na łóżku i płakała, a Amy usiłowała ją uspokoić. Dziewczynka obserwowała, jak odpływali, a kiedy nie wrócili po godzinie ani po dwóch, była przekonana, że łódź utonęła i mama nie żyje. Kiedy Ophélie weszła do pokoju, mała była na dnie rozpaczy.

– Już dobrze, Pip… wróciłam… – powiedziała Ophélie, czując wyrzuty sumienia, że ją zostawiła. Wszystko potoczyło się inaczej, niż planowali, ale uratowali ludzkie życie.

– Mówiłaś, że wrócisz za godzinę! – krzyknęła Pip.

– Przepraszam… Nie pomyślałam… Coś się stało… – wyjąkała Ophélie.

– Czy łódź się przewróciła? – spytała jeszcze bardziej przestraszona Pip.

Matt wszedł do pokoju, a Amy taktownie wyszła. Przez wiele godzin pocieszała Pip i już nie bardzo wiedziała, co ma mówić. Jeszcze nigdy tak się nie ucieszyła na widok Ophélie.

– Nie, łódka się nie przewróciła – odparła łagodnie Ophélie, przytulając córkę. – I przez cały czas miałam na sobie kamizelkę ratunkową, tak jak obiecałam.

– Ja też – dodał Matt, czując się trochę jak intruz.

– Daleko od brzegu natknęliśmy się na chłopaka z deską surfingową i Matt go uratował.

Pip, słuchając całej historii, spoglądała na nich szeroko otwartymi oczami.

– Oboje go uratowaliśmy – sprostował Matt. – Twoja mama była wspaniała.

Teraz, z perspektywy czasu, podziwiał ją jeszcze bardziej. Ophélie zachowała zimną krew i spisała się doskonale. Bez jej pomocy nie uratowałby chłopca.

Trochę później, kiedy pili gorącą herbatę, Matt zadzwonił do szpitala i dowiedział się, że chłopiec jest w stanie poważnym, ale stabilnym. Jeszcze przez jakiś czas nie można stwierdzić definitywnie, czy przeżyje, lecz szanse są spore. Do szpitala w Marin przyjechali jego rodzice. Matt przekazał tę informację, powstrzymując łzy, a Ophélie na dłuższą chwilę zamknęła oczy. Z wdzięcznością myślała o tym, że udało się uniknąć tragedii i że nieznana jej kobieta nie będzie musiała przeżyć koszmaru śmierci dziecka.

Minęła godzina i gdy Matt zbierał się do wyjścia, Pip się uspokoiła, choć zażądała, by matka już nigdy więcej nie pływała łódką. Matt czuł się winny, że dostarczył im tak dramatycznych przeżyć, choć i on był narażony na niebezpieczeństwo, usiłując wyciągnąć chłopaka z wody.

Po powrocie do domu Matt zadzwonił do Ophélie.

– Jak się czuje Pip? – zapytał przejęty i wykończony.

Z trudem udało mu się spłukać sól z pokładu żaglówki. W domu przez godzinę leżał w gorącej kąpieli. Nie zdawał sobie sprawy, jak bardzo był wyziębiony i wstrząśnięty całą tą przygodą.

– Już dobrze – odparła spokojnie Ophélie. Ona też wzięła gorącą kąpiel i poczuła się trochę lepiej. – Nie jestem jedyną osobą w tej rodzinie, która tak szybko wpada w panikę.

Dla Pip myśl o utracie matki była nie do zniesienia. Wiedziała, że już nigdy nie poczuje się naprawdę bezpiecznie. Niewinne dzieciństwo zakończyło się dla niej przed dziesięcioma miesiącami.

– Fantastycznie się spisałaś – powiedział Matt.

– Ty też – odparła, nadal pełna podziwu dla jego odwagi i determinacji. Nie zawahał się ani przez moment, ryzykował życie, by ratować tego chłopca.

– Jeśli będę miał kiedykolwiek wylecieć za burtę, zrobię to wyłącznie w twojej obecności. I całe szczęście, że wiedziałaś o brandy, ja bym go zabił.

– Ja też bym o tym nie wiedziała, gdybym nie skończyła kursu pierwszej pomocy i nie miała trochę do czynienia z medycyną. Najważniejsze, że wszystko dobrze się skończyło.

Matt jeszcze raz zadzwonił do szpitala, a potem do Ophélie, żeby poinformować ją, że chłopiec ma się lepiej. Następnego dnia jego rodzice zadzwonili do Matta i do Ophélie, by im podziękować. Matka płakała.

Przy śniadaniu Pip przeczytała Ophélie notatkę z gazety.

– Obiecaj, że więcej nigdy czegoś takiego nie zrobisz… – poprosiła, patrząc na nią błagalnie. – Nie mogę… Nie mogłabym… Gdybyś… – Nie była w stanie skończyć. Łzy napłynęły jej do oczu.

– Obiecuję – powiedziała cicho Ophélie, tuląc córkę. – Ja też nie wyobrażam sobie życia bez ciebie.

Dziewczynka wyszła na ganek i usiadła obok psa, zatopiona w myślach i wpatrzona w morze. Nie chciała myśleć o wczorajszym strasznym dniu. Ophélie patrzyła na nią z okna i płakała. W duchu odmówiła dziękczynną modlitwę za to, że wszystko skończyło się tak szczęśliwie.

Rozdział 11

Ostatniego wieczoru w Safe Harbour Matt zaprosił Ophélie i Pip na kolację do restauracji. Wszyscy troje doszli już do siebie po dramatycznej przygodzie na morzu. Poprzedniego dnia chłopiec wyszedł ze szpitala i zadzwonił do Matta i do

Ophélie, żeby im osobiście podziękować. Potwierdził też przypuszczenie Ophélie, że porwał go odpływ.

Poszli na kolację do Lobster Pot i miło spędzili czas, choć przez większość wieczoru Pip była smutna. Z niechęcią myślała o rozstaniu z przyjacielem. Były już spakowane.

– Bez was będzie tu bardzo spokojnie – westchnął Matt, kiedy skończyli deser. Większość ludzi spędzających w Safe Harbour lato wyjeżdżała w ten weekend. Następnego dnia przypadało Święto Pracy, a we wtorek Pip zaczynała szkołę.

– W przyszłym roku też wynajmiemy tu dom – stwierdziła stanowczo Pip.

Wymusiła już to na matce, choć Ophélie uważała, że w przyszłym roku powinny pojechać do Francji, chciaż na kilka tygodni. Ale i jej spodobał się pomysł powrotu do Safe Harbour i wynajęcie tego samego domu, gdyby to było możliwe.

– Mogę trzymać rękę na pulsie, jeśli chcecie. I tak tu jestem. Może zechcecie wynająć coś większego.

– Podoba nam się ten dom – odparła Ophélie z uśmiechem. – O ile zechcą go nam wynająć. Nie jestem pewna, czy odpowiada im to, że przyjeżdżamy z psem.

Mus na szczęście był dobrze wychowany i nie wyrządził żadnych szkód, tylko zrzucał sierść, ale po ich wyjeździe specjalna firma miała wszystko wysprzątać.

– Chciałbym zobaczyć bardzo dużo rysunków, kiedy przyjadę do was w odwiedziny – uprzedził Matt. – I nie zapomnij o kolacji z ojcem.

Pip uśmiechnęła się. Była zachwycona, że Matt o tym pamięta.

– Musisz włożyć krawat – powiedziała, mając nadzieję, że to go nie zniechęci.

– Och, chyba jakiś krawat gdzieś się poniewiera – rzekł z uśmiechem. – Pewnie przytrzymuje zasłony.

Tak naprawdę miał dużo krawatów, tylko nie miał okazji ich nosić. Nie miał, bo nie chciał. Jeździł do miasta jedynie do dentysty, do banku i do adwokata. Ale zamierzał odwiedzać Ophélie i Pip. Były dla niego ważne. Szczególnie teraz po wspólnych dramatycznych przeżyciach.

Po kolacji odwiózł je do domu i Ophélie zaprosiła go na kieliszek wina. Z chęcią przyjął zaproszenie. Pip poszła włożyć piżamę, a Ophélie nalała mu kieliszek czerwonego wina. Lubił tę domową atmosferę, spytał, czy może napalić w kominku. Wrześniowe wieczory były chłodne, a noce pachniały jesienią.

Pip przyszła, żeby ucałować ich na dobranoc, i obiecała, że niedługo do niego zadzwoni. Już wcześniej dał jej swój numer telefonu, a Ophélie też go sobie zapisała. Na wszelki wypadek. Matt uścisnął Pip i zaczął rozpalać ogień. Mus obserwował go z boku i malarz pomyślał, że będzie tęsknił nawet za psem. Zapomniał już, jak to jest mieć przy sobie rodzinę i nawet sam przed sobą nie chciał przyznać, jak bardzo mu to odpowiada.

Ophélie utuliła córkę do snu i wróciła do salonu, kiedy ogień płonął już na kominku. Utulanie Pip na dobranoc stało się od paru tygodni codziennym rytuałem. Siedząc i patrząc w ogień, Ophélie zdała sobie sprawę, ile zmieniło się w jej życiu w ciągu ostatnich trzech miesięcy. Nadal tęskniła za mężem i synem, jednak ich nieobecność stała się łatwiejsza do zniesienia. Czas, mimo wszystko, leczy rany.

– Masz bardzo poważną minę – zauważył Matt, gdy usiadł obok Ophélie i wypił łyk wina.

– Myślałam o tym, że czuję się znacznie lepiej niż na początku pobytu. To lato w Safe Harbour dobrze zrobiło nam obu. I Pip jest szczęśliwsza, głównie dzięki tobie – uśmiechnęła się do niego z wdzięcznością.

– Ona mnie także pomogła. I ty. Każdy potrzebuje przyjaciół. Czasem o tym zapominamy.

– Nie masz tu wielu znajomych, Matt.

Skinął głową. Przez ostatnich dziesięć lat to właśnie mu odpowiadało, ale teraz, po raz pierwszy, poczuł się samotny.

– To mi pomaga w pracy. Przynajmniej tak sobie wmawiam. I mam blisko do miasta. Zawsze mogę tam pojechać.

Choć stwierdził ze zdumieniem, że nie był w mieście od roku. Czasami miesiące i lata upływają naprawdę szybko.

– Mam nadzieję, że mimo mojego gotowania będziesz nas często odwiedzał – powiedziała ze śmiechem Ophélie.

– Będę was zapraszał do restauracji – zażartował. – Co będziesz robiła, kiedy Pip pójdzie do szkoły? – zapytał z troską.

– Może posłucham twojej rady i zgłoszę się do pracy społecznej w schronisku dla bezdomnych.

Z zainteresowaniem przeczytała materiały, które dostała od Blake'a Thompsona.

– To byłoby dobre. Poza tym zawsze możesz tu przyjechać i zjeść ze mną lunch, jak nie będziesz miała nic do roboty. W zimie też jest tu ładnie.

Ophélie lubiła plażę i latem, i zimą. To była pociągająca propozycja.

– Chętnie – powiedziała z uśmiechem.

– Cieszysz się, że wracasz do domu?

Wbiła wzrok w ogień i zastanowiła się nad odpowiedzią.

– Nie. Nie chcę wracać do tamtego domu, choć do tej pory go lubiłam. Teraz jest taki pusty. Za duży dla nas dwóch, ale z drugiej strony znajomy. W zeszłym roku nie chciałam podejmować decyzji, których mogłabym później żałować.

Nie powiedziała mu, że w szafie w sypialni wciąż wiszą ubrania Teda i że nic się nie zmieniło w pokoju Chada. Nie potrafiła pozbyć się tych wszystkich rzeczy. Andrea mówiła, że to niezdrowe, ale – na razie – Ophélie nie chciała niczego zmieniać. Nie mogła. Ciekawe, czy po lecie będzie inaczej. Sama tego nie wiedziała.

– Nie powinnaś niczego robić pochopnie. Jeśli zechcesz, zawsze możesz sprzedać dom. Dla Pip tak jest pewnie lepiej. Przeprowadzka także jest traumatycznym przeżyciem. Jak długo tam mieszkacie?

– Pięć lat. Pip kocha tamten dom. Bardziej niż ja.

Przez chwilę siedzieli w milczeniu, ciesząc się swoim towarzystwem. Matt dopił wino i wstał. Ophélie także się podniosła. Ogień powoli dogasał.

– Zadzwonię w przyszłym tygodniu – obiecał. – Odezwij się, jeśli będziesz czegoś potrzebować.

– Dziękuję – powiedziała cicho. – Za wszystko. Jesteś dla nas obu cudownym przyjacielem.

– I zawsze będę – powiedział, obejmując ją, gdy odprowadzała go do samochodu.

– Uważaj na siebie. I nie żyj zbyt samotnie, to niedobre. Przyjedź do nas, potraktuj to jako rozrywkę.

– Dobranoc – powiedział cicho.

Odjeżdżając, żałował, że nie jest bardziej odważny i że życie jest takie, jakie jest.

Rozdział 12

Do widzenia, domku – powiedziała poważnie Pip.

Ophélie zamknęła drzwi i wrzuciła klucze do skrzynki na listy w biurze pośrednika. Lato się skończyło. Kiedy przejeżdżały krętą ulicą, przy której stał dom Matta, Pip milczała. Nie odezwała się, dopóki nie wjechały na most.

– Dlaczego go nie lubisz? – spytała oskarżycielsko.

Ophélie nie miała pojęcia, o kim Pip mówi.

– Kogo?

– Matta. On ciebie lubi. – Pip wpatrywała się w matkę wściekłym wzrokiem.

– Ja też go lubię. O czym ty mówisz?

– Wiesz, jak mężczyznę… Chłopaka.

Były już prawie przy punkcie pobierania opłat i Ophélie grzebała w torebce w poszukiwaniu pieniędzy.

– Nie potrzebuję mężczyzny – powiedziała, rzucając okiem na córkę. – Mam męża – dodała stanowczo, kiedy znalazła pieniądze.

– To nieprawda, jesteś wdową.

– To jest to samo. Prawie. O co ci chodzi? Poza tym Matt nie traktuje mnie jak swojej „dziewczyny". Matt jest po prostu naszym przyjacielem. Nie psujmy tego.

– Co tu można popsuć? – mruknęła Pip. Myślała o tym przez cały ranek. I już zatęskniła za Mattem.

– Wszystko. Wierz mi, jestem dorosła i wiem, co mówię. Jedna strona mogłaby się poczuć urażona albo zraniona i wszystko by się skończyło.

– Czy zawsze ktoś musi być zraniony? – Pip była wyraźnie rozżalona. – A jakbyś została jego żoną? Nie byłoby tych problemów.

– Nie chcę wychodzić za mąż. Matt też nie chce się żenić. Za bardzo cierpiał, kiedy żona go porzuciła.

– Mówił ci, że nie chce się więcej żenić? – spytała Pip podejrzliwie.

– Mniej więcej. Rozmawialiśmy o jego małżeństwie i rozwodzie. Bardzo to wszystko przeżył.

– Powiedział, że nie chce się z tobą ożenić? – drążyła.

– Ależ skąd. Nie bądź dzieckiem. – Dla Ophélie ta rozmowa była idiotyczna.

– To skąd wiesz, że nie chce?

– Wiem. Poza tym ja nie chcę drugi raz wychodzić za mąż. Nadal czuję się związana z twoim ojcem.

To stwierdzenie rozzłościło Pip.

– Tata nie żyje. Nie wróci do ciebie. Powinnaś wyjść za Matta i wtedy mogłybyśmy zatrzymać go na zawsze.

– Nie jestem pewna, czy Matt chciałby być „zatrzymany", pomijając już moje uczucia. Może ty za niego wyjdziesz? Pasuje do ciebie – zażartowała, żeby skończyć tę niezręczną wymianę zdań. Nie lubiła, kiedy jej przypominano, że Ted nie żyje. Przecież przez ostatnie miesiące nie myślała o niczym innym. Aż trudno uwierzyć, że to już prawie rok. Czasem czuła, jakby minęła wieczność, czasem, jakby zaledwie parę minut.

– Ja też uważam, że do mnie by pasował, i dlatego musisz za niego wyjść – stwierdziła Pip.

– Może Andrea mu się spodoba – zasugerowała Ophélie. Nie takie rzeczy się zdarzały. Może ich ze sobą pozna i zobaczy, co z tego wyniknie?

Pip miała natychmiastową i jednoznaczną odpowiedź. Nie chciała stracić Matta.

– O nie – stwierdziła stanowczo. – Andrea na pewno mu się nie spodoba. Jest dla niego za mocna. Wszystkim ciągle mówi, co mają robić. Nawet mężczyznom. Dlatego ją zostawiają.

To było interesujące spostrzeżenie i Ophélie wiedziała, że Pip właściwie się nie myli. Przez całe lata słyszała wiele rozmów na temat Andrei i doszła do własnych wniosków. Andrea jest zbyt niezależna i dlatego musiała skorzystać z banku nasienia, by mieć dziecko. Żaden mężczyzna nie chciał aż tak się angażować. Jak na swój wiek Pip wykazała się zdumiewającą spostrzegawczością i Ophélie musiała przyznać jej sporo racji, choć nie powiedziała tego na głos.

– Będzie o wiele szczęśliwszy z nami, z tobą i ze mną – orzekła skromnie Pip i zachichotała. – Może zapytamy go o to następnym razem?

– Będzie zachwycony. Właściwie mogłybyśmy mu kazać, żeby się z nami ożenił. – Ophélie też się uśmiechnęła.

– To mi się podoba. – Pip zmrużyła oczy na słońcu, z rozanieloną miną.

– Jesteś małym potworkiem.

Niebawem dojechały do domu. Ophélie nie była w nim od trzech miesięcy. Celowo tu nie zaglądała, kiedy przyjeżdżała do miasta. Pocztę kazała przesyłać do Safe Harbour. Gdy tylko weszła do środka, zalały ją wspomnienia. Czasami roiła, że kiedy wrócą, Ted i Chad będą na nie czekali. Jakby wszystko, co się zdarzyło, było tylko złym snem. Chad z uśmiechem zbiegnie po schodach, a Ted będzie stał w drzwiach sypialni z tym spojrzeniem, na którego wspomnienie miękły jej kolana. Mimo iż byli małżeństwem od wielu lat, ciągle czuli do siebie bardzo silny pociąg fizyczny.

Dom był pusty i cichy.

Obie pomyślały o tym samym i łzy napłynęły im do oczu, kiedy się do siebie przytuliły.

– Nienawidzę tego domu – powiedziała cicho Pip.

– Ja też.

Ani matka, ani córka nie chciały wejść do swoich pokoi. Rzeczywistość była zbyt straszna.

Ophélie poszła do samochodu po bagaże, a Pip pomogła wtaszczyć je na górę. Zasapana Ophélie postawiła dwie torby Pip w jej pokoju.

– Zaraz je rozpakuję. – Starała się panować nad sobą i nie dać się wciągnąć w czarną dziurę, która pojawiła się, gdy tylko wróciła do domu. Jakby tych trzech kojących miesięcy nad morzem nigdy nie było.

– Sama to zrobię, mamo. – Pip też to czuła.

W pewnym sensie było jeszcze gorzej niż przedtem. Do Ophélie wszystko docierało teraz ze zdwojoną siłą.

Wniosła swoje bagaże do sypialni. Kiedy otworzyła szafę, zobaczyła ubrania męża: marynarki, garnitury, krawaty, buty, nawet zniszczone pantofle, które nosił w weekendy. Jakby na nowo przeżywała koszmar. Czuła, że gdyby weszła do pokoju syna, chyba by umarła. Rozpakowując rzeczy, czuła z przerażeniem, że znów pogrąża się w otchłani.

Postanowiły, że na razie nie będą nic jadły, choć Ophélie wiedziała, że w końcu będzie musiała przygotować coś do jedzenia. Sama mogła nie jeść. Siedziały zmęczone, blade i milczące, gdy nagle rozległ się dzwonek telefonu i obie aż podskoczyły.

Ophélie nie chciała z nikim rozmawiać i telefon odebrała Pip. Twarz jej się rozjaśniła.

– Cześć, Matt. W porządku – odpowiedziała na jego pytanie, ale jej głos mówił coś innego. – Nie, to nie prawda – wyszeptała i rozpłakała się. – Tu jest okropnie. Nienawidzimy tego domu.

Słuchała przez dłuższą chwilę, kiwając głową i łzy w końcu obeschły. Przysiadła na kuchennym krześle.

– Dobrze. Spróbuję. Powiem mamie… Nie mogę… Jutro muszę iść do szkoły. Kiedy przyjedziesz? – Ophélie nie słyszała, co mówił Matt, lecz widziała, że Pip jest zadowolona z odpowiedzi. – Dobrze… Zapytam… – Zasłoniła słuchawkę ręką i odwróciła się do matki. – Chcesz z nim porozmawiać?

Ophélie pokręciła głową.

– Powiedz, że teraz nie mogę – szepnęła.

Nie miała ochoty z nikim rozmawiać, zbyt była nieszczęśliwa i nie potrafiła udawać, że ma dobry humor. Tylko Pip mogła mu się wypłakiwać na ramieniu. W jej przypadku to byłoby niestosowne.

– Dobrze – powiedziała Pip do słuchawki. – Powtórzę. Zadzwonię jutro.

Ophélie nie była pewna, czy powinna zgadzać się na codzienny kontakt z Mattem, ale może tak jest lepiej. Pip odłożyła słuchawkę i powtórzyła treść rozmowy.

– Powiedział, że to normalne, ponieważ mieszkałyśmy tu z moim bratem i tatą, i że niedługo będzie lepiej. I jeszcze powiedział, żeby dziś wieczorem zrobić coś nieoczekiwanego – zamówić jedzenie u Chińczyka czy pizzę albo wyjść na kolację. I nastawić muzykę. Wesołą. Bardzo głośno. I że jak nam jest bardzo smutno, to powinnyśmy razem spać. A jutro pójść na zakupy i kupić coś niemądrego. Powiedziałam, że nie możemy, bo jutro idę do szkoły. Te inne pomysły są dobre. Zamówimy chińskie jedzenie, mamo? – Obie je lubiły i nie jadły przez całe lato.

– Chyba nie, choć to miłe z jego strony, że coś takiego zasugerował.

Pip najbardziej podobał się pomysł z muzyką. Nagle Ophélie zmieniła zdanie.

– A ty zjadłabyś coś od Chińczyka? – spytała.

– Jasne, sajgonki i ryż z warzywami.

– A ja bym zjadła pierożki dim sum – powiedziała zamyślona Ophélie i zaczęła szukać kartki z numerem telefonu.

– Ja chcę jeszcze smażony ryż! – zawoła Pip, kiedy matka zamawiała jedzenie.

Po półgodzinie zadzwonił dzwonek. Zjadły kolację przy kuchennym stole. Pip włączyła na cały regulator naprawdę okropną muzykę. Musiały jednak przyznać, że czuły się lepiej niż przed godziną.

– To był dość niemądry pomysł – stwierdziła Ophélie, uśmiechając się z zakłopotaniem. – Miło ze strony Matta, że się nami przejął.

Pomogło bardziej, niż Ophélie chciałaby przyznać, bo w gruncie rzeczy zawstydzał ją fakt, że chińskie jedzenie i płyta Pip mogły ukoić trochę ból.

– Mogę dziś spać w twoim łóżku? – spytała Pip, gdy weszły na górę.

Sprzątnęły po kolacji i schowały resztki do lodówki. Alice, sprzątaczka, zostawiła im jedzenie na śniadanie następnego dnia, a Ophélie rano i tak wybierała się na zakupy.

Teraz zaskoczyła ją prośba córki. Przez cały zeszły rok Pip ani razu nie spytała, czy może spać z matką. Nie chciała jej przeszkadzać, a Ophélie była tak zaślepiona rozpaczą, że nigdy jej tego nie zaproponowała.

– Chyba tak. Na pewno chcesz?

To był pomysł Matta, ale Pip się spodobał.

– Tak.

Wykąpały się każda w swojej łazience i Pip przyszła w piżamie do sypialni matki. Nagle poczuła się jak na przyjęciu piżamowym i zachichotała, wskakując do łóżka. Na odległość Matt zmienił nastrój wieczoru. Rozanielona Pip zasnęła po kilku minutach. Ophélie stwierdziła ze zdumieniem, że dobrze jest mieć ją przy sobie. Nie wiadomo dlaczego wcześniej nie przyszło jej to do głowy. Nie mogły spać razem każdej nocy, ale był to jakiś sposób na poprawę samopoczucia. Usnęła równie szybko jak Pip.

Obudziło je głośne dzwonienie budzika. W pierwszej chwili nie wiedziały, gdzie są i dlaczego śpią razem, lecz zaraz sobie przypomniały, choć nie miały czasu, by znów popaść w zły nastrój. Pip poszła umyć zęby, a Ophélie zbiegła na dół, żeby przygotować śniadanie. Na widok resztek chińskiego jedzenia w lodówce uśmiechnęła się i wzięła ciasteczko z wróżbą.

– „Przez cały rok czeka cię szczęście i pomyślność" – przeczytała na głos i uśmiechnęła się do siebie. Dziękuję, tego właśnie potrzebowałam, pomyślała. Nalała sobie i córce soku pomarańczowego, zalała mlekiem płatki Pip, włożyła do tostera kromkę chleba i zrobiła sobie kawę. Pięć minut później Pip zeszła do kuchni w szkolnym mundurku, a Ophélie wyjęła ze skrzynki gazetę. Przez całe lato prawie nie czytała prasy i wcale jej tego nie brakowało. Rzuciła okiem na gazetę i poszła na górę, żeby się ubrać i odwieźć Pip do szkoły. Ranki zawsze były trochę nerwowe, ale dzięki temu Ophélie nie miała czasu na myślenie.

Dwadzieścia minut później siedziały w samochodzie razem z psem i jechały do szkoły. Pip z uśmiechem spojrzała przez okno, a potem przeniosła wzrok na matkę.

– Wiesz, te pomysły Matta naprawdę podziałały wczoraj wieczorem. Dobrze mi się z tobą spało.

– Mnie też – przyznała Ophélie. Lepiej niż się spodziewała. Czuła się mniej samotna w wielkim małżeńskim łóżku.

– Możemy znów tak kiedyś zrobić? – spytała Pip z nadzieją.

– Jasne – odparła z uśmiechem Ophélie. Podjeżdżały do szkoły.

– Muszę zadzwonić i mu podziękować – stwierdziła Pip.

Ophélie zatrzymała się, ucałowała córkę i życzyła jej miłego dnia. Pip pomachała jej i poszła do swoich koleżanek, nauczycieli i lekcji. Ophélie, wracając do domu, wciąż się uśmiechała. Musiała przyznać, że wczorajszy wieczór okazał się lepszy, niż oczekiwała. I za to była Mattowi wdzięczna.

Powoli weszła z psem po schodach i z westchnieniem otworzyła drzwi. Musiała się rozpakować i zrobić zakupy, a po południu chciała się wybrać do schroniska dla bezdomnych. To zajmie jej czas do wpół do czwartej, kiedy odbiera Pip ze szkoły. Mijając pokój Chada, nie mogła się powstrzymać i zajrzała do środka. Przy opuszczonych żaluzjach pokój był ciemny, pusty i smutny. O mało nie pękło jej serce na widok plakatów i różnych skarbów, fotografii z przyjaciółmi, pucharów z zawodów sportowych, w których brał udział, kiedy był młodszy. Pokój wyglądał inaczej, niż kiedy tu ostatnio zaglądała. Był niczym liść, który opadł i usychał, pachniał stęchlizną. Jak zawsze, Ophélie podeszła do łóżka syna i położyła głowę na poduszce. Wciąż czuła jego zapach. I tak jak zawsze wybuchnęła płaczem. Żadne chińskie jedzenie ani głośna muzyka nie mogły tego zmienić, przedłużały tylko agonię, gdy kolejny raz zdała sobie sprawę, że Chad nigdy nie wróci do domu.

W końcu wykończona poszła do sypialni. Widok ubrań Teda jeszcze pogorszył jej nastrój. Przytuliła twarz do rękawa marynarki i poczuła znajomą fakturę tweedu. Nadal czuła zapach wody kolońskiej męża i prawie słyszała jego głos. Z trudem to znosiła, lecz jakoś zapanowała nad sobą. Nie chciała znowu zmienić się w robota lub pozwolić, by ból ją pokonał. Musi nauczyć się z nim żyć. Choćby ze względu na Pip. Na szczęście ma później spotkanie grupy i będzie mogła z nimi porozmawiać. Niedługo spotkania się skończą. Nie wiedziała, jak sobie bez nich poradzi.

Na spotkaniu opowiedziała o chińskim jedzeniu, muzyce i o tym, że Pip z nią spała. Nikt nie widział w tym niczego złego. Nikt nie widział niczego złego nawet w spotykaniu się z innymi mężczyznami, chociaż Ophélie upierała się, że wcale tego nie chce.

– Czy znalazł pan już przyjaciółkę? – spytała pana Feigenbauma, gdy wychodzili po spotkaniu. Lubiła go, był uczciwy, otwarty i miły; bardziej niż inni starał się odzyskać wewnętrzny spokój. Był ciepłym, pulchnym staruszkiem z rumianymi policzkami i siwą czupryną. Przypominał jednego z pomocników Świętego Mikołaja.

– Jeszcze nie, ale działam. A pani?

– Nie szukam przyjaciela. Mówi pan jak moja córka – powiedziała ze śmiechem.

– Mądra dziewczynka. Gdybym był czterdzieści lat młodszy, młoda damo, nie dałbym pani spokoju. A pani matka przypadkiem nie jest wolna?

Ophélie znów się roześmiała i pomachała mu na pożegnanie.

Później udała się do schroniska, które znajdowało się przy wąskiej bocznej uliczce, w zapuszczonej okolicy, ale przecież nie mogła spodziewać się schroniska dla bezdomnych w Pacific Heights. Ludzie, którzy tam pracowali, okazali się bardzo mili. Ophélie powiedziała, że chciałaby pracować jako wolontariuszka, i powiedziano jej, by przyszła następnego dnia. Kiedy wychodziła, przed schroniskiem stało dwóch starych mężczyzn z wózkami z supermarketu, w których mieli cały swój dobytek, a wolontariusz częstował ich gorącą kawą w styropianowych kubkach. Doskonale mogła sobie wyobrazić siebie w takiej roli. Nic skomplikowanego, a jednocześnie pożyteczne. Lepiej niż siedzieć w domu, płakać i przytulać się do marynarki Teda i poduszki Chada. Nie, na to już nie może sobie pozwolić. Nie może zmarnować kolejnego roku. Ten, który minął, spędziła na opłakiwaniu męża i syna. Za miesiąc przypada rocznica ich śmierci i choć myślała o niej z przerażeniem, zdawała sobie sprawę, że teraz musi być coraz lepiej. Nie tylko dla niej, lecz także dla Pip.

Jest jej to winna. I miała nadzieję, że praca w schronisku pomoże.

W drodze do szkoły po Pip zatrzymała się na czerwonym świetle i przypadkiem rzuciła okiem na wystawę sklepu z butami. Początkowo patrzyła niewidzącym wzrokiem, ale po chwili uśmiechnęła się. Na wystawie stały wielkie pluszowe kapcie przedstawiające postacie z Ulicy Sezamkowej. Niebieska para z Groverem i czerwona z Elmo. Nie zastanawiając się długo, zaparkowała na drugiego i wbiegła do sklepu. Kupiła Grovera dla siebie i Elmo dla Pip i szybko wróciła do samochodu. Zdążyła dojechać pod szkołę w chwili, gdy Pip wychodziła z budynku, ruszyła w stronę rogu, gdzie zawsze czekała na matkę.

Wskoczyła do samochodu z rozjaśnioną buzią.

– Mam supernauczycieli. Lubię wszystkich oprócz pani Giulani, która jest głupia i jej nie znoszę. Ale inni są w porządku. – Zachowywała się jak każde inne jedenastoletnie dziecko i Ophélie uśmiechnęła się zadowolona.

– Cieszę się, że są super, *mademoiselle* Pip – powiedziała, przechodząc na francuski, a potem pokazała torbę na tylnym siedzeniu. – Kupiłam nam prezent.

– Co to jest? – Pip wzięła torbę do przodu, zajrzała do środka i pisnęła z radości, patrząc ze zdumieniem na matkę.

– Zrobiłaś to! Zrobiłaś to!

– Co zrobiłam? – spytała Ophélie.

– Kupiłaś coś bezsensownego. Pamiętasz? Wczoraj wieczorem Matt powiedział, żeby pójść na zakupy i kupić coś niemądrego. A ja powiedziałam, że nie możemy, bo idę do szkoły. Ale ty i tak to zrobiłaś. Kocham cię, mamo!

Zachwycona Pip włożyła kapcie z Elmo na buty. Ophélie przyglądała jej się ze zdumieniem. Nie miała pojęcia, czy kierowała nią podświadomość, weszła; ale na pewno nie pamiętała tego, co mówił Matt. Kapcie jej się po prostu spodobały, choć z pewnością były niemądre. Pip też była z nich zadowolona.

– Musisz je włożyć, gdy przyjedziemy do domu, dobrze?

– Dobrze – odparła poważnie Ophélie. W końcu dzień okazał się całkiem niezły. Poza tym z przejęciem myślała o wizycie w schronisku następnego dnia. Opowiedziała o tym córce, która z radością zauważyła, że matka jest w lepszym nastroju. Choć powrót znad morza był naprawdę okropny, sytuacja poprawiała się z godziny na godzinę. Czarne dziury nie były takie czarne ani takie głębokie, a Ophélie z większym optymizmem patrzyła w przyszłość. Na spotkaniach grupy mówiono, że tak właśnie będzie, choć w to nie wierzyła.

W domu włożyła kapcie z Groverem. Pip zjadła jabłko i ciastko, popiła mlekiem i zadzwoniła do Matta. Mama była gdzieś na górze, pewnie w swoim pokoju. Pip, siedząc na kuchennym stołku, cierpliwie czekała, aż Matt podniesie słuchawkę. O tej porze zwykle wracał z plaży. Kiedy odebrał, był zasapany, jakby biegł.

– Dzwonię, żeby powiedzieć, że jesteś bardzo mądry – oznajmiła.

– Czy to ty, panno Pip?

– Tak. Jesteś geniuszem. Zamówiłyśmy chińskie jedzenie i nastawiłam głośno płytę. I spałam w mamy łóżku, bardzo nam się to podobało… A dziś kupiła nam kapcie z Ulicy Sezamkowej, sobie z Groverem, a mnie z Elmo. Poza tym mam fajnych nowych nauczycieli, oprócz jednej baby, która jest okropna.

Po jej głosie poznał, że sprawy mają się o wiele lepiej niż poprzedniego wieczoru, i poczuł się, jakby wygrał na loterii.

– Chcę zobaczyć te kapcie. Jestem zazdrosny i też chcę takie mieć.

– Poprosiłabym mamę, żeby ci kupiła, ale masz za duże stopy.

– Pech. Zawsze lubiłem Elmo. I Kermita.

– Ja też. Ale wolę Elmo.

Opowiedziała mu o szkole, o koleżankach i o nauczycielach, w końcu oznajmiła, że musi iść odrabiać lekcje.

– Powodzenia. Pozdrów mamę, zadzwonię jutro – obiecał. Czuł się tak jak wtedy, gdy dzwonił do swoich dzieci. Szczęśliwy i smutny, podekscytowany i pełen nadziei. Jednak Pip to nie jest jego córka.

W drodze do swojego pokoju Pip zajrzała do matki.

– Rozmawiałam z Mattem i powiedziałam mu o kapciach. Przesyła ci pozdrowienia.

– Dziękuję, to miło z jego strony – odparła z uśmiechem Ophélie.

– Czy dzisiaj też mogę spać z tobą? – spytała nieśmiało Pip.

Miała na nogach kapcie z Elmo. Ophélie, tak jak obiecała, włożyła swoje.

– Czy to pomysł Matta? – spytała z zaciekawieniem.

– Nie, mój.

Matt tym razem niczego nie sugerował. Nie musiał. Pomógł im poprzedniego wieczoru i na razie wszystko było w porządku.

– Nie mam nic przeciwko temu – powiedziała Ophélie.

Pip w podskokach poszła odrabiać lekcje.

Spędziły kolejną dobrą noc. Ophélie nie wiedziała, jak długo będą razem spały, ale obu im sprawiło to przyjemność.

Rozdział 13

Ophélie umówiła się w schronisku dla bezdomnych kwadrans po dziewiątej. Najpierw miała odwieźć Pip do szkoły w dzielnicy South of Market. Włożyła starą czarną kurtkę skórzaną i dżinsy. Pip stwierdziła, że ładnie wygląda.

– Jedziesz gdzieś, mamo? – spytała. Sama miała na sobie białą bluzkę i plisowaną granatową spódniczkę, szkolny mundurek, którego nie znosiła, lecz Ophélie uważała, że mundurek rozwiązuje wiele problemów przy porannym ubieraniu. Pip wyglądała słodko i dziecinnie. Na ważniejsze szkolne wydarzenia wkładała granatowy krawat, który doskonale pasował do jej rudych loków.

– Tak – odparła z uśmiechem.

Opowiedziała Pip o Centrum Wexlera i o tym, że chciała tam pracować jako wolontariuszka.

– Jeśli mnie zechcą – zaznaczyła.

Nie miała pojęcia, co mogłaby robić i czy w ogóle na coś się przyda. Może będzie odbierała telefony?

– Wszystko ci opowiem, jak się zobaczymy po południu – obiecała. Pip wysiadła na rogu koło szkoły i Ophélie obserwowała, jak idzie do budynku w towarzystwie koleżanek. Tak była zajęta rozmową, że nawet się nie obejrzała.

Ophélie zaparkowała przy Folsom Street i weszła w uliczkę, przy której stał budynek schroniska. Po drodze minęła grupkę pijaków siedzących pod murem. Najwidoczniej nie chciało im się przejść tych paru kroków do schroniska. Rzuciła na nich okiem, ale nikt nie zwrócił na nią uwagi. Siedzieli pogrążeni we własnym świecie czy raczej we własnym piekle.

Weszła do holu. Było to przestronne pomieszczenie, z plakatami na łuszczących się ścianach. Za długim biurkiem siedziała recepcjonistka, Afroamerykanka w średnim wieku. Wyglądała sympatycznie i kompetentnie, miała ciasno splecione szpakowate włosy, mimo prostego stroju była elegancka i w obskurnym holu wydawała się nie na miejscu. Nietrudno było się domyślić, że pojedyncze, zniszczone, niepasujące do siebie meble pochodzą z Goodwill. W kącie stał ekspres do kawy i styropianowe kubki.

Kobieta podniosła głowę i spojrzała na Ophélie.

– Czy mogę pani w czymś pomóc? – spytała miłym głosem.

– Jestem umówiona z Louise Anderson – odparła cicho Ophélie. – Jest chyba szefową wolontariuszy.

Kobieta za biurkiem uśmiechnęła się.

– A także szefową marketingu, dotacji, zamówień, do spraw public relations i przyjmowania nowych osób. Każdy z nas zajmuje się różnymi sprawami.

Ophélie zaczęła oglądać plakaty, ogłoszenia i foldery, ale już po dwóch minutach do holu wpadła młoda kobieta. Miała rude włosy, takie jak Pip, splecione w dwa długie warkocze. Nosiła wojskowe buty, dżinsy i flanelową koszulę w kratę, lecz mimo to wyglądała bardzo kobieco. Była drobna, jak Ophélie i Pip, i poruszała się z wdziękiem tancerki. Emanowała energią, dobrocią, entuzjazmem i pewnością siebie.

– Pani Mackenzie? – spytała z ciepłym uśmiechem. Ophélie skinęła głową. – Proszę za mną.

Szybkim, pewnym krokiem przeszła do biura na zapleczu, gdzie tablica ogłoszeń zajmowała całą ścianę. Wisiały na niej biuletyny, zawiadomienia, informacje z agencji rządowych, zdjęcia i nieskończone ilości różnych projektów i nazwisk. Już to mówiło, ile ta kobieta ma pracy. Na przeciwległej ścianie wisiały fotografie ludzi w centrum. Małe biurko, krzesło i dwa krzesła dla gości wypełniały mały, słoneczny pokój.

– Co panią do nas sprowadza? – spytała Louise Anderson, spoglądając prosto w oczy Ophélie. Zwykle wolontariusze rekrutowali się spośród młodych ludzi lub studentów, którzy zbierali punkty z praktyki społecznej.

– Chciałabym pomagać – szepnęła nieśmiało Ophélie.

– Na pewno przyda nam się każda pomoc. W czym jest pani dobra?

Pytanie zaskoczyło Ophélie. Nie miała pojęcia, co odpowiedzieć ani czego się od niej oczekuje.

– Może zapytam inaczej: co pani lubi robić?

– Nie jestem pewna. Mam dwoje dzieci. – Wzdrygnęła się, ale pomyślała, że poprawianie się wypadnie żałośnie. – Jestem mężatką od osiemnastu lat... To znaczy byłam... – Tyle odważyła się powiedzieć. – Umiem prowadzić samochód, robić zakupy, sprzątać, prać. Umiem zajmować się dziećmi i psami. – Nawet dla niej brzmiało to dość idiotycznie, ale od lat nie zastanawiała się nad swoimi umiejętnościami. – Studiowałam biologię. I znam się trochę na technologii energii, bo tym zajmował się mój mąż. – Kolejna bezużyteczna informacja. – I mam doświadczenie w postępowaniu z ludźmi chorymi umysłowo.

– Czy jest pani w trakcie rozwodu?

Ophélie pokręciła głową, starając się nie okazać strachu. Czuła się taka beznadziejna, niczego nie umiała. Jednak kobieta za biurkiem wpatrywała się w nią z szacunkiem i uwagą.

– Mój mąż zmarł rok temu – powiedziała Ophélie, przełykając głośno ślinę. – Syn także. Mam jedenastoletnią córkę. I dużo wolnego czasu.

– Bardzo mi przykro – powiedziała szczerze Louise Anderson. – Umiejętność postępowania z chorymi umysłowo jest tu bardzo przydatna. Przychodzi do nas dużo chorych, bezdomnych ludzi. Jeśli są bardzo chorzy, kierujemy ich do szpitali i specjalnych agencji, ale jeśli jakoś funkcjonują, zostają tutaj. Do większości schronisk nie wpuszczają ludzi, którzy dziwnie się zachowują, co sprawia, że wielu bezdomnych nie ma się gdzie podziać. To głupie kryterium, choć ułatwia działalność schronisk. My jesteśmy bardziej wyrozumiali, ale w efekcie mamy tu sporo chorych ludzi.

– Co się z nimi dzieje? – spytała z przejęciem Ophélie. Podobała jej się ta kobieta i miała nadzieję, że będzie miała szansę lepiej ją poznać. Emanowała spokojną, pozytywną energią, która wypełniała pokój. Pasja, z jaką podchodziła do swojej pracy, była zaraźliwa. Ophélie ekscytowała myśl, że mogłaby tu pracować, choćby tylko jako wolontariuszka.

– Większość naszych podopiecznych wraca na ulicę po jednej czy dwóch nocach. Zostają rodziny, ale one przenoszą się do schronisk, które gwarantują stały pobyt. My jesteśmy jedynie miejscem przejściowym. Pozwalamy im zostać, ile się da, próbujemy znaleźć im miejsce na dłużej i rodziny zastępcze dla dzieci. Staramy się zapewnić pomoc we wszystkich dziedzinach, dać ubrania, jedzenie, dach nad głową, pomoc lekarską czy zasiłki. Jesteśmy czymś w rodzaju pogotowia ratunkowego. W ten sposób pomagamy większej liczbie ludzi, choć istnieją problemy, których nie potrafimy rozwiązać. Czasem łamie nam to serca, ale co można zrobić? Pomagamy ile się da i idziemy dalej.

– I tak robicie bardzo dużo – powiedziała Ophélie, spoglądając na Louise z podziwem.

– Za mało. To są sprawy, które doprowadzają człowieka do rozpaczy. Wylewa się wodę z oceanu łyżeczką do herbaty i za każdym razem, kiedy wydaje się, że widać jakąś różnicę, woda osiąga dawny poziom. Mnie najbardziej boli widok cierpiących dzieci. Są w tej samej łodzi co wszyscy, choć łatwiej toną, i nie ze swojej winy. Są ofiarami, chociaż jest nimi także wielu dorosłych.

– Czy dzieci przebywają tu z rodzicami?

– Dzieci mogą zostać z rodzicami czy też z rodzicem, jeśli dostaną miejsce w stałym rodzinnym schronisku lub w domu dla samotnych matek z dziećmi. Nie mogą przebywać na ulicy, bo w każdej chwili policjant ma prawo oddać je pod opiekę państwa lub rodziny zastępczej. Życie na ulicy nie jest dla dzieci. Co roku jedna czwarta naszych bezdomnych umiera na ulicy z zimna, z powodu chorób, wypadków czy napadów. Dziecko nie przetrwałoby nawet połowy tego czasu co dorosły. Lepiej jest im w rodzinach zastępczych. W jakich godzinach mogłaby pani pracować? W dzień? W nocy? Przypuszczalnie w dzień, skoro jest pani samotną matką.

Określenie „samotna matka" poczuła jak cios w żołądek. Nigdy tak o sobie nie myślała.

– Mam czas codziennie od dziewiątej do trzeciej. Sama nie wiem... Może dwa lub trzy razy w tygodniu?

Wydawało jej się to dużo, ale nie miała nic szczególnego do roboty. Ile czasu można spędzić z psem w parku? Przynajmniej będzie miała jakiś cel i komuś pomoże.

– Lubię, kiedy wolontariusze najpierw wszystko dokładnie poznają. Nagą prawdę, bez ozdóbek – powiedziała Louise, odrzucając na plecy warkocz. – Niech pani pobędzie z nami przez kilka dni i sama się przekona, czy to jest to, o co pani chodzi. Później, jeżeli obie będziemy zadowolone, przeszkolimy panią przez tydzień, najwyżej dwa, zależy, co pani wybierze. I w końcu zajmie się pani pracą, bardzo ciężką pracą. Nikt się tu nie obija. Etatowi pracownicy pracują przeważnie dwanaście godzin na dobę, czasami dłużej, jeśli mamy kryzys, a to się często zdarza. Nawet wolontariusze ciężko harują, jak już zostaną – uśmiechnęła się. – I jak się to pani podoba?

– Bardzo. – Ophélie odwzajemniła uśmiech. – Tego mi właśnie trzeba. Mam nadzieję, że się przydam.

– Zobaczymy – powiedziała Louise z szerokim uśmiechem, wstając. – Nie zamierzam pani straszyć, tylko wszystko uczciwie wyjaśnić. Nie chcę, aby pani myślała, że jest łatwiej, niż faktycznie jest. Bywa miło, ale zwykle to, co robimy, jest okropne, brudne, przygnębiające, wstrętne, niebezpieczne i wyczerpujące. Czasami wróci pani do domu zadowolona, czasami będzie pani płakała w poduszkę. Mamy tu wszystko, co się może zdarzyć na ulicy. Nie wiem, czy to panią interesuje, ale prowadzimy też projekt wychodzenia naprzeciw.

– Na czym on polega? – spytała zaintrygowana Ophélie.

– Ochotnicy jeżdżą po ulicach dwiema furgonetkami i szukają ludzi zbyt chorych, psychicznie i fizycznie, by sami mogli do nas przyjść. Dlatego my idziemy do nich, zanosimy im ubranie, jedzenie, lekarstwa, jeśli trzeba, staramy się umieścić ich w szpitalu lub w schronisku. Na ulicach jest dużo ludzi, którzy nie wiedzą, że mogą się zgłosić po pomoc. Albo się boją lub uważają, że nikt im nie pomoże. Co wieczór wyjeżdża przynajmniej jedna furgonetka. Dwie, jeśli mamy dość ludzi. Ci, którzy się lepiej orientują, sami do nas przychodzą. Niektórzy nam nie ufają, choć może o nas słyszeli. Czasami po prostu siedzimy z nimi na ulicach i rozmawiamy. Zawsze się staram pozbierać bezdomnych z ulicy. Często uciekając przed czymś, wpadają w jeszcze gorsze sytuacje. Dni są spokojniejsze, furgonetki wyjeżdżają nocą, kiedy są bardziej potrzebne.

– To chyba jest dość niebezpieczna praca – zauważyła Ophélie.

Nie może ryzykować ze względu na Pip. Poza tym nie chciała zostawiać jej samej na noc.

– Jest niebezpieczna. Wyjeżdżamy koło siódmej, ósmej i zostajemy tyle, ile trzeba. Kilka razy zdarzały się naprawdę trudne sytuacje. Ale jak do tej pory nikomu z naszych ludzi nic się nie stało. Zdają sobie sprawę z niebezpieczeństw.

– Czy mają broń?

Louise roześmiała się i pokręciła głową.

– Są uzbrojeni w serca i mózgi. Trzeba chcieć tam być. Proszę nie pytać jak i dlaczego, ale każdy musi być głęboko przekonany, że warto ryzykować. Niech się pani nie denerwuje, jest dość pracy tu na miejscu.

Ophélie skinęła głową. Nocna praca na ulicach wydawała jej się bardzo niebezpieczna, zwłaszcza dla „samotnej matki", jak ją nazwała Louise.

– Kiedy chce pani zacząć?

Ophélie zastanowiła się przez moment.

– Wszystko jedno. Mam czas.

– Może wobec tego teraz? Mogłaby pani pomóc Miriam w recepcji. Ona przedstawi pani innych, w miarę jak będą się pojawiali, i wyjaśni wiele rzeczy, zgoda?

– Dobrze. – Ophélie poszła za Louise do holu, a Louise wyjaśniła Miriam, w czym rzecz. Siwowłosa kobieta bardzo się ucieszyła.

– Każda pomoc bardzo mi się dzisiaj przyda – stwierdziła z uśmiechem. – Mam tu masę papierkowej roboty, wczoraj wieczorem opiekunowie społeczni po prostu rzucili mi wszystko na biurko. Robią to zawsze, gdy mam zamiar iść do domu.

Ophélie miała dość pracy na resztę dnia i na wiele dni następnych. Pracowała bez przerwy, co pięć minut ktoś wpadał lub wypadał, pracownicy pytali o numery spraw, dokumenty, formularze, a czasem tylko przystawali, żeby się przywitać. Przy każdej okazji Miriam przedstawiała Ophélie kolejnym osobom. Większość z nich to byli młodzi, interesujący ludzie, choć zdarzali się też starsi od Ophélie. Tuż przed jej wyjściem zjawili się dwaj młodzi mężczyźni, którzy wyraźnie różnili się od innych pracowników, i młoda, drobna Latynoska. Miriam uśmiechnęła się na ich widok. Jeden z mężczyzn był Afroamerykaninem, drugi Azjatą. Obaj byli młodzi, przystojni i wysocy.

– To są nasi Rewolwerowcy, a przynajmniej ja ich tak nazywam – wyjaśniła Miriam, uśmiechając się szeroko do nowo przybyłych. Widać było, że ich lubi. Ophélie uderzył fakt, że młoda kobieta odznacza się niezwykłą urodą i wygląda jak modelka. Kiedy się jednak odwróciła, Ophélie zauważyła, że ma policzek oszpecony długą blizną. – Co wy tu robicie tak wcześnie? – zdziwiła się Miriam.

– Chcemy sprawdzić jeden z samochodów, mieliśmy wczoraj problemy. I musimy załadować rzeczy na wieczór.

Miriam przedstawiła im Ophélie jako nową wolontariuszkę.

– Daj ją nam – zaproponował z uśmiechem Azjata. – Odkąd nie ma Aggie, brakuje nam jednego faceta.

Ophélie pomyślała, że Aggie to chyba nie facet.

Wszyscy troje byli dla niej mili. Azjata miał na imię Bob, Afroamerykanin – Jefferson, a Latynoska – Milagra, ale obaj mężczyźni mówili do niej Millie. Wyszli po paru minutach i udali się do garażu, gdzie stały furgonetki.

– Co oni robią? – spytała Ophélie, wracając do papierkowej roboty.

– To nasza drużyna wyjazdowa. Uważamy ich tutaj za bohaterów. Są szaleni i odważni. Wyjeżdżają na ulice codziennie wieczorem, pięć razy w tygodniu. W weekendy zastępuje ich inna drużyna. Są niesamowici. Cała trójka. Kiedyś pojechałam z nimi i okropnie to przeżyłam. Strasznie się bałam.

– Czy to nie jest zbyt niebezpieczna praca dla kobiety? – spytała Ophélie. Jej też wydawali się bohaterami.

– Millie wie, co robi. Była policjantką. Musiała odejść na rentę, gdy została postrzelona i straciła jedno płuco, ale jest tak samo twarda jak mężczyźni. Jest ekspertką sztuk walki. Potrafi się obronić.

– I stąd ma tę szramę? Z czasów pracy w policji?

Ophélie czuła rosnący szacunek i podziw. To byli najdzielniejsi ludzie, jakich znała. A kobieta, mimo blizny, odznaczała się niesłychaną urodą.

– Nie, to z dzieciństwa. Ojciec okaleczył ją, kiedy się broniła, żeby jej nie zgwałcił. Chyba miała wtedy jedenaście lat. – Choć Ophélie słyszała wiele takich historii, była zaszokowana, kiedy uświadomiła sobie, że Milagra była w wieku Pip, gdy ją to spotkało. – Może dlatego poszła pracować w policji.

Przez cały dzień przychodzili do schroniska bezdomni w różnym wieku, by się wykąpać, coś zjeść, przespać się czy tylko na jakiś czas zejść z ulicy i pokręcić się po holu. Niektórzy wyglądali całkiem normalnie i dość czysto, inni nie bardzo wiedzieli, co się wokół nich dzieje i patrzyli na świat zamglonymi oczami. Przyszło kilku pijanych i kilku pod wpływem narkotyków. Centrum Wexlera nie stawiało zbyt wysokich wymagań przyjmowanym ludziom. Wprawdzie na terenie schroniska nie wolno było pić alkoholu ani zażywać narkotyków, lecz jeśli ktoś przychodził w nie najlepszym stanie, pozwalano mu zostać.

Kiedy Ophélie w końcu wyszła, kręciło jej się w głowie, ale obiecała, że zjawi się następnego dnia. W drodze do domu opowiedziała wszystko Pip, na której wywarło to duże wrażenie. Nie tylko to, co działo się w centrum, lecz także fakt, że matka zgłosiła się jako wolontariuszka.

Po południu zadzwoniła do Matta i opowiedziała mu o wyczynie mamy. Ophélie wzięła prysznic i zeszła na dół, umierając z głodu. Od rana nic nie jadła.

– Matt cię pozdrawia – rzuciła Pip, nie przerywając rozmowy.

Ophélie zrobiła sobie kanapkę. Z tygodnia na tydzień miała coraz lepszy apetyt.

– Nawzajem.

– Podoba mu się to, co robisz – dodała Pip i kontynuowała opowieść o rzeźbie, którą robi na plastyce. Poza tym zgłosiła się na ochotnika do przygotowania księgi pamiątkowej swojej klasy. Lubiła rozmawiać z Mattem, choć wolała siedzieć obok niego na plaży. W końcu podała słuchawkę Ophélie.

– Wygląda na to, że znalazłaś interesujące zajęcie – stwierdził z podziwem Matt. – Jaka jest ta praca?

– Przerażająca, ekscytująca, cudowna, śmierdząca, wzruszająca, smutna. Podoba mi się. Ludzie, którzy tam pracują, są niesamowici, a ci, którzy szukają pomocy, bardzo sympatyczni.

– Jesteś wspaniałą kobietą. Podziwiam cię – powiedział z przekonaniem.

– Daj spokój. Wypełniałam papierki i czułam się zagubiona. Nie wiem, czy pod koniec tygodnia nadal będą mnie tam chcieli.

– Na pewno będą. Tylko nie rób niczego niebezpiecznego i nie ryzykuj. Nie możesz sobie na to pozwolić, masz Pip.

– Wiem. – To, że Louise Anderson nazwała ją samotną matką, przemawiało do wyobraźni. – A jak jest na plaży?

– Bez was beznadziejnie – stwierdził ze smutkiem, chociaż pogoda przez te ostatnie dwa dni była fantastyczna. Upał, słońce i błękitne niebo bez jednej chmurki. Wrzesień to jeden z najcieplejszych miesięcy nad morzem i Ophélie, podobnie jak Pip, żałowała, że nie mogą tam być. – Pomyślałem, że mógłbym was odwiedzić w ten weekend, chyba że wolicie przyjechać tutaj.

– Pip ma chyba trening piłkarski w sobotę rano... Może przyjechałybyśmy w niedzielę...

– To ja przyjadę do was. O ile wam to odpowiada, nie chciałbym przeszkadzać...

– Nie będziesz przeszkadzał. Pip będzie uszczęśliwiona. Ja też cię chętnie zobaczę – dodała z entuzjazmem. Mimo męczącego dnia miała doskonały humor. Pobyt w schronisku dodał jej energii.

– Zabiorę was na kolację. Spytaj Pip, dokąd chciałaby pójść. Będziesz mogła opowiedzieć mi o swojej pracy.

– Nie sądzę, żeby dali mi jakieś odpowiedzialne zadanie. Będę miała tydzień praktyki, a potem zapewne będę pomagała, tam gdzie akurat będzie trzeba. Przeważnie przy skierowaniach i odbieraniu telefonów. – Wszystko było lepsze od płaczu w pokoju syna. Matt też o tym wiedział.

– Przyjadę w sobotę koło piątej. Do zobaczenia.

– Jeszcze raz dziękuję – powiedziała Ophélie, podała słuchawkę Pip, żeby mogła pożegnać się z Mattem, i poszła na górę, przeczytać materiały, które dostała w centrum dla bezdomnych. Artykuły, studia badawcze, dane na temat bezdomności – interesujące, ale i smutne teksty.

Leżąc na łóżku, zaścielonym czystą pościelą, w różowym kaszmirowym szlafroku myślała, że jej się w życiu poszczęściło. Mieszka w dużym, wygodnym i pięknym domu, umeblowanym antykami, pokoje są słoneczne i jasne. W jej sypialni przeważał kolorowy perkal w kwiaty, a w pokoju Pip – jasnoróżowy jedwab. Pokój Chada, typowy dla nastolatka, wybity był granatowym tartanem, a gabinet Teda – skórą. Przy jej sypialni był mały salonik pokryty jasnoniebieskim i żółtym jedwabiem. Na dole znajdowały się duży salon z angielskim antykami i kominkiem, jadalnia i mały gabinecik pani domu. Kuchnię urządzili bardzo nowocześnie pięć lat temu, kiedy robili remont. W piwnicy znajdowały się duży pokój do gier, ze stołem bilardowym i stołem do ping-ponga, a także służbówka, której nigdy nie używali. Za domem był niewielki, ładny ogródek, a od frontu, po obu stronach drzwi, stały drzewka w kamiennych donicach. Od ulicy oddzielał ich przystrzyżony żywopłot. To był wymarzony dom Teda, jej się nigdy nie podobał, choć niewątpliwie był piękny. Wpatrywała się w przestrzeń, gdy w drzwiach stanęła Pip.

– Wszystko w porządku, mamo? – Zauważyła, że matka ma taki sam szklany wzrok jak przez długie miesiące żałoby.

– Tak, myślałam właśnie, że mamy szczęście. Na ulicach żyją ludzie, którzy nie mają własnego łóżka ani łazienki, nie mogą się umyć, są głodni, nie mają nikogo, kto by ich kochał, nie mają dokąd pójść. Trudno sobie coś takiego wyobrazić. Żyją zaledwie kilka kilometrów stąd, choć równie dobrze mogliby żyć w jakimś kraju Trzeciego Świata.

– To smutne, mamo. – Pip spojrzała na nią wielkimi oczami.

– Bardzo smutne, słonko.

Wieczorem Ophélie przyrządziła kolację. Zjadły po kotlecie jagnięcym, lekko przypalonym. Żadna z nich nie miała nigdy dużego apetytu, ale Ophélie pomyślała, że powinna jakoś urozmaicić ich dietę. Zrobiła sałatę i odgrzała marchewkę z puszki. Pip stwierdziła, że marchewka jest obrzydliwa i że woli kukurydzę.

– Postaram się pamiętać – obiecała Ophélie.

Tego wieczoru Pip przyszła do łóżka matki bez pytania. Rano, kiedy zadzwonił budzik, obie szybko wzięły prysznic, ubrały się i zjadły śniadanie. Ophélie nie mogła się doczekać, kiedy znajdzie się w schronisku. Tego dokładnie chciała i potrzebowała. Po raz pierwszy od lat miała w życiu jakiś cel.

Rozdział 14

Reszta tygodnia przeleciała jak z bicza strzelił, Pip w szkole, a Ophélie w Centrum Wexlera. W piątek po południu ani ona, ani nikt inny nie miał wątpliwości, że znalazła się na właściwym miejscu. Była gotowa pracować trzy dni w tygodniu i była im potrzebna.

Zdecydowała się na pracę w poniedziałki, środy i piątki. W następnym tygodniu miała przejść szkolenie, po kilka godzin u poszczególnych pracowników. Musiała także przedstawić zaświadczenie lekarskie o dobrym stanie zdrowia oraz wyrazić zgodę, by centrum wystąpiło o zaświadczenie o niekaralności. W piątek przed końcem pracy wzięli jej odciski palców i zażądali referencji od dwóch osób. Jedną obiecała Andrea, a o drugą Ophélie poprosiła swojego adwokata. Wszystko zostało załatwione, choć Ophélie nie była pewna, co będzie robiła. Przypuszczała, że będzie pomagała tam, gdzie akurat się przyda. Miała także przeszkolić się w zakresie przyjmowania bezdomnych do schroniska. Nie miała żadnego doświadczenia, ale chciała się uczyć. Pod koniec tygodnia dostała świetną opinię od Miriam.

– Wynik jest pozytywny – poinformowała dumnie córkę, gdy odebrała ją ze szkoły w piątkowe popołudnie. – Chcą mnie w centrum jako wolontariuszkę. – Była naprawdę zadowolona, czuła, że coś osiągnęła, i miała nadzieję, że może zrobi coś dobrego dla innych.

– Super, mamo! – entuzjazmowała się Pip. – Jutro opowiemy wszystko Mattowi.

Matt zaproponował, że przyjedzie na trening Pip, ale ona wolała, żeby kiedyś przyjechał na mecz. W sobotę miała tylko trening, w dodatku pierwszy w tym roku szkolnym. Pip, mimo że drobna i delikatna, była szybka i dobrze radziła sobie na boisku. Grała w piłkę już od dwóch lat. I wolała ją od baletu.

W piątek po szkole odrobiła lekcje. Przyszła do niej na noc koleżanka. Odwiedziła je też Andrea, z którą zjadły kolację. Dowiedziała się od Pip, że następnego dnia ma przyjść Matt, i uniosła pytająco brwi.

– Coś ukrywasz przede mną, przyjaciółko. Pedofil tutaj? – spytała rozbawiona.

– Chciał się zobaczyć z Pip – wyjaśniła Ophélie, sama w to wierząc, chociaż i ją cieszyły te odwiedziny. – Może już nie powinnyśmy go tak nazywać.

– Może wobec tego „chłopak" lepiej będzie do niego pasowało. W sensie bliski przyjaciel – powiedziała Andrea.

Ophélie pokręciła głową.

– Na pewno nie, tego rodzaju kontakty mnie nie interesują.

– To ty tak mówisz. A on? Faceci nie przyjeżdżają do miasta, żeby zabrać kobietę na kolację, tylko dlatego że chcą się spotkać z jej córką. Możesz mi wierzyć, mam w tych sprawach doświadczenie. Znam mężczyzn.

– Nie wszyscy mężczyźni są tacy sami – stwierdziła stanowczo Ophélie.

– On tylko bierze na przeczekanie – powiedziała z przekonaniem Andrea. – Gdy tylko poczuje się pewniej, zmieni się, zobaczysz.

– Mam nadzieję, że nie.

Ophélie, chcąc zmienić temat, opowiedziała o swojej pracy w schronisku dla bezdomnych. Na Andrei zrobiło to duże wrażenie, a poza tym ucieszyła się, że przyjaciółka znalazła wreszcie jakieś zajęcie.

Następnego dnia, kiedy zadzwonił dzwonek i Ophélie poszła otworzyć drzwi, przypomniały jej się słowa Andrei. I naprawdę miała nadzieję, że przyjaciółka się myli, biorąc swoje pobożne życzenia za fakty.

W drzwiach stał Matt, w wyczyszczonych butach, szarym golfie, szarych spodniach i w skórzanej kurtce. Ted ubierał się podobnie, ale nigdy nie pamiętał, żeby wyczyścić buty Nie przywiązywał wagi do takich drobiazgów. Zajmowały go ważniejsze sprawy. Buty czyściła mu Ophélie.

Matt uśmiechnął się, a gdy Pip zbiegła po schodach i Matt ją zobaczył, Ophélie wiedziała, że przyjaciółka, mimo swej znajomości mężczyzn, nie miała racji. Ophélie odetchnęła z ulgą. Matt traktował Pip jak córkę, a ją jak siostrę. Pip pokazała mu swoje skarby i najnowsze rysunki, a później Ophélie opowiedziała o Centrum Wexlera, nawet o drużynie wyjazdowej.

– Mam nadzieję, że nie zamierzasz się do nich przyłączyć – powiedział z troską i z niepokojem. – Jestem pewien, że to ważna i potrzebna działalność, ale z pewnością bardzo niebezpieczna.

– Na pewno. Oni mają duże doświadczenie i umiejętności. Kobieta w drużynie jest byłą policjantką i ekspertem od sztuk walki, tak samo jak jeden z mężczyzn, a drugi jest byłym antyterrorystą. Nie potrzebują mojej pomocy – uśmiechnęła się.

Pip była bardzo przejęta wizytą Matta, a kiedy Ophélie poszła, by przynieść mu kieliszek wina, szeptem zapytała go o portret.

– Jak ci idzie? Pracowałeś nad nim w tym tygodniu? – Wiedziała, że to wspaniały prezent urodzinowy, i nie mogła się doczekać, kiedy będzie mogła go matce wręczyć.

– Dopiero zaczynam. – Miał nadzieję, że końcowy efekt jej nie rozczaruje, na razie podobało mu się to, co namalował. Sympatia do Pip ułatwiła mu uchwycenie zarówno jej ducha, jak i rudych włosów i łagodnych brązowych oczu z bursztynowym błyskiem. Chciałby namalować także portret Ophélie, chociaż od dawna nie malował dorosłych. Mógłby przynajmniej spróbować.

Tuż przed siódmą wybrali się na kolację. Matt przystanął w drzwiach.

– Zapomniałaś o czymś – powiedział do Pip.

Spojrzała na niego zdziwiona.

– Nie możemy wziąć Musa do restauracji – stwierdziła poważnie. Miała na sobie krótką czarną spódniczkę i czerwony sweterek. Wyglądała bardzo dorośle. Ubrała się elegancko specjalnie dla Matta, a Ophélie spięła jej włosy nową spinką. – Psy wpuszczają tylko do restauracji na plaży – wyjaśniła.

– Nie chodziło mi o Musa, choć powinienem był o nim pamiętać. Przyniesiemy mu coś dobrego. Nie pokazałaś mi kapci z Elmo i Groverem – wyjaśnił z wyrzutem.

Pip roześmiała się głośno.

– Naprawdę chcesz je zobaczyć? – spytała rozradowana. Matt zawsze o wszystkim pamiętał.

– Nigdzie nie pójdziemy, dopóki mi ich nie pokażesz – stwierdził stanowczo. Cofnął się o krok i zaplótł ręce na piersi. Ophélie uśmiechnęła się do nich obojga.

– Nie żartuję. Chcę zobaczyć Elmo i Grovera. Musicie je dla mnie włożyć.

Mówił bardzo poważnie i rozanielona Pip pobiegła na górę, wracając po chwili z dwiema parami kapci.

Ophélie niepewnie włożyła kapcie, Pip zrobiła to samo. Matt z aprobatą pokiwał głową.

– Fantastyczne. Uwielbiam je. I jestem zazdrosny. Też chcę takie kapcie. Możecie znaleźć takie dla mnie?

– Chyba nie – powiedziała przepraszającym tonem Pip. – Mama mówi, że z trudem znalazła parę dla siebie, a ona ma małe stopy.

– Jestem załamany.

Pip i Ophélie zmieniły kapcie na buty i wyszli z domu, kierując się do samochodu Matta.

Przy kolacji rozmawiali miło o różnych sprawach. Ophélie, obserwując Matta z Pip, znowu pomyślała, że utrata kontaktu z własnymi dziećmi musiała być dla niego traumatycznym przeżyciem. Widać było, że lubi dzieci i dobrze się z nimi dogaduje. Jest otwarty i ciepły, z zainteresowaniem słucha wszystkiego, co mówi Pip. Ma w sobie dużo ciepła, lecz jednocześnie się nie narzuca. Ophélie nigdy nie czuła się przez niego osaczona. Prawdziwy z niego przyjaciel.

Wrócili do domu o wpół do dziesiątej w znakomitych humorach. Matt pamiętał nawet, żeby zabrać resztki dla psa.

– Jesteś dla nas za dobry – powiedziała cicho Ophélie, kiedy usiedli w salonie, a Matt rozpalił w kominku, tak jak robił to w domku na plaży. Pip przyszła do nich po chwili, ale – nie zważając na protesty – Ophélie kazała jej przebrać się w piżamę. Protestując, Pip ziewnęła szeroko i wszyscy się roześmieli.

– Zasłużyłaś sobie na dobroć innych, Ophélie – powiedział Matt z przekonaniem, siadając koło niej na kanapie. Odmówił kieliszka wina, który mu zaproponowała. Ostatnio prawie nie pił alkoholu. Zauważył, że pije więcej, kiedy czuje się samotny lub wpada w depresję, co mu się ostatnio, dzięki Pip i Ophélie, nie zdarzyło. – Wszyscy zasługujemy na dobrych ludzi – westchnął. – Masz piękny dom. – Z podziwem rozglądał się po pokoju. Salon był może dla niego nieco zbyt konserwatywny, choć nie różnił się specjalnie od mieszkania, jakie mieli z Sally w Nowym Jorku. Kupili dwupoziomowy apartament przy Park Avenue i urządził go dla nich jeden z najlepszych dekoratorów wnętrz. Matt zastanawiał się teraz, czy Ophélie także skorzystała z usług projektanta, czy sama urządziła dom. Rozejrzał się jeszcze raz i zapytał ją o to.

– Pochlebia mi, że pytasz – powiedziała z wdzięcznym uśmiechem. – Sama wszystko kupiłam w ciągu ostatnich pięciu lat. Lubię urządzać dom i kupować meble. Jednak ten dom stał się dla nas za duży, choć na razie nie mam serca go sprzedać. W końcu będę musiała coś wymyślić.

– Nie musisz się spieszyć z podejmowaniem decyzji. Zawsze żałowałem, że za szybko sprzedaliśmy mieszkanie w Nowym Jorku. Tyle że nie miałem po co go utrzymywać, skoro Sally i dzieci wyjechali. Mieliśmy wiele pięknych przedmiotów. – W jego głosie pojawiła się nutka nostalgii.

– I sprzedałeś je wszystkie?

– Nie, dałem Sally, a ona zabrała je do Auckland. Bóg wie, co z nimi zrobiła, bo prawie od razu wprowadziła się do

Hamisha. Nie zdawałem sobie sprawy, że od początku miała taki plan ani że zrobi to tak prędko. Myślałem, że na jakiś czas zamieszka sama i chwilę się zastanowi. Jednak nie marnowała czasu. Taka jest Sally. Szybko podejmuje decyzje. – To było korzystne u partnera w interesach, ale nie u żony. Wolałby, żeby było odwrotnie. – Nie szkodzi. – Wzruszył ramionami. – Rzeczy, w przeciwieństwie do ludzi, zawsze można innymi zastąpić. Poza tym na plaży nie potrzebuję domu pełnego antyków. Żyję bardzo prosto i to mi wystarcza.

W końcu o jedenastej stwierdził, że musi iść. W nocy nad oceanem wisi mgła i powrotna droga z pewnością zabierze więcej czasu. Przy pożegnaniu zapewnił, że spędził urocze godziny. Zajrzał do pokoju Pip, żeby się z nią pożegnać, ale spała głęboko, z psem w nogach łóżka i kapciami z Elmo na podłodze.

– Jesteś szczęśliwa – powiedział z ciepłym uśmiechem, schodząc na dół za Ophélie. – Pip jest fantastyczna. Naprawdę nie wiem, jakim cudem znalazła mnie na plaży! – Nie mógł sobie wyobrazić życia bez tej rudej dziewczynki. Była prezentem od Boga, a Ophélie – dodatkową premią.

– Ja też się cieszę, że cię poznałam, Matt. Dziękuję za cudowny wieczór. – Pocałowała go w oba policzki. Matt uśmiechnął się. To mu przypomniało rok, jaki spędził we Francji, na studiach, przed dwudziestoma pięcioma laty.

– Daj mi znać, kiedy Pip będzie miała mecz. Jeśli zechcesz mnie widzieć, dzwoń, natychmiast przyjadę!

– Dobrze.

Roześmiała się. Oboje wiedzieli, że Pip zadzwoni do niego już następnego dnia. I nie było w tym niczego złego. Potrzebowała kogoś, kto zastąpi jej ojca.

Ophélie zaczekała, aż Matt odjedzie, zamknęła drzwi i zgasiła światło. Pip spała tym razem we własnym łóżku i Ophélie przez długi czas leżała w dużym małżeńskim łożu, rozmyślając w ciemnościach o minionym wieczorze i o człowieku, który stał się ich przyjacielem. Myśli na temat Matta sprowokowały myśli o Tedzie. W niektóre dni wspomnienia o mężu były przyjemne, w inne – niepokojące. Mimo wszystko nadal bardzo go jej brakowało i zastanawiała się, czy tak już będzie zawsze. Jej życie jako kobiety się skończyło, rola matki też nie miała potrwać długo. Chad odszedł, a Pip za parę lat będzie miała swoje życie. Ophélie nie mogła sobie nawet wyobrazić sytuacji, kiedy zostanie zupełnie sama. Mimo przyjaciół, takich jak Andrea czy Matt, po odejściu Pip jej życie straci cel. Na tę myśl poczuła panikę i znów z tęsknotą przypomniała sobie Teda. W takie noce potrafiła jedynie spoglądać wstecz, przyszłość napawała ją strachem. Tylko odpowiedzialność za Pip powstrzymywała ją przed lekkomyślnym krokiem, choć w ciemnościach nocy wszystko wydawało się możliwe. Jakim słodkim wybawieniem byłaby śmierć.

Rozdział 15

TRZY DNI PO WIZYCIE MATTA Ophélie musiała stawić czoło wyzwaniu, którego od jakiegoś czasu się obawiała. Po czterech miesiącach podtrzymujących na duchu spotkań grupa kończyła działalność. Traktowali to jako „maturę" i mówili o „ponownym wejściu", usiłując nadać ostatniemu spotkaniu świąteczny nastrój. Niemniej świadomość, że stracą wsparcie, sprawiła, że wszyscy mieli łzy w oczach.

Uściskali się i obiecali sobie, że będą w kontakcie, wymieniając adresy i telefony oraz omawiając plany na przyszłość. Pan Feigenbaum spotykał się z siedemdziesięciooośmioletnią kobietą, którą poznał na kursie gry w brydża, i był szalenie podekscytowany. Inni także zaczęli się umawiać na randki, niektórzy planowali podróże, jedna z kobiet, po niekończących się wahaniach, postanowiła w końcu sprzedać dom, inna zgodziła się zamieszkać z siostrą, a wdowiec, którego Ophélie nigdy nie lubiła, pogodził się wreszcie z córką po rodzinnej kłótni, po której przez trzydzieści lat nie utrzymywali żadnych kontaktów. Jednak większość nadal miała przed sobą długą drogę i wiele zmian.

Głównym osiągnięciem Ophélie, przynajmniej tym najbardziej widocznym, była jej praca w schronisku dla bezdomnych. Poprawił się jej nastrój, czarna dziura, do której czasem jeszcze wpadała, a której wszyscy się bali, zrobiła się trochę płytsza, a ciemne dni nie tak długie. Wiedziała jednak, tak jak wszyscy pozostali, że proces pogodzenia się ze stratą na pewno jeszcze się nie skończył. Po prostu ma teraz lepszą broń. I nadzieję, a to bardzo pomaga.

Niemniej, kiedy żegnała się z Blake'em, ogarnął ją ogromny smutek i poczucie straty.

– Co się stało, mamo? – spytała przerażona Pip, gdy Ophélie podjechała po nią pod szkołę.

Zbyt często widywała u matki ten wyraz twarzy i zawsze bała się, że znów zapadnie się w sobie i będzie zachowywała się tak jak przez wiele miesięcy zeszłego roku.

– Nic – odparła znużona Ophélie. – Spotkania mojej grupy dziś się skończyły i wiem, że to głupie, ale będzie mi ich brakowało. Niektórzy byli naprawdę bardzo mili i choć narzekałam, mam wrażenie, że bardzo mi pomogli.

– Nie możesz wrócić? – spytała zatroskana Pip. Nie podobał jej się wygląd matki. Za dobrze ją znała. Pamiętała też, że Chad czasem miał taki sam ponury i otępiały wyraz twarzy, był wtedy jak sparaliżowany obojętnością i rozpaczą. Pip chciała mu pomóc, ale nie potrafiła.

– Jeśli będę potrzebowała wsparcia, mogę pójść do innej grupy, tej mojej już jednak nie będzie.

Pip poczuła, że wpada w panikę.

– Może powinnaś tak zrobić.

– Wszystko będzie w porządku, obiecuję.

Matka poklepała ją po ramieniu i w milczeniu wróciły do domu. Zaraz po wejściu Pip wśliznęła się do nieużywanego gabinetu na górze i zadzwoniła do Matta. Tego dnia padało i malarz nie poszedł na plażę, lecz pracował nad jej portretem. W miarę zbliżania się zimy malowanie w plenerze będzie coraz rzadsze, ale na razie pogoda jeszcze była znośna.

– Wygląda okropnie – powiedziała cicho Pip, modląc się w duchu, żeby matka nie podniosła słuchawki aparatu w innym pokoju. Nacisnęła specjalny guzik, który uniemożliwiał słuchanie z drugiego telefonu, ale nie była pewna, czy działa. – Boję się, Matt – przyznała otwarcie. Miała łzy w oczach. – W zeszłym roku myślałam… Ona czasem nawet nie wstawała z łóżka… Nie czesała się, nie jadła, nie spała w nocy… Nie chciała ze mną rozmawiać.

– Teraz też tak jest? – zapytał z troską. Jej słowa uderzały go w samo serce, współczuł im obu. W sobotę Ophélie wydawała mu się całkiem normalna, lecz ludzie potrafią ukrywać to, co czują.

– Jeszcze nie – westchnęła Pip przygnębiona. – Ale wygląda naprawdę bardzo smutno.

– Przypuszczalnie trochę się boi, że traci wsparcie grupy. Pożegnania są zawsze bardzo przykre. Uważaj na mamę, ale jestem pewien, że wszystko będzie dobrze. Kiedy widywałem ją ostatnio, nie wyglądała na załamaną. To pewnie rodzaj emocjonalnej huśtawki, niedługo z tego wyjdzie. Jeżeli nie, to przyjadę i zobaczę, co się dzieje.

Oczywiście niewiele mógł zdziałać. Jednak nawet jako przyjaciel może będzie mógł pomóc, a przynajmniej wesprzeć Pip.

– Dziękuję – powiedziała z głębi serca. Była mu wdzięczna bardziej, niż mogła to wyrazić. Po tej rozmowie poczuła się znacznie lepiej.

– Zadzwoń jutro i powiedz, co się dzieje. Twój portret wygląda całkiem nieźle – dodał skromnie.

– Już się nie mogę doczekać – powiedziała z uśmiechem i rozłączyła się.

Ophélie przygotowywała kolację, kiedy ktoś zadzwonił do drzwi. Nie miała pojęcia, kto to może być. Nie spodziewała się gości – Matt był nad morzem, a Andrea nigdy nie przychodziła bez zapowiedzi. Kiedy otworzyła drzwi zobaczyła przed sobą wysokiego łysego mężczyznę w okularach. W pierwszej chwili go nie poznała, dopiero po sekundzie przypomniała sobie, że nazywał się Jeremy Atcheson i chodził na spotkania grupy.

Zajrzał jej przez ramię. Wydawał się zdenerwowany i nie mogła sobie wyobrazić, po co tu przyszedł. Był jednym z tych ludzi bez twarzy, którzy prawie się nie odzywali i niczego nie wnosili do wspólnych dyskusji. Nie lubiła go i chyba nigdy nie zamieniła z nim choćby paru słów.

– Cześć, Ophélie – powiedział. Na górnej wardze miał krople potu i wyraźnie czuć było od niego alkohol. – Mogę wejść? – uśmiechnął się, choć jego uśmiech bardziej przypominał lubieżne skrzywienie.

Zauważyła, że ma wymięte ubranie i ledwo trzyma się na nogach.

– Robię kolację – powiedziała niepewnie, nie wiedząc, czego chce od niej ten człowiek. Znał jej adres, bo na ostatnim spotkaniu wszyscy wymienili się adresami i numerami telefonów.

– To świetnie – stwierdził – bo jeszcze nic nie jadłem. Co jest na kolację?

Ophélie zamurowało. Co za bezczelność! Przez moment wyglądało na to, że ten człowiek odsunie ją i wejdzie do domu. Natychmiast jednak wzięła się w garść i zaczęła zamykać drzwi. Nie miała najmniejszego zamiaru go wpuszczać. Wyczuwała coś złego.

– Przepraszam, Jeremy, ale nie mam czasu. Moja córka jest głodna, a za chwilę przychodzi mój przyjaciel.

Znów zaczęła zamykać drzwi, ale przytrzymał je dłonią. Był od niej silniejszy i szybszy, niż się spodziewała. Nie wiedziała, czy go kopnąć, czy zacząć krzyczeć.

– Co się tak spieszysz? – zapytał. Miał ochotę wedrzeć się do środka, ale coś go powstrzymywało. Na szczęście ilość wypitego alkoholu trochę stępiła mu refleks. – Masz randkę?

– Owszem. – Chciała dodać, że jej przyjaciel ma dwa metry wzrostu i ćwiczy karate, ale była zbyt przerażona sytuacją, by powiedzieć coś więcej.

– Nie wierzę. Cały czas opowiadałaś na spotkaniach, że nie chcesz się z nikim spotykać. Pomyślałem, że zjemy razem kolację i może zmienisz zdanie.

Przestraszona Ophélie nie miała pojęcia, co robić. Odkąd wyszła za mąż, nigdy nic takiego jej nie spotkało. Kiedyś, jeszcze na studiach, miała parę razy do czynienia z podpitymi mężczyznami, którzy napastowali ją w akademiku, ale portier wzywał patrol straży i kazał ich usunąć. Teraz w domu była tylko Pip.

– Miło, że wpadłeś – powiedziała grzecznie, zastanawiając się, czy starczy jej odwagi, żeby zatrzasnąć mu drzwi przed nosem. – A teraz musisz iść.

– Nie, nie muszę. Wcale tego nie chcesz, prawda, kotku? Czego się boisz? Spotkania się skończyły i możemy się umawiać z kim nam się podoba. A może boisz się mężczyzn? Jesteś lesbą?

Był bardziej pijany, niż jej się z początku wydawało, i nagle zrozumiała, że jest w prawdziwym niebezpieczeństwie. Jeśli ten człowiek wejdzie do domu, może zrobić krzywdę jej albo Pip. Ta świadomość dodała jej energii i bez ostrzeżenia, z całej siły, odepchnęła go jedną ręką, a drugą zatrzasnęła drzwi. Z góry zbiegł Mus, głośno szczekając. Nie miał pojęcia, co się dzieje, ale wyczuł coś złego. Ophélie, drżąc, założyła łańcuch. Słyszała, jak pijany mężczyzna przeklina za drzwiami i obrzuca ją obelgami.

– Ty pieprzona dziwko! Myślisz, że jesteś dla mnie za dobra, co?

Ophélie drżała ze strachu, nigdy w życiu tak się nie bała. Przypomniało jej się, że ten człowiek przyszedł do grupy z powodu śmierci brata bliźniaka i nie mógł w żaden sposób pozbyć się gniewu. Brata potrącił samochód, którego kierowca nawet się nie zatrzymał. Kiedy słuchała jego wypowiedzi, miała wrażenie, że po śmierci brata rozpadł się na kawałki, a alkohol dodatkowo utrudniał mu powrót do normalnego życia. Teraz miała przeczucie, że gdyby wszedł do środka, mógłby naprawdę zrobić coś złego jej albo Pip.

Nie wiedząc, co robić, wzięła przykład z córki i zadzwoniła do Matta. Opowiedziała mu, co się stało, i spytała, czy powinna zawiadomić policję.

– Czy on tam jeszcze jest? – zapytał zdenerwowany Matt.

– Nie, słyszałam, jak odjeżdża.

– To chyba nic ci nie grozi, ale na twoim miejscu zadzwoniłbym do szefa tej grupy wsparcia. Może on zwróci uwagę temu facetowi. Przypuszczalnie po prostu się upił, ale zachował się obrzydliwie. To jakiś wariat. – Albo gwałciciel, dodał w myślach, ale nie powiedział tego głośno, żeby jej nie straszyć.

– Był pijany, okropnie mnie wystraszył. Bałam się, że jeśli wejdzie do domu, zrobi krzywdę Pip.

– Albo tobie. Na litość boską, nie otwieraj drzwi obcym.

Ophélie nie miała żadnej ochrony. Z pewnością potrafi sobie radzić w trudnych sytuacjach, czego dowiodła podczas przygody na morzu, jednak była także samotną, piękną kobietą z małym dzieckiem.

– Niech szef grupy postraszy tego człowieka i powie mu, że następnym razem wezwiesz policję i oskarżysz go o molestowanie. Gdyby wrócił jeszcze dziś wieczorem, dzwoń na policję, a potem do mnie. Chętnie przyjadę, mogę się przespać na kanapie.

– Nie, dziękuję – powiedziała trochę spokojniej. – Już dobrze. Po prostu się przestraszyłam. Musiał sobie coś roić na mój temat podczas spotkań grupy. Szczerze mówiąc, to bardzo nieprzyjemne uczucie.

Podziękowała Mattowi za troskę i współczucie i zatelefonowała do Blake'a Thompsona, który też się zdenerwował. Obiecał, że zadzwoni do Jeremy'ego następnego dnia, kiedy ten wytrzeźwieje, i porządnie go zbeszta. Gdy Matt znowu zadzwonił po kolacji, żeby sprawdzić, czy wszystko jest w porządku, Ophélie była znacznie spokojniejsza. Nie powiedziała nic więcej Pip, bo nie chciała straszyć dziecka. Wcześniej wytłumaczyła jej, że mężczyzna nie był groźny, co przypuszczalnie było prawdą. Podczas kolacji Pip z zadowoleniem zauważyła, że mama jest ożywiona.

Kiedy następnego dnia pracowała w schronisku, zadzwonił do niej Blake i poinformował, że zagroził Jeremy'emu policją, gdyby próbował ją jeszcze napastować. Jeremy rozpłakał się, powiedział, że bardzo przeżył zakończenie spotkań grupy, i przyznał, że zaraz potem poszedł do baru, gdzie pił przez całe popołudnie. Blake będzie prowadził z nim indywidualną psychoterapię i Jeremy poprosił go, by przekazał Ophélie przeprosiny. Blake nie wątpił, że Jeremy nie będzie jej więcej nachodził, ale przypomniał, by była ostrożna i nie wpuszczała do domu osób, których dobrze nie zna.

Podziękowała Blake'owi i wróciła do pracy, zapominając o całym wydarzeniu. Gdy po południu przyjechała do domu, znalazła na stopniach list z przeprosinami Jeremy'ego. Zapewnił, że więcej nie będzie jej molestował. Każdy z nich na swój sposób usiłował uporać się z zakończeniem spotkań grupy. Jemu przyszło to, jak widać, z większym trudem.

Kiedy tylko Ophélie znalazła się w schronisku, zapomniała o swoich problemach. Miała tyle pracy, że do trzeciej nie odetchnęła nawet przez moment. Podobało jej się wszystko, co robiła i czego się nauczyła. Tego dnia przyjęła dwie rodziny. Jedna składała się z rodziców z dwójką dzieci, którzy wcześniej przyjechali z Omaha i stracili wszystko. Nie mieli pieniędzy na jedzenie ani na czynsz. Zarówno mąż, jak i żona stracili pracę. Nie wiedzieli, do kogo zwrócić się o pomoc, ale usiłowali jakoś utrzymać się na powierzchni i w centrum starano się im pomóc, dając kupony na żywność, załatwiając zasiłek dla bezrobotnych i zapisując dzieci do szkoły. W ciągu tygodnia mieli przenieść się do bardziej stałego lokum i wyglądało na to, że dzięki centrum uda im się zatrzymać dzieci, co wcale nie było łatwe. Ophélie, słuchając ich i rozmawiając z dziewczynką w wieku Pip, miała łzy w oczach.

Druga rodzina składała się z matki i córki. Matka, kobieta pod czterdziestkę, była alkoholiczką, a siedemnastoletnia córka – narkomanką. Córka miewała ataki, nie wiadomo czy od narkotyków, czy z jakiegoś innego powodu, i od dwóch lat żyły na ulicy. Sprawę dodatkowo komplikował fakt, że córka przyznała się Ophélie do czwartego miesiąca ciąży. Miriam, razem z jedną z zawodowych pracownic, załatwiły obu odwyk, pomoc medyczną i opiekę ginekologa dla dziewczyny. Wieczorem przewieziono je do innego domu, a następnego dnia odwieziono je na odwyk.

Pod koniec dnia Ophélie kręciło się w głowie, ale czuła satysfakcję. Nigdy w życiu nie była tak użyteczna ani tak pełna pokory. Widziała i słyszała rzeczy, które trudno byłoby sobie wyobrazić, gdyby nie zobaczyła ich na własne oczy. Wiele razy zbierało jej się na płacz, wiedziała jednak, że nie może okazać bezdomnym, iż uważa ich sytuację za tragiczną czy wręcz beznadziejną. Niektórych udawało się przecież z takich sytuacji wyciągnąć. Była tak poruszona, że kiedy wróciła do domu, żałowała, że nie może opowiedzieć o wszystkim Tedowi. Chciała wierzyć, że byłby tym przejęty tak samo jak ona.

W piątek po południu doszła do wniosku, że dokonała właściwego wyboru. Tę opinię stanowczo potwierdzili pracownicy centrum, zarówno ci, którzy ją szkolili, jak i jej współpracownicy.

Właśnie wychodziła, kiedy wpadł Jeff Mannix z drużyny wyjazdowej i złapał filiżankę kawy.

– Jak idzie? Miałaś ciężki tydzień?

– Na to wygląda. Nie mam żadnego porównania, ale jeśli zgłosi się jeszcze trochę ludzi, będziemy musieli zamknąć schronisko, żeby nas nie zadeptali.

– Zdarza się – mruknął i uśmiechnął się do niej, popijając gorącą kawę. Przyszedł, żeby sprawdzić zapasy, ponieważ musieli uzupełnić lekarstwa i środki higieniczne. Zazwyczaj przychodził do pracy po szóstej i jeździł po mieście do trzeciej, czwartej rano. Widać było, że kocha to, co robi.

Jeszcze przez chwilę rozmawiali o bezdomnym, który w środę umarł pod drzwiami schroniska. Ophélie wciąż nie mogła myśleć o tym spokojnie.

– Przykro mi to mówić, ale to się zdarza tak często, że już mnie za bardzo nie dziwi. Często usiłuję kogoś obudzić na ulicy, a kiedy go przewracam, okazuje się, że nie żyje. I to dotyczy nie tylko mężczyzn, kobiet też.

Na ulicach żyło znacznie mniej kobiet, one wolały pójść do schroniska, choć na ten temat Ophélie także słyszała różne okropne historie. Dwie kobiety, które zgłosiły się w tym tygodniu, opowiedziały jej, że w schroniskach dla bezdomnych były gwałcone. I podobno to wcale nie było rzadkością.

– Wydaje ci się, że można się przyzwyczaić – mówił ze smutkiem Jeff – ale tak nie jest. – Popatrzył na nią uważnie. Słyszał o niej same dobre rzeczy. – Kiedy zgłosisz się do nas? Pracowałaś już tutaj ze wszystkimi oprócz nas. Słyszałem, że świetnie sobie radzisz z osobami, które się zgłaszają, i z zaopatrzeniem. Ale musisz odbyć praktykę z Bobem, Millie i ze mną. A może się boisz?

Zabrzmiało to dla niej jak wyzwanie i Jeffowi o to właśnie chodziło. Wprawdzie szanował wszystkich pracowników centrum, ale uważał, podobnie jak cała drużyna wyjazdowa, że ich praca jest najważniejsza. Więcej ryzykowali i więcej robili dobrego podczas jednej nocy niż całe centrum przez tydzień. Uważał, że Ophélie również powinna się o tym przekonać.

– Nie jestem pewna, czy na coś wam przydam – powiedziała otwarcie. – Jestem dość strachliwa. A o was mówi się tu jak o bohaterach. Pewnie bałabym się nawet wysiąść z furgonetki.

– Nie dłużej niż przez pięć minut. Potem zapomina się o strachu i robi to, co trzeba. Wyglądasz na osobę z jajami.

Mówiono, że była bogata, choć nikt nie wiedział tego na pewno. Nosiła drogie buty, eleganckie ubrania i mieszkała w Pacific Heights. Z drugiej strony Louise mówiła, że pracuje tak samo ciężko jak wszyscy inni.

– Co robisz dziś wieczorem? – nalegał. Była zaintrygowana, a jednocześnie przyciśnięta do muru. – Masz randkę? – spytał wprost.

Lubiła go, mimo że często zachowywał się dosyć agresywnie. Był młody, silny i angażował się w to, co robił. Ktoś jej mówił, że pewnej nocy o mało nie zadźgano go nożem, ale następnej nocy był na posterunku. Pomyślała, że to głupie, choć także godne podziwu.

– Nie umawiam się na randki. Obiecałam córce, że pójdziemy do kina.

Nie miały innych planów na weekend poza sobotnim treningiem Pip.

– Możecie pójść do kina jutro. Chcę, żebyś dziś z nami pojechała. Rozmawialiśmy o tym z Millie wczoraj wieczorem. Powinnaś to zrobić chociaż raz. Już nigdy nie będziesz taka sama.

– Zwłaszcza jeśli mnie ktoś zrani albo zabije. Moja córka nie ma nikogo na świecie oprócz mnie.

– I do tego sprowadza się twoje życie? To niedobrze – mruknął, marszcząc brwi. – Potrzebujesz czegoś więcej, Ophie. – Podobało mu się jej imię, ale nie potrafił go wymówić. – Nie bój się, będziemy cię pilnowali.

– Nie mam z kim zostawić Pip – powiedziała powoli Ophélie. Propozycja Jeffa kusiła, ale i przerażała.

– Jedenastoletniej dziewczyny? – Przewrócił oczami i uśmiechnął się. W ciemnobrązowej twarzy błysnęły białe zęby. Był pięknym, wysokim mężczyzną. – W jej wieku zajmowałem się pięcioma braćmi i co tydzień wyciągałem matkę z pudła. Była prostytutką.

Ophélie wiedziała od innych, że Jeff był nadzwyczajnym człowiekiem i że wyprowadził braci na ludzi. Jeden dostał stypendium na uniwersytecie w Princeton, drugi skończył studia w Yale. Obaj są prawnikami. Trzeci brat został biznesmenem, czwarty – lekarzem, a piąty dochował się czwórki dzieci i startował do Kongresu. Jeff był nadzwyczajny i miał ogromny dar przekonywania.

– Daj nam szansę, matka… Jak z nami pojedziesz, nigdy już nie będziesz chciała siedzieć tu za biurkiem. My robimy najważniejszą robotę. Wyjeżdżamy o wpół do siódmej. Przyjdź.

To brzmiało bardziej jak rozkaz niż zaproszenie. Ophélie powiedziała, że zobaczy, co da się zrobić. Pół godziny później, odbierając Pip ze szkoły, nadal się nad tym zastanawiała.

– Wszystko w porządku, mamo? – spytała Pip z troską.

Ophélie zapewniła ją, że tak. Pip przyjrzała jej się dokładnie i doszła do wniosku, że chyba istotnie tak jest. Umiała rozpoznać wszystkie niepokojące oznaki. Tym razem mama była tylko rozkojarzona.

– Co dziś robiłaś w centrum?

Ophélie, jak zwykle, opowiedziała jej ocenzurowaną wersję wydarzeń. Kiedy wróciły do domu, zadzwoniła do kobiety, która przychodziła do niej sprzątać. Okazało się, że Alice może zostać z Pip, i Ophélie poprosiła, żeby przyszła o wpół do szóstej. Nie wiedziała, jak na jej nieobecność zareaguje córka i czy nie będzie rozczarowana, ale Pip stwierdziła, że lepiej pójść do kina w sobotę. Rano miała trening i nie chciała być zmęczona.

Alice zjawiła się punktualnie o wpół do szóstej. Kiedy Ophélie wychodziła z domu, Pip oglądała telewizję. Ophélie włożyła dżinsy, gruby sweter, narciarską kurtkę i nienoszone od lat turystyczne buty. Na wszelki wypadek zabrała też wełnianą czapkę i rękawiczki. Jeff ostrzegał, że będzie zimno. Niezależnie od pory roku noce w San Francisco zawsze były zimne, nawet latem. Od kilku tygodni w powietrzu czuło się mróz. Drużyna wyjazdowa zabierała ze sobą kanapki i termosy z kawą, czasem w środku nocy jedli coś w McDonaldzie. Ophélie chciała być jak najlepiej przygotowana, kiedy jednak parkowała samochód pod schroniskiem, czuła niepokój. Jednocześnie spodziewała się, że będzie to na pewno interesująca noc, może nawet najbardziej interesująca w jej życiu. Gdyby Matt, Andrea lub Pip wiedzieli, co zamierza, na pewno staraliby się ją od tego odwieść. I na pewno bardzo by się o nią bali. Ona sama też się bała.

Kiedy weszła do garażu za budynkiem schroniska, zobaczyła, że Jeff, Bob i Millie ładują rzeczy do furgonetek. Do jednej wkładali pudła i worki, do drugiej – ubrania i śpiwory. Jeff uśmiechnął się na jej widok.

– No, no, no… Cześć, Ophie… Witaj w prawdziwym świecie.

Ophélie nie wiedziała, czy miał to być komplement, czy ironiczny komentarz, ale chyba ucieszył się na jej widok, a Millie też się do niej uśmiechnęła.

– Cieszę się, że z nami pojedziesz – powiedziała cicho i wróciła do pracy. Z pomocą Ophélie skończyli pakowanie w pół godziny. Było to męczące zajęcie, a przecież prawdziwa praca jeszcze się nawet nie zaczęła. Jeff powiedział Ophélie, żeby wsiadła do samochodu z Bobem.

Wysoki, spokojny Azjata wskazał na siedzenie obok kierowcy. Pozostałe fotele usunięto, żeby zrobić miejsce na rzeczy.

– Jesteś pewna, że chcesz z nami jechać? – spytał spokojnie, przekręcając kluczyk w stacyjce. Wiedział, że Jeff potrafi zmusić ludzi do robienia różnych rzeczy, i podziwiał Ophélie, że się zgodziła. Wykazała się odwagą, choć nie musiała przecież nikomu niczego udowadniać. – Wiesz, że to nie jest konieczne. Nazywają nas kowbojami i wszyscy troje jesteśmy lekko stuknięci. Nikt ci nie weźmie za złe, jeśli zrezygnujesz.

Dawał jej szansę, nim będzie za późno. Uważał, że tak jest uczciwie. Nie ma przecież pojęcia, co ją czeka.

– Jeff pomyśli, że jestem mięczak – powiedziała z uśmiechem.

Bob roześmiał się głośno.

– Może. I co z tego? Kto by się przejmował? Chcesz jechać, Ophie, czy chcesz zrezygnować? Twój wybór. Zwykła sprawa. To ty decydujesz.

Ophélie zastanawiała się przez dłuższą chwilę. Odetchnęła głęboko, przez ułamek sekundy zdecydowana, by zmienić zamiar, a potem spojrzała na Boba i doszła do wniosku, że czuje się przy nim bezpieczna. Nie znała go dobrze, ale pomyślała, że może mu zaufać. Jeff zatrąbił.

– Tak czy nie? – spytał Bob.

Powoli wypuściła powietrze z płuc.

– Tak.

– W porządku – uśmiechnął się i ruszył. Furgonetki wyjechały z garażu. Była siódma wieczorem.

Rozdział 16

Przez następnych osiem godzin Ophélie widziała rzeczy, o jakich nie miała pojęcia, że istnieją. W każdym razie nie istniały w promieniu paru kilometrów od jej domu. Zapuszczali się w miejsca, w których nigdy nie była, wchodzili w boczne uliczki, które przyprawiały ją o dreszcze, i widzieli ludzi w sytuacjach zupełnie dla niej niezrozumiałych. Ludzi ze strupami na twarzach, pokrytych ranami, ze szmatami zamiast butów, czasem wręcz boso, czasem półnagich mimo okropnego zimna. Gdzie indziej spotykali czystych, przyzwoicie wyglądających bezdomnych, którzy chowali się pod mostami i spali pod kartonami i gazetami. Wszędzie, gdzie się zjawiali, ludzie im dziękowali. To była długa i wyczerpująca noc, jednak Ophélie nigdy nie czuła się tak spokojna, radosna i spełniona. Może oprócz tych dwóch nocy, kiedy urodziła Chada i Pip.

Działali z Bobem jak zgrana drużyna. Nie musiał jej mówić, co ma robić. Wystarczało iść za głosem serca. W miarę potrzeby dawała śpiwory lub ciepłe ubrania. Jeff i Millie rozdawali lekarstwa, środki opatrunkowe i środki czystości. Niedaleko strefy załadunkowej, na drugim końcu South of Market, znaleźli obóz uciekinierów z domu. Bob powiedział Ophélie, że przekaże ten adres grupie udzielającej pomocy młodocianym. Pracownicy będą mogli tam pójść i namawiać dzieciaki do szukania pomocy, choć niewielu dawało się na to namówić. Młodzi, jeszcze bardziej niż dorośli, nie ufali schroniskom ani programom pomocy. I przeważnie nie chcieli wracać do domu. Najczęściej to, przed czym uciekli, było gorsze niż życie na ulicy.

– Wielu z nich żyje tak od lat. Przeważnie są bezpieczniejsi tu niż tam, skąd uciekli. Programy pomocy zakładają powrót do rodziny, ale na ogół nikomu na tym nie zależy. Rodziców nie obchodzi, co dzieje się z ich dziećmi. A one przyjeżdżają tu z całego kraju i tułają się po ulicach, dopóki nie dorosną.

Ophélie wróciła do samochodu, zalewając się łzami.

– Wiem – powiedział Bob. – Ja też czasem płaczę. Najbardziej przejmuję się najmłodszymi… I starymi… Kiedy wiadomo, że długo nie pożyją. Tyle tylko możemy dla nich zrobić. I tylko tyle chcą. Nie chcą się zgłaszać po pomoc. Dla nas może ich zachowanie nie ma sensu, ale oni widzą w tym jakiś sens. Są zbyt zagubieni, zbyt chorzy, zbyt biedni. Nie potrafią już egzystować nigdzie indziej. Odkąd parę lat temu obcięto budżet federalny, nie mamy miejsc w szpitalach psychiatrycznych, a ci, którzy wyglądają w miarę normalnie, też prawdopodobnie są chorzy. Stąd nadużywanie środków odurzających i zażywanie czego się da, by przeżyć. Trudno im się dziwić. Gdybym tu wylądował, też bym pewnie zaczął coś brać.

Przez tę noc Ophélie nauczyła się o ludziach więcej niż przez całe swoje życie. Wiedziała, że tej lekcji nigdy nie zapomni. Kiedy o północy zatrzymali się przy McDonaldzie, jadła hamburgera, walcząc z wyrzutami sumienia. Nie była w stanie niczego przełknąć, wiedząc, że tuż obok są ludzie, którzy umierali z głodu i z zimna.

– Jak idzie? – spytał Jeff. Millie ściągnęła rękawiczki.

– To jest niesamowite. Naprawdę zastępujecie tutaj Pana Boga – stwierdziła z podziwem i zachwytem Ophélie. Nigdy w życiu nie była tak poruszona.

Na Bobie jej zachowanie wywarło duże wrażenie. Działała łagodnie i ze współczuciem, nie okazywała wyższości, nie była protekcjonalna. Każdego traktowała z szacunkiem. Poza tym przez cały czas ciężko pracowała. Jeff wiedział, co robi, kiedy prosił ją, aby się do nich przyłączyła. Wszyscy uważali, że jest dobra, i chciał ją ściągnąć do drużyny wyjazdowej, nim zginie pod stertą papierów. Niemal natychmiast wyczuł, że bardzo przyda się w jego ekipie. Długie godziny pracy i to, że każdej nocy ryzykowali życie, odstręczały większość ludzi.

Po przerwie pojechali do Potrero Hill, a później do Hunters Point. Ich ostatnim celem miała być Mission. Kiedy tam dotarli, Bob ostrzegł Ophélie, żeby trzymała się za nim i uważała. Bronią agresywnych i wrogich bezdomnych były strzykawki. Pomyślała o Pip. Nie może się narażać na zranienie czy zabicie. Chyba oszalała, przyjeżdżając tutaj. Czuła jednocześnie, że ta praca jest jak narkotyk. Gdy w końcu wrócili do garażu, ze zdumieniem stwierdziła, że nie czuje zmęczenia. Była podekscytowana i ożywiona jak nigdy dotąd.

– Dzięki, Ophie – powiedział Bob, wyłączając silnik. – Doskonale się spisałaś.

– To ja dziękuję – odparła z uśmiechem.

W jego ustach była to duża pochwała. Lubiła go nawet bardziej niż Jeffa. Bob był spokojnym, pracowitym człowiekiem, miłym dla ludzi, którym pomagał, grzecznym dla Ophélie. W trakcie wspólnie spędzonych godzin dowiedziała się, że żona Boba zmarła na raka przed czterema laty. Sam, z pomocą siostry, wychowywał trójkę dzieci. Praca w nocy pozwalała mu na spędzanie czasu z dziećmi w ciągu dnia. Ryzykiem się nie przejmował, praca w policji była bardziej niebezpieczna. Miał policyjną emeryturę i mógł sobie pozwolić na pracę za niewielką płacę w Centrum Wexlera. Poza tym bardzo lubił to zajęcie. Nie był też takim kowbojem jak Jeff. Ze zdumieniem stwierdziła, że zjedli do spółki całe pudełko pączków. Nie wiadomo, czy zgłodniała z powodu stresu, czy ze zmęczenia. Tak czy owak spędziła jedną z najważniejszych nocy życiu i w ciągu tych magicznych godzin między siódmą wieczorem a trzecią rano zaprzyjaźniła się z Bobem. Jej podziękowania płynęły z głębi serca.

– Zobaczymy się w poniedziałek? – zapytał Jeff, patrząc jej w oczy, gdy wysiedli z samochodów w garażu.

Ophélie spojrzała na niego zdziwiona.

– Chcesz, żebym znów z wami pojechała?

– Chcemy, żebyś była w naszej drużynie. – Podjął tę decyzję w połowie nocy, na podstawie tego, co sam zaobserwował i co powiedział mu Bob.

– Muszę się zastanowić – stwierdziła ostrożnie, ale jego słowa jej pochlebiły. – Nie mogłabym pracować codziennie.

W ogóle nie powinna z nimi pracować. To byłoby nie w porządku wobec Pip. Pamiętała jednak twarze ludzi śpiących przy torach i pod wiaduktami. Zupełnie jakby słyszała wezwanie i wiedziała, że jest przeznaczone dla niej, bez względu na ryzyko.

– Nie mogłabym wyjeżdżać częściej niż dwa razy w tygodniu. Mam dziecko.

– Gdybyś umawiała się na randki, wychodziłabyś częściej. – Jeff potrafił upierać się przy swoim i wiercić dziurę w brzuchu.

– Czy mogę się zastanowić?

– Musisz? Naprawdę? Chyba wiesz, czego chcesz.

Wiedziała, jednak nie chciała robić niczego nieprzemyślanego ani nierozsądnego. Nie zamierzała podejmować decyzji pod wpływem emocji.

– Daj spokój, Ophie. Potrzebujemy cię... I oni też... – Spoglądał na nią prosząco.

– Dobrze – zgodziła się. – Dobrze. Dwa razy w tygodniu.

To oznaczało pracę w nocy we wtorek i w czwartek, zamiast w poniedziałek, środę i piątek.

– W porządku – powiedział z uśmiechem i przybił piątkę.

Ophélie roześmiała się głośno.

– Trudno ci odmówić.

– To prawda. Lepiej o tym pamiętaj. Dobra robota, Ophie. Do zobaczenia we wtorek.

Pomachał jej i odszedł. Millie wsiadła do samochodu zaparkowanego obok garażu. Bob odprowadził Ophélie do jej samochodu.

– Zawsze możesz zrezygnować – przypominał spokojnie. – Nie podpisujesz niczego własną krwią.

To ją trochę uspokoiło.

– Dziękuję.

– Wszystko, co robisz, niezależnie jak długo, jest doceniane i ważne. Wszyscy robimy to, dopóki możemy. A kiedy już nie możemy, to też jest w porządku. Nie przejmuj się, Ophie. Do zobaczenia w przyszłym tygodniu.

– Dobranoc, Bob. – Teraz zaczęła odczuwać zmęczenie. Ciekawe, jak się będzie czuła rano? – Jeszcze raz dziękuję.

Pomachał jej i ruszył z opuszczoną głową do swojej furgonetki. Ophélie pomyślała z uniesieniem, że jest teraz jedną z nich.

Rozdział 17

Kiedy Ophélie wróciła nad ranem do domu, luksus mieszkania, kolory, ciepło, lodówka pełna jedzenia, wanna, gorąca woda wydały jej się niezwykle cenne. Przeleżała godzinę w ciepłej wodzie, myśląc o tym, co widziała, co robiła, do czego się zobowiązała. Nigdy jeszcze nie czuła się tak szczęśliwa i tak zaangażowana. W porównaniu z tym, czego bała się najbardziej – śmierci na ulicach – inne sprawy nie wyglądały już tak źle. Ani widmo przeszłości, ani wyrzuty sumienia, że namówiła syna, by poleciał z ojcem, ani jej bezmierny ból. Narażała się na niebezpieczeństwo na ulicach, poradziła sobie i teraz wszystko inne wydawało się łatwiejsze. Położyła się do łóżka koło Pip, która tej nocy znowu wylądowała w jej sypialni, i poczuła ogromną wdzięczność za to, że ma córkę i że nie jest sama. Zasnęła mocno, trzymając Pip w objęciach i obudziła się dopiero na dźwięk budzika. Przez moment nie miała pojęcia, gdzie jest. Śnili jej się bezdomni na ulicach. Wiedziała, że do końca życia nie zapomni ich twarzy.

– Która godzina? – spytała, wyłączając budzik i kładąc się z powrotem.

– Ósma. O dziewiątej mam mecz, mamo.

– Och... Dobrze.

Życie toczyło się dalej. Może jednak to, na co się zgodziła, nie jest całkiem rozsądne? Co stałoby się z Pip, gdyby coś jej się przydarzyło? Z drugiej strony po tej pierwszej nocy niebezpieczeństwo nie wydawało jej się już tak duże.

Drużyna pracowała skutecznie, starając się unikać ryzyka. Oczywiście ryzyko istniało zawsze, ale wszyscy byli mądrymi ludźmi, wiedzieli, co robią. Niemniej wciąż się trochę bała. Była odpowiedzialna za Pip i o tym nie mogła zapomnieć.

Wstała, ubrała się i zeszła na dół, żeby przygotować śniadanie.

– Jak było w nocy, mamo? Co robiłaś?

– Ciekawe rzeczy. Pracowałam na ulicach z drużyną wyjazdową.

Przekazała Pip złagodzoną wersję swojej nocnej działalności.

– Czy to jest niebezpieczne? – Córka spojrzała na nią z niepokojem. Dopiła sok i zabrała się do jajecznicy.

– Do pewnego stopnia. – Ophélie nie chciała jej okłamywać. – Ale ludzie, którzy to robią, są bardzo ostrożni. Nie widziałam nikogo, kto by nam zagrażał. Oczywiście na ulicy mogą się zdarzyć różne rzeczy. – Nie mogła zaprzeczyć, że pewne ryzyko istnieje.

– I znowu tam pojedziesz?

– Chciałabym. A ty co o tym myślisz?

– Podoba ci się ta praca?

– Bardzo. Ci biedni ludzie potrzebują pomocy.

– Więc rób to mamo, tylko bądź ostrożna. Nie chcę, żeby ci się coś stało.

– Ja też nie. Może pojadę jeszcze parę razy i zobaczę, jak to wygląda. Jeśli będzie zbyt ryzykowne, zrezygnuję.

– Dobrze. Aha – dodała Pip przez ramię, idąc na górę po plecak. – Powiedziałam Mattowi, że może przyjechać na mecz, jeśli zechce. Powiedział, że chce.

– Jest dość wcześnie, nie wiadomo, czy zdąży. – Ophélie wolała, żeby córka nie była rozczarowana, jeśli Matt nie przyjedzie. – Może Andrea też się wybierze. Będziesz miała kibiców.

– Mam nadzieję, że dobrze zagram – powiedziała Pip, wkładając bluzę. Była gotowa do wyjścia. Ophélie wpuściła psa na tylne siedzenie. Po paru minutach jechały na boisko do gry w polo, w parku Golden Gate, gdzie odbywały się mecze. Nadal było mglisto, ale wyglądało na to, że wkrótce się rozpogodzi. Pip trochę za głośno nastawiła radio. Ophélie przypomniało się wszystko, co widziała poprzedniej nocy – biedaków śpiących na kartonach i betonie, przykrytych szmatami. W świetle dnia wydawało się to zupełnie niewiarygodne. Wysiadając z samochodu, dostrzegła ze zdumieniem Matta. Pip krzyknęła z radości i rzuciła się na niego. Matt miał na sobie podniszczony kożuch, dżinsy i sportowe buty. Wyglądał sportowo i ojcowsko. Pip pobiegła na boisko.

– Jesteś naprawdę wiernym przyjacielem. Musiałeś wyjechać z domu o świcie – zauważyła Ophélie.

– Wcale nie, koło ósmej. Pomyślałem, że będzie fajnie.

Nie wspomniał, że przed rozwodem jeździł na każdy mecz Roberta, a później także na mecze w Auckland. W Nowej Zelandii Robert nauczył się też grać w rugby.

– Pip cieszyła się na twój przyjazd. Dziękuję, że jej nie zawiodłeś.

– Nie opuściłbym meczu za żadne skarby. Byłem kiedyś trenerem.

– Nie mów Pip, bo zatrudni cię w swojej drużynie.

Roześmieli się oboje. Pip grała bardzo dobrze i właśnie strzeliła gola, gdy nadeszła Andrea z Williamem w wózku. Ophélie przedstawiła jej Matta i rozmawiali przez chwilę w trójkę. Usiłowała nie zastanawiać się, co myśli Andrea. Po jakimś czasie William zaczął płakać i przyjaciółka musiała wrócić do domu. Ophélie wiedziała, że odezwie się do niej jeszcze tego samego dnia. Miała to jak w banku. Zignorowała znaczące spojrzenia Andrei przy pożegnaniu.

– To chrzestna matka Pip i moja najstarsza przyjaciółka – wyjaśniła Mattowi po jej odejściu.

– Pip mówiła mi o niej i o dziecku. Jeśli dobrze ją zrozumiałem, twoja przyjaciółka podjęła bardzo odważną decyzję.

– Myślała, że inaczej nigdy nie będzie miała dzieci. Jest zakochana w małym.

– Jest rozkoszny – potwierdził Matt, a potem wrócili do obserwowania gry. Oboje byli bardzo dumni, że drużyna Pip wygrała. Dziewczynka zeszła z boiska z szerokim uśmiechem zwycięstwa i z przyjemnością wysłuchała ich pochwał. Matt zaprosił je na lunch i poszli, zgodnie z sugestią Pip, na naleśniki. Później Matt pojechał do domu. Chciał zająć się portretem Pip i szepnął jej to na ucho, kiedy się żegnali. Pip puściła do niego oko.

Kiedy wchodziły do domu, dzwonił telefon i Ophélie natychmiast zgadła kto to.

– No, no, no... Teraz przyjeżdża na mecze Pip? Coś przede mną ukrywasz.

– Może się w niej zakochał i zostanie kiedyś moim zięciem – odparła ze śmiechem. – Niczego przed tobą nie ukrywam.

– Chyba zwariowałaś. To najprzystojniejszy mężczyzna, jakiego widziałam w ciągu ostatnich paru lat. Łap go, jeżeli nie jest gejem. Myślisz, że jest? – zatroskała się nagle Andrea.

– Że czym jest? – Ophélie nie bardzo ją zrozumiała. W ogóle się nad tym nie zastanawiała i niewiele ją to obchodziło. Są przecież przyjaciółmi.

– Gejem.

– Chyba nie. Nie pytałam. Na litość boską, miał żonę i dwoje dzieci. A poza tym co to za różnica?

– Mógł później zmienić orientację seksualną – stwierdziła praktycznie Andrea. – Ale nie sądzę. Uważam, że jesteś głupia, nie łapiąc go, póki masz okazję. Tacy faceci znikają z rynku, nim zdążysz kichnąć.

– Ani nie kicham, ani nie myślę, że Matt jest na rynku. Podobnie jak i ja nie jestem. Myślę, że chce być sam.

– Może jest w depresji. Bierze coś? Powinnaś mu doradzić, choć później miałabyś na głowie skutki uboczne. Niektóre leki antydepresyjne tłumią popęd płciowy. Ale zawsze jest viagra – dodała Andrea optymistycznie.

Ophélie przewróciła oczami.

– Na pewno mu to zasugeruję. Będzie zachwycony. Nie potrzebuje viagry, żeby pójść z nami na kolację. I nie sądzę, by był w depresji. Został bardzo skrzywdzony.

– To to samo. Kiedy żona go zostawiła? Dziesięć lat temu? To nienormalne, że wciąż jest samotny. Albo że tak się interesuje Pip, skoro nie jest pedofilem, a raczej nie jest. Szuka kogoś bliskiego i ty też.

– Dziękuję za diagnozę, pani doktor. Już mi lepiej. Biedaczek, szkoda że nie wie o twoich wysiłkach. I o tym, że radzisz mu brać viagrę.

– Ktoś to musi zrobić. Najwyraźniej nie potrafi zorganizować sobie życia. Ty też nie. Nie możesz być wiecznie sama. Poza tym Pip za parę lat dorośnie i odejdzie z domu.

– Wiem i na myśl o tym dostaję histerii. Muszę się przyzwyczaić. Na szczęście mam jeszcze trochę czasu.

Jednakże ta myśl naprawdę ją prześladowała, bo nie mogła sobie wyobrazić życia bez córki. Lecz Matt Bowles nie był na to lekarstwem. Musi powoli przyzwyczajać się do samotności. I cieszyć z obecności Pip, dopóki przy niej jest.

– Matt nie jest rozwiązaniem moich problemów – poinformowała Andreę.

– Dlaczego nie? To niezły facet.

– To się nim zajmij i daj mu viagrę. Jestem pewna, że będzie ci wdzięczny – zaproponowała ze śmiechem Ophélie.

Andrea była niemożliwa, ale to nic nowego. Między innymi to w niej lubiła. Bardzo się różniły.

– Może to zrobię. Kiedy Pip ma znowu mecz?

– Przestań. Pojedź do niego do Safe Harbour i zastukaj do drzwi siekierą. Na pewno będzie pod wrażeniem, że aż tak ci zależy, by ratować mu życie.

– Dobry pomysł – mruknęła niespeszona Andrea.

Rozmawiały jeszcze kilka minut, lecz Ophélie nie powiedziała nic o nocy spędzonej na ulicach. Później poszły z Pip do kina, a po powrocie zjadły w domu kolację. O dziesiątej obie spały w łóżku Ophélie.

O tej porze w Safe Harbour Matt nadal pracował nad portretem Pip. Tego wieczoru usiłował namalować jej usta. Przypomniał sobie, jak wyglądała, kiedy triumfalnie, z szerokim uśmiechem schodziła z boiska po meczu. Lubił na nią patrzeć, lubił ją malować i lubił z nią być. Oczywiście lubił także towarzystwo Ophélie, ale chyba nie tak bardzo jak jej córki. Była aniołkiem, leśnym duszkiem, elfem, mądrą staruszką w ciele dziecka. Poszedł spać zadowolony z postępów. Następnego dnia spał jeszcze, kiedy zadzwoniła Pip. Bardzo przepraszała, gdy się zorientowała, że go obudziła.

– Przepraszam, Matt, myślałam, że już jesteś na nogach.

Było wpół do dziesiątej, późno dla Pip, ale Matt położył się dopiero przed drugą.

– Nic nie szkodzi. Pracowałem do późna nad pewnym naszym projektem. Jest prawie gotowy.

– Mojej mamie na pewno się spodoba – zapewniła go Pip. – Może któregoś dnia zjemy razem kolację i mi go pokażesz. Mama będzie pracowała dwie noce w tygodniu.

– W jakim charakterze? – zdziwił się Matt. Nie miał pojęcia, że Ophélie gdzieś pracuje, oprócz tego, że zgłosiła się jako wolontariuszka w schronisku dla bezdomnych. Praca w nocy brzmiała poważniej i bardziej oficjalnie.

– Ma jeździć furgonetką we wtorki i czwartki i pomagać bezdomnym na ulicach. Nie będzie jej w domu prawie całą noc i będzie zostawała ze mną Alice, bo byłoby dla niej za późno jechać do domu, kiedy mama wróci.

– To bardzo interesujące – powiedział. I bardzo niebezpieczne, pomyślał. – Z przyjemnością przyjadę i wezmę cię na kolację, chociaż może powinniśmy zrobić to wtedy, kiedy i twoja mama będzie mogła się z nami wybrać. – Wiedział, że nie powinien spotykać się z dzieckiem w wieku Pip bez matki, chyba że na otwartej plaży, tak jak w lecie. To było coś innego, przynajmniej jego zdaniem. Podejrzewał, że Ophélie

175

przyznałaby mu rację. Przeważnie zgadzali się w kwestiach związanych z dziećmi. I podobał mu się sposób, w jaki wychowywała córkę. Z tego, co widział, wyniki były doskonałe.

– Może odwiedzisz nas w przyszłym tygodniu?

– Postaram się – obiecał, ale okazało się, że ich plany nie mogły się zazębić przez kilka następnych tygodni. Matt pracował nad portretem i miał jeszcze inne sprawy do załatwienia.

Ophélie była zajęta bardziej, niż się spodziewała. Postanowiła pracować trzy dni w centrum i dwie noce tygodniowo w drużynie wyjazdowej. To zabierało mnóstwo czasu i energii. A Pip miała sporo nauki.

Matt zadzwonił pierwszego października i zaprosił je do siebie na któryś dzień następnego weekendu, ale Ophélie zawahała się, a potem wyjaśniła:

– W piątek jest rocznica śmierci Chada i Teda. Myślę, że będzie to dla nas bardzo trudny dzień. Nie jestem pewna, jak będziemy się czuły, a w żadnym wypadku nie chciałabym przyjeżdżać do ciebie w ponurym nastroju. Lepiej odczekać jeszcze tydzień. Pip ma wtedy urodziny.

– Możemy spotkać się dwa razy. Nie podejmujmy jeszcze decyzji co do przyszłego weekendu. Przyjazd do Safe Harbour i zmiana otoczenia mogą okazać się pożądane i zbawienne. Wystarczy, jeśli zadzwonisz w ten dzień rano. A jeżeli nie będzie to narzucaniem się, chętnie zabiorę was na kolację w urodziny Pip, o ile, twoim zdaniem, sprawi jej to przyjemność.

– Będzie zachwycona – zapewniła Ophélie.

W końcu zgodziła się zadzwonić następnego dnia po rocznicy. Podejrzewała zresztą, że wcześniej i tak będą w kontakcie. Mimo że była szalenie zajęta, lubiła słyszeć w słuchawce głos Matta.

Powiedziała Pip o obu zaproszeniach i dziewczynka bardzo się ucieszyła, chociaż denerwowała się nadchodzącą rocznicą. Najbardziej tym, że może to źle wpłynąć na mat-

kę. Ostatnio szło jej znakomicie, ale data rocznicy wydawała
się zagrożeniem.

Ophélie zamówiła mszę w kościele Świętego Dominika.
Poza tym niczego nie planowały. Po wybuchu samolotu nic
nie zostało i Ophélie celowo nie postawiła nagrobków na
pustych grobach. Nie chciała mieć miejsca, do którego mogłaby chodzić i opłakiwać bliskich. W jej przekonaniu, jak
to wyjaśniła rok wcześniej Pip, noszą ich w sercach. Przy
szczątkach samolotu znaleziono jedynie klamrę od paska
Chada i obrączkę Teda, poskręcane prawie nie do poznania.
Zachowała je.

Muszą tylko pójść na mszę. Postanowiły, że resztę dnia
spędzą spokojnie w domu. I tego właśnie obawiała się Pip. Podobnie jak Ophélie, która czekała na ten dzień z przerażeniem.

Rozdział 18

DZIEŃ ROCZNICY WSTAŁ PIĘKNY I SŁONECZNY. Promienie słońca
wpadały przez okna sypialni Ophélie, kiedy się obudziła obok
Pip. Spały razem prawie każdej nocy od początku września.
Ophélie dawało to komfort psychiczny i była wdzięczna
Mattowi za ten pomysł. Jednak tego dnia po przebudzeniu
obie milczały.

Ophélie, tak jak i Pip, od razu przypomniała sobie dzień
pogrzebu, który także był słoneczny. I straszny. Na pogrzeb
przyszli koledzy Teda, jego współpracownicy, przyjaciele
Chada i cała klasa z liceum. Na szczęście Ophélie niewiele
z tego pamiętała. Tylko morze kwiatów i Pip ściskającą ją
aż do bólu za rękę. I chór, który odśpiewał *Ave Maria*. Ta
pieśń nigdy przedtem ani potem nie brzmiała tak pięknie
i tak hipnotyzująco. Ophélie wiedziała, że to wspomnienie
nigdy jej nie opuści.

Teraz, w rocznicę śmierci, poszły do kościoła i w milczeniu usiadły obok siebie. Na prośbę Ophélie ksiądz wymienił imiona Chada i Teda podczas błogosławieństw. Ophélie łzy napłynęły do oczu. Trzymały się z Pip za ręce. Później podziękowały księdzu, zapaliły świece dla Chada i Teda i milcząc, wróciły do domu. Przez cały dzień panowała w nim absolutna cisza. To im przypomniało dzień śmierci Chada i Teda. Żadna z nich niczego nie jadła, nic nie mówiła i kiedy rozległ się dzwonek do drzwi, aż podskoczyły. Posłaniec przyniósł im po małym bukieciku kwiatów od Matta. Ophélie i Pip były bardzo wzruszone. Na dołączonych karteczkach napisał tylko: „Myślę dziś o tobie. Pozdrawiam. Matt".

– Kocham go – stwierdziła Pip. W jej wieku wszystko było takie proste.

– To dobry człowiek i przyjaciel. Można na nim polegać – powiedziała Ophélie.

Pip skinęła głową i zabrała kwiaty na górę. Nawet Mus zachowywał się spokojnie, jakby wyczuwał, że jego panie mają kiepski dzień. Andrea także przysłała im kwiaty, które przyniesiono poprzedniego dnia. Nie poszła na mszę, bo nie była religijna, ale wiedziały, że myśli o nich, tak samo jak Matt.

Wieczorem nie mogły się już doczekać, żeby pójść do łóżka. Pip nastawiła telewizor w sypialni, ale Ophélie kazała go wyłączyć i oglądać telewizję w salonie. Pip nie chciała jednak być sama i została z mamą w sypialni. Szczęśliwie udało im się szybko zasnąć. Ophélie nie mówiła tego córce, ale Pip wiedziała, że matka przepłakała tego dnia kilka godzin w pokoju Chada. W rocznicy nie było nic dobrego, nic oczyszczającego, nic pocieszającego. Dzień jak wiele innych w zeszłym roku, spędzony wyłącznie na żalu za utraconymi osobami.

Następnego dnia rano, kiedy zadzwonił telefon, obie były w kuchni. Ophélie czytała gazetę, a Pip bawiła się z psem.

– Nie będę pytał, jak minął wczorajszy dzień – zaczął Matt ostrożnie.

– Nie pytaj. Był tak okropny, jak myślałam. Ale już się skończył. Dziękuję bardzo za kwiaty.

Trudno byłoby jej wytłumaczyć, nawet samej sobie, dlaczego rocznice mają takie znaczenie. Nie powinny być gorsze niż każdy inny dzień, ale były. Uroczyste świętowanie najgorszego dnia jej życia, wypełnione wspomnieniami strasznych czasów. Matt serdecznie jej współczuł, nie potrafił jednak w niczym pomóc. Jego doświadczenia, aczkolwiek bolesne, były zupełnie inne.

– Nie chciałem przeszkadzać i dlatego nie dzwoniłem – powiedział.

– To dobrze – odparła szczerze. Ani ona, ani Pip nie chciały z nikim rozmawiać. – Kwiaty od ciebie są bardzo piękne. Byłyśmy wzruszone.

– Czy nie przyjechałybyście dziś do mnie? Dobrze wam to zrobi.

Ophélie nie miała ochoty, ale wiedziała, że Pip chętnie skorzysta z okazji. Poza tym nie chciała tak bezwzględnie odrzucać jego zaproszenia.

– Nie jestem w najlepszym nastroju. – Nadal była wykończona emocjami poprzedniego dnia, zwłaszcza godzinami, które przepłakała na łóżku syna. Pościel ciągle jeszcze zachowała jego zapach. Nigdy jej nie uprała i wiedziała, że tego nie zrobi. – Nie chcę jednak mówić za Pip. Może zechce się z tobą zobaczyć. Porozmawiam z nią i oddzwonię.

Kiedy odkładała słuchawkę, Pip gorączkowo machała rękami.

– Chcę! Chcę! – zawołała i Ophélie nie miała serca jej odmawiać, chociaż sama na pewno nigdzie by się nie ruszyła.

Podróż nie trwa dłużej niż pół godziny, a jeśli atmosfera stanie się nie do zniesienia, po paru godzinach będą z powrotem w domu. Wiedziała, że Matt ją zrozumie.

– Pojedźmy, mamo! Koniecznie! Dobrze?

– Dobrze – zgodziła się Ophélie. – Ale nie zostaniemy długo. Jestem zmęczona.

Pip wiedziała, że nie chodzi tylko o zmęczenie, ale miała nadzieję, że u Matta mamie poprawi się humor. Ophélie lubiła rozmowy z Mattem i spacery plażą.

Powiedziała Mattowi, że przyjadą koło południa, i zaproponowała, że przywiozą ze sobą lunch, ale Matt zapewnił, że da sobie radę. Zrobi im omlet, a jeśli Pip nie będzie smakował, ma masło orzechowe i galaretkę do kanapek.

Kiedy dojechały, siedział na ganku, na starym leżaku, i rozkoszował się słońcem. Ucieszył się na ich widok. Pip jak zwykle rzuciła mu się na szyję, a Ophélie pocałowała go w oba policzki. Od razu zauważył, że jest bardzo smutna. Posadził ją na leżaku i przykrył starym kocem w kratkę, każąc jej wypoczywać, sam zaś z Pip zaczął siekać zioła do omletu. Dziewczynka nakryła także do stołu. Kiedy Matt zaprosił Ophélie na lunch, zdążyła się nieco zrelaksować i miała wrażenie, że blok lodu w jej sercu lekko odtajał. Mało się odzywała. Przy lunchu niewiele mówiła, ale prze deserze, gdy Matt podał truskawki ze śmietaną, już się uśmiechała. Pip spadł kamień z serca. Gdy Ophélie poszła po coś do samochodu, a Matt przygotowywał herbatę, szepnęła:

– Wygląda trochę lepiej, prawda?

– Wszystko będzie dobrze. Wczorajszy dzień był dla niej ciężki. Dla ciebie też. Za chwilę pójdziemy na spacer po plaży i to jej dobrze zrobi.

Pip w milczeniu pogłaskała go po ręce. Tymczasem Ophélie wróciła z artykułem o Centrum Wexlera, który chciała pokazać Mattowi. Artykuł doskonale tłumaczył zasady działania tej placówki i dostarczał wielu interesujących informacji.

Matt uważnie go przeczytał, kiwając głową, i spojrzał z szacunkiem na Ophélie.

– To wygląda na wspaniałe miejsce. Co ty tam dokładnie robisz?

Już wcześniej rozmawiała z nim na ten temat, ale unikała szczegółów.

– Pracuje na ulicach z drużyną wyjazdową – powiedziała Pip i Matt spojrzał na Ophélie z przerażeniem.

Ona sama określiłaby to inaczej, ale już było za późno.

– Naprawdę? – spytał z niedowierzaniem.

Ophélie skinęła głową, starając się sprawiać wrażenie, że nie jest to nic poważnego. Jednocześnie rzuciła groźne spojrzenie Pip, która zorientowała się, że nie powinna była się odzywać, i udawała, że bawi się z psem. Pip rzadko zdarzało się popełnić faux pas, teraz zawstydziła się i trochę przestraszyła, że mama będzie się złościła.

– W tym artykule jest napisane, że ci ludzie spędzają noce na ulicach, pomagając tym, którzy nie mogą przyjść do centrum. I że zapuszczają się w najbardziej niebezpieczne rejony miasta. Ty chyba oszalałaś, Ophélie. Nie możesz tego robić – powiedział przerażony Matt, patrząc na nią z troską.

– To nie jest aż tak niebezpieczne – odparła spokojnie, choć dobrze znała ryzyko związane z wyjazdami. W poprzednim tygodniu natknęli się na mężczyznę, który wymachiwał pistoletem, jednak Bob uspokoił go i skłonił do odłożenia broni. – Załoga jest bardzo dobra i świetnie wyszkolona. Dwie osoby to byli policjanci, eksperci od sztuk walki, a trzeci jest byłym antyterrorystą.

– Nic mnie to nie obchodzi – oznajmił Matt. – Oni nie gwarantują, że nic ci się nie stanie. Sprawy mogą się potoczyć w złym kierunku w ciągu sekundy. Sama doskonale o tym wiesz. Nic możesz ryzykować.

Spojrzał znacząco na Pip. Ophélie zaproponowała, żeby poszli na spacer plażą.

Pip pobiegła przodem z psem, a Matt i Ophélie szli trochę wolniej brzegiem morza. Zdenerwowany Matt wrócił do tematu:

– Nie możesz tego robić – powtórzył z uporem. – Nie mam prawa zabronić ci tej pracy i bardzo tego żałuję. To jakieś podświadome dążenie do śmierci, nie możesz tak ryzykować, bo Pip nie ma nikogo oprócz ciebie. Ophélie, błagam cię, żebyś się nad tym zastanowiła.

– Dobrze, Matt, obiecuję, że się zastanowię. Wiem, że to niebezpieczne zajęcie, ale życie jest niebezpieczne. Weźmy pływanie żaglówką. Możesz mieć wypadek, kiedy będziesz sam na morzu. Naprawdę ludzie, z którymi działam, są świetnie wyszkoleni i wiedzą, co robią. Wcale się nie czuję zagrożona.

To była prawie prawda. Ophélie z rzadka w czasie tych długich nocy myślała o potencjalnych niebezpieczeństwach. Widziała jednak, że nie przekonała Matta.

– Oszalałaś – stwierdził ze smutkiem. – Gdybym był twoją rodziną, posłałbym cię do domu wariatów albo zamknął na klucz. Niestety, nie mogę tego zrobić. Co sobie myślą tamci ludzie? Jak mogą pozwolić wychodzić na ulice komuś, kto nie ma pojęcia, jak się bronić?! Czy nie czują się za ciebie odpowiedzialni?!

Matt krzyczał na wietrze, nie zwracając uwagi na Pip, która bawiła się z psem, zachwycona powrotem na plażę. Mus skakał, gonił za mewami i biegał z kawałkiem drewna w pysku.

– Wszyscy jesteście pomyleni – mruknął Matt w końcu.

– Jestem dorosła, mam prawo do własnych wyborów i nawet do ryzyka. Jeśli ta praca wyda mi się niebezpieczna, zrezygnuję.

– Jak już cię ktoś zabije, co? Jak możesz być taka nieodpowiedzialna? Nim się zorientujesz, że jest niebezpiecznie, będzie za późno. Trudno mi uwierzyć, że postępujesz tak głupio.

– Jeśli coś mi się stanie, będziesz musiał ożenić się z Andreą i oboje zaopiekujecie się Pip. To będzie też bardzo dobre dla jej dziecka – powiedziała Ophélie, starając się wszystko zbagatelizować.

– To wcale nie jest śmieszne – odparł, w prawie tak zasadniczy sposób, jak mówił Ted. Matt na ogół był spokojny i miły, tym razem jednak bardzo się zdenerwował. – Nie zamierzam rezygnować – ostrzegł ją w drodze powrotnej do domu. – Będę tak długo nalegał, aż wycofasz się z tej pracy. Możesz pracować w schronisku w ciągu dnia. Te nocne jazdy są dla kowbojów i wariatów, ludzi, którzy nie mają rodzin.

– Mój partner w furgonetce jest wdowcem z trójką małych dzieci – powiedziała, biorąc go pod rękę.

– Widać też szuka śmierci. Może zrobiłbym to samo, gdyby umarła mi żona i zostałbym z trójką dzieciaków. Wiem jedno, nie mogę ci na to pozwolić. I nie szukaj u mnie poparcia. Jeśli chciałaś mnie zmartwić, udało ci się w stu procentach. Będę panikował za każdym razem, kiedy będziesz wyjeżdżała na ulicę. Ze względu na ciebie i na Pip. – O mało nie dodał: „I na mnie".

– Pip nie powinna była ci nic mówić.

Matt pokręcił głową.

– Cieszę się, że to zrobiła, bo inaczej nigdy bym się nie dowiedział. Ktoś musi ci przemówić do rozsądku, Ophélie. Zastanów się nad tym poważnie. Proszę cię, obiecaj mi to.

– Obiecuję, ale przysięgam, że nie jest tak źle, jak myślisz. Jeśli zacznę mieć wątpliwości, zrezygnuję. Ludzie w drużynie są naprawdę bardzo odpowiedzialni.

Nie powiedziała mu, że cztery osoby muszą się często rozdzielać i gdyby którąś z nich ktoś zaatakował nożem czy do niej strzelił, pozostali nie zdążyliby przybiec na pomoc. Zwłaszcza że nie są uzbrojeni. Po prostu trzeba uważać i mieć oczy dookoła głowy. Poza tym musieli polegać na własnym wyczuciu sytuacji, liczyć na brak agresji u bezdomnych i wierzyć w opiekę boską.

– To jeszcze nie koniec tematu, Ophélie – powiedział, kiedy zbliżali się do domu.

– Ja tego nie planowałam – wyjaśniła. – Tak się złożyło. Jednej nocy zabrali mnie ze sobą i zakochałam się w tej pracy. Może powinieneś z nami pojechać i sam się przekonać.

Matt spojrzał na nią przerażony.

– Nie jestem taki odważny jak ty ani taki głupi. Umarłbym ze strachu – wyznał.

Ophélie roześmiała się. Nie miała pojęcia, dlaczego się już nie boi i czuje się na właściwym miejscu. Nie bała się nawet wtedy, kiedy narkoman wyciągnął broń, ale o tym Mattowi nie powiedziała.

– Nie jest tak źle, jak ci się wydaje. Przeważnie mam ochotę usiąść i płakać. Na widok tego wszystkiego pęka mi serce.

– Bardziej się boję, że ktoś strzeli ci w głowę – mruknął Matt.

Już dawno nie był tak zdenerwowany. Ostatni raz czuł się tak, kiedy Sally poinformowała go, że wyjeżdża z dziećmi do Auckland.

Gdy wrócili do domu, rozpalił w kominku. Stał, wpatrując się w ogień, a w końcu powiedział:

– Nie wiem, jak cię powstrzymać przed tym szaleństwem, Ophélie, ale zamierzam zrobić wszystko, żeby cię przekonać, że to głupi pomysł.

Nie chciał straszyć Pip, więc zmienił temat, ale przez całe popołudnie aż do ich wyjazdu, był zdenerwowany i niespokojny. Przed wyjazdem ustalili datę urodzinowej kolacji Pip.

– Przepraszam, że mu powiedziałam o tych bezdomnych, mamo – powiedziała z wyraźnym żalem Pip, gdy odjechały.

Ophélie uśmiechnęła się smutno.

– Już dobrze, dziecko. Tajemnice nie są dobrym pomysłem.

– Czy to jest tak niebezpieczne, jak mówi Matt?

– Nie. – Ophélie nie oszukiwała córki. Naprawdę czuła się bezpiecznie w towarzystwie doświadczonych członków drużyny. – Musimy uważać, ale przeważnie nic się nie dzieje. Nikomu nigdy nic się nie stało i zamierzamy dopilnować, aby dalej tak było.

Pip trochę się uspokoiła.

– Powinnaś wytłumaczyć to Mattowi. On się naprawdę o ciebie boi.

– Tak, troszczy się o nas.

Ale życie pełne jest niebezpieczeństw i zawsze istnieje jakieś ryzyko.

– Kocham Matta – powiedziała cicho Pip, już drugi raz w ciągu ostatnich dwóch dni.

Ophélie milczała. Od tak dawna nikt się o nią nie troszczył. W ostatnich latach Ted prawie nie zwracał na nią uwagi.

Wieczorem Pip zadzwoniła do Matta, żeby podziękować mu za miły dzień. Po paru minutach Matt poprosił Ophélie do telefonu. Z obawą wzięła słuchawkę.

– Myślałem nad tym, o czym rozmawialiśmy, i doszedłem do wniosku, że jestem na ciebie zły – powiedział zdecydowanie. – To jest najgłupsza rzecz, o jakiej w życiu słyszałem, zwłaszcza dla kobiety w twojej sytuacji, i uważam, że powinnaś pójść do psychiatry. Albo wrócić do spotkań w grupie.

– To szef grupy wsparcia poradził mi, żebym zgłosiła się do schroniska – przypomniała Ophélie.

Matt jęknął.

– Na pewno nie przyszło mu do głowy, że przyłączysz się do drużyny wyjazdowej. Uważał, że będziesz nalewała kawę, zwijała bandaże czy coś w tym rodzaju.

– Nie martw się, nic mi się nie stanie. Obiecuję.

– Nie możesz czegoś takiego obiecywać, nawet sobie. Ani Pip. Nie możesz przewidzieć, co się może wydarzyć.

– Nie, ale jutro może mnie przejechać autobus, gdy będę przechodziła przez ulicę; mogę też umrzeć na zawał. Wiesz o tym równie dobrze jak ja.

– To jest mniej prawdopodobne i wiesz o tym. – Był sfrustrowany i po paru minutach skończył rozmowę.

Wrócił do tematu po tygodniu, po kolacji z okazji urodzin Pip, kiedy dziewczynka poszła spać.

Wcześniej wziął je do małej włoskiej restauracji, ulubionej knajpki Pip. Kelnerzy odśpiewali jej *Happy Birthday* dźwięcznymi barytonami, a Matt dał jej w prezencie przybory do malowania, o których marzyła, i bluzę z własnoręcznie namalowanym napisem „Jesteś moją przyjaciółką". Pip była w siódmym niebie. Spędzili uroczy wieczór i Ophélie była mu bardzo wdzięczna, choć widziała w jego oczach, co ją jeszcze czeka.

– Wiesz, co chcę powiedzieć, prawda? – spytał poważnie. Skinęła głową. Żałowała, że Pip już poszła spać.

– Chyba wiem – powiedziała z uśmiechem. Była wzruszona, że tak się o nią troszczy. Zaczynało jej na nim zależeć i za każdym razem, kiedy się widzieli, czuła się coraz bardziej do niego przywiązana. Stał się częścią ich życia.

– Zastanawiałaś się nad tym, co ci mówiłem? Powinnaś jak najszybciej zrezygnować z pracy w drużynie wyjazdowej.

– Pip mówi, że powinnam ci powiedzieć, że nikomu w naszej drużynie nigdy nic się nie stało. Działają ostrożnie i rozważnie. Nie są głupi. Ja też nie. Czy to cię trochę uspokaja?

– Nie. Na razie mieli szczęście, ale w każdej chwili coś może się zdarzyć. Sama doskonale o tym wiesz.

– Może powinniśmy mocniej wierzyć w opiekę Pana Boga. Opiekuje się nami, kiedy robimy coś dobrego dla innych.

– A jeśli Pan Bóg będzie akurat zajęty czymś innym, kiedy zagrozi ci niebezpieczeństwo? On ma na głowie powodzie, trzęsienia ziemi i wojny, nie tylko ciebie.

Ophélie roześmiała się i Matt także się uśmiechnął.

– Doprowadzasz mnie do szału. Nie znam drugiej tak upartej osoby. Ani tak dzielnej – dodał cicho. – Ani, niestety, tak nierozsądnej. Nie chcę, żeby ci się coś stało. Ty i Pip jesteście dla mnie bardzo ważne.

– Ty dla nas też. Dzięki tobie Pip miała cudowne urodziny.

Urodziny córki przed rokiem, tydzień po śmierci ojca i brata, były okropne. A te, dzięki Mattowi, bardzo się udały. Na następny weekend Pip zaprosiła na noc cztery koleżanki i Ophélie już się na to cieszyła. Jednak kolacja z Mattem i jego prezenty były czymś nadzwyczajnym.

Wreszcie, po raz pierwszy od tygodnia, zaczęli rozmawiać na inne tematy, relaksując się z kieliszkiem wina przy kominku. Ophélie znakomicie czuła się w jego towarzystwie, lepiej niż w towarzystwie jakiegokolwiek innego mężczyzny, łącznie z Tedem. On także dobrze się przy niej czuł. I gdy wychodził, miał znacznie lepszy humor. Oczywiście nie rezygnował z namawiania jej do zaprzestania tej niebezpiecznej pracy, ale z drugiej strony zdawał sobie sprawę, że miał na nią niewielki wpływ.

Ophélie, idąc na górę, myślała o Macie. Martwiła się trochę, że za bardzo się do niego przywiązuje, ale nie chciała o tym myśleć. Panuje nad sytuacją. Matt jest jej przyjacielem i niczym więcej.

Wracając do Safe Harbour, Matt uśmiechał się do siebie. Zaskoczył sam siebie tym, co zrobił przed wyjściem od Ophélie. Pomysł przyszedł mu do głowy, gdy siedział przy Ophélie i spojrzał na fotografię na stole. Zaczekał, aż poszła na górę, żeby sprawdzić, czy Pip już zasnęła. I teraz na siedzeniu obok leżało zdjęcie śmiejącego się Chada.

Rozdział 19

Pip i Ophélie spotkały się z Mattem dopiero trzy tygodnie później, w październiku, z okazji szkolnej kolacji dla córek i ojców. Wszyscy byli bardzo zajęci, lecz Matt prawie codziennie rozmawiał z Pip przez telefon. Ophélie starała się nie wspominać o Centrum Wexlera, żeby go nie denerwować.

Matt włożył szare spodnie, niebieską koszulę z czerwonym krawatem i marynarkę. Pip była bardzo dumna, kiedy wchodzili do sali gimnastycznej, gdzie odbywała się kolacja.

Tego wieczoru Ophélie umówiła się z Andreą niedaleko domu, w małej restauracji, gdzie podawano sushi. Andrea zatrudniła opiekunkę do dziecka i cieszyła się z kilku godzin wolnego.

– Co słychać? – spytała znacząco.

– Jestem zajęta w schronisku, Pip dobrze sobie radzi w szkole. Mniej więcej tyle. Wszystko dobrze. A co u ciebie?

Ophélie dobrze wyglądała. Praca w centrum jej służyła.

– Twoje życie wydaje się tak samo nudne jak moje – stwierdziła z obrzydzeniem Andrea. – Doskonale wiesz, że nie o to mi chodziło. Co z Mattem?

– Dziś wieczorem poszedł z Pip na szkolną kolację dla córek i ojców – powiedziała od niechcenia Ophélie, drażniąc się z przyjaciółką.

– Wiem, głupia. Pytam, co się dzieje między nim a tobą.

– Nie bądź śmieszna. Pewnego dnia ożeni się z Pip i zostanie moim zięciem.

– Bzdury gadasz. On chyba jest gejem.

– Wątpię, a jeśli nawet, nic mnie to nie obchodzi.

Andrea westchnęła. Ostatnio spotykała się z kolegą z pracy, choć wiedziała, że jest żonaty. To jednak nigdy nie był dla niej problem. Miała romanse z wieloma żonatymi mężczyznami i twierdziła, że jej to odpowiada. Nie chciała wychodzić za mąż i nie chciała, żeby jakiś facet plątał jej się po domu. Ophélie już od dawna podejrzewała, że Andrea nie mówi całej prawdy. Zwłaszcza teraz, kiedy ma dziecko, przyjemnie byłoby mieć także męża. Andrea po prostu nie wierzyła, że jeszcze kogoś spotka, i przyjmowała to, co jej się trafiało, nawet jeśli tylko na chwilę.

– Nie chcesz go potraktować jak faceta? – To się Andrei wydawało nienaturalne. Ophélie była piękną kobietą i miała dopiero czterdzieści dwa lata. Stanowczo za wcześnie, żeby zrezygnować z mężczyzn i spędzić resztę życia, opłakując Teda.

– Nie – odparła cicho Ophélie. – Nie chcę się z nikim umawiać. Wciąż czuję się żoną Teda.

188

To, czy coś czuła, czy nie czuła do Matta, nie miało znaczenia. Oboje są zadowoleni z takiego stanu rzeczy. Nie chciała popsuć łączącej ich przyjaźni, jednak nie powiedziała tego wszystkiego przyjaciółce, wiedząc, że Andrea i tak jej nie zrozumie. Andrea lubiła spełniać swoje zachcianki, Ophélie była bardziej opanowana.

– Jesteś pewna, że Ted, gdybyś zginęła, darzyłby cię uczuciem do końca życia?

– To nieważne, co on by zrobił – stwierdziła spokojnie Ophélie. – Ważne jest to, co ja czuję i robię. I czego chcę.

Dokonała wyboru i nieważne, jak bardzo miły i przystojny był Matt.

– Może on cię po prostu nie pociąga. A w tym schronisku nie ma nikogo atrakcyjnego? Jaki jest dyrektor?

Ophélie roześmiała się.

– Dyrektorka. Bardzo ją lubię.

– Poddaję się! Jesteś beznadziejnym przypadkiem! – zawołała Andrea, podnosząc ręce do góry.

– Zgadza się. A co u ciebie? Jaki jest ten nowy facet?

– W sam raz dla mnie. Jego żona w grudniu urodzi bliźnięta. On twierdzi, że jest kompletną idiotką i że od lat ich małżeństwo jest zagrożone. Dlatego zaszła w ciążę. Kobiety często myślą, że dziecko uratuje związek. Nie jest miłością mojego życia, ale dobrze nam razem.

Przynajmniej do czasu przyjścia na świat dzieci, kiedy jej kochanek wróci albo nie wróci do żony. Andrea twierdziła, że nie zależy jej na stałym związku, lecz na tym, żeby od czasu do czasu się z kimś przespać.

– To chyba nie jest rozwiązanie na dłuższą metę – zauważyła ze współczuciem Ophélie. Andrea na ogół dokonywała w życiu kiepskich wyborów.

– Nie, ale na razie może być. Poza tym i tak będzie zbyt zajęty, kiedy bliźnięta przyjdą na świat. Teraz jego żona musi leżeć i nie spali ze sobą od czerwca.

Samo słuchanie tego było przygnębiające. Ophélie nie podobało się to, co mówiła przyjaciółka. Andrea zgadzała się na mniej, niż zasługiwała, tylko po to, żeby mieć kogoś w łóżku.

Mimo trudnego charakteru Teda Ophélie kochała go, wspierała w trudnych latach, a później cieszyła się razem z nim, kiedy osiągnął sukces. Kochała ich wzajemną lojalność i fakt, że przeżyli razem tyle lat. Nigdy go nie okłamała, nie przyszło jej to nawet do głowy. I nawet jeśli Ted raz się potknął, wierzyła, że ją kocha, i mu wybaczyła. Teraz przerażała ją samotność i świat, w którym ludzie myśleli tylko o romansach. Była szczęśliwa w domu z Pip i nie zamierzała spotykać się z mężczyznami, którzy okłamują żony, lub z kawalerami, którzy nie mają zamiaru się żenić, tylko szukają kogoś do łóżka. Nie zamierzała zepsuć przyjaźni z Mattem, zranić go lub zostać zranioną. Niezależnie od tego, co myśli Andrea, przyjaźń odpowiadała jej najbardziej.

Matt i Pip wrócili do domu o wpół do jedenastej. Pip, zadowolona i potargana, z bluzką wychodzącą ze spódniczki, Matt – z krawatem w kieszeni. Jedli pieczonego kurczaka i tańczyli przy rapie, który wybrały dziewczynki. Oboje świetnie się bawili.

– Mam tylko pewne zastrzeżenia do tej muzyki – powiedział ze śmiechem Matt, kiedy Ophélie podała mu kieliszek białego wina. Pip poszła już na górę. – Pip ta muzyka się podobała. Ona świetnie tańczy.

– Ja też kiedyś lubiłam tańczyć – przyznała Ophélie.

Ucieszyła się, że Pip i Matt miło spędzili czas. Pip poszła spać, uśmiechając się od ucha do ucha. Ophélie podejrzewała, że Matt jej się podoba, ale nie widziała w tym niczego złego. Matt, na szczęście, w ogóle nie zdawał sobie z tego sprawy. Gdyby się domyślał, Pip umarłaby ze wstydu.

– A teraz? Już nie lubisz tańczyć? – zapytał.

– Ted nie znosił tańca, chociaż był całkiem niezłym tancerzem. Nie tańczyłam od lat.

I zapewne więcej nie będę, pomyślała, skoro wybrałam taki sposób życia. W ich rodzinie już tylko Pip będzie tańczyła. Wdowa Mackenzie wiedzie samotne życie i nie zamierzała tego zmieniać. Do łóżka też już z nikim nie pójdzie. Nawet nie chce o tym myśleć.

– Może pójdziemy czasem gdzieś potańczyć, żebyś nie zapomniała, jak to się robi? – zażartował.

– Jestem już za stara. I zgadzam się z tobą co do muzyki. Jest okropna. Pip codziennie rano słucha jej w samochodzie, niedługo ogłuchnę.

– Też o tym myślałem dziś wieczorem. I też myślałem, że ogłuchnę. Wypadek przy pracy na zabawie dla siódmoklasistek. Dla mnie nie byłaby to wielka strata, gorzej gdybym był kompozytorem lub dyrygentem.

Gawędzili miło i tym razem Matt nie wspomniał o jej pracy. Wszystko przebiegało bez problemów i podczas ostatnich tygodni nic się nie stało. Czuła się z ludźmi z drużyny bezpiecznie i swojsko. A z Bobem się zaprzyjaźniła. Radziła mu w sprawach dzieci, choć nie miał z nimi większych problemów, i dużo opowiadała o Pip. Bob zaczął spotykać się z najbliższą przyjaciółką swojej zmarłej żony, co z pewnością służyło dzieciom, które ją uwielbiały. Ophélie bardzo się z tego cieszyła.

Matt wyszedł prawie o północy. Była piękna gwiaździsta noc i czekała go spokojna droga do domu. Ophélie zazdrościła mu, tęskniła za plażą. Nim zdążył odjechać, zamachała do niego i zbiegła po schodach.

– Mało nie zapomniałam. Co robisz w Święto Dziękczynienia? To już za trzy tygodnie.

– To samo, co każdego roku. Ignoruję je. Nie wierzę w indyki. Ani w Boże Narodzenie. To wbrew mojej religii.

Nietrudno było się domyślić dlaczego. Odkąd stracił dzieci, święta musiały być przykre, ale może w ich towarzystwie będzie mu trochę przyjemniej.

– A nie chciałbyś tego zmienić? Pip, Andrea i ja będziemy świętować tutaj. Może byś przyjechał?

– Dziękuję za zaproszenie, ale mnie to już nie bawi. Zbyt dużo się wydarzyło, za wiele czasu upłynęło. Ale przyjedźcie z Pip do mnie następnego dnia, dobrze? To mi sprawi przyjemność.

– Dobrze. – Nie chciała go naciskać. Wyobrażała sobie, jak się czuje. Dla niej zeszłoroczne święto też było straszne. – Myślałam, że dasz się zaprosić. – Była trochę rozczarowana, ale nie dała tego po sobie poznać.

– Dziękuję – powtórzył wzruszony.

– Dziękuję, że poszedłeś z Pip na jej kolację.

– Cała przyjemność po mojej stronie. Będę codziennie słuchał rapu i ćwiczył taniec. Nie chcę, żeby w przyszłym roku musiała się za mnie wstydzić.

Jest bardzo miły, pomyślała Ophélie, kiedy odjechał. Dziwne, jak ludzie walczą o przetrwanie i uczą się polegać na przyjaciołach i znajomych, kiedy zabraknie żony czy męża. Ona, Matt i Pip stworzyli coś w rodzaju rodziny zastępczej. Była nieskończenie wdzięczna Mattowi za jego przyjaźń.

Zamknęła drzwi na klucz, weszła na górę i położyła się spać w cichym domu.

Rozdział 20

ŚWIĘTO DZIĘKCZYNIENIA PRZEŻYŁA GORZEJ, niż się spodziewała. Nie dało się go zaczarować, oswoić czy udawać, że nie jest inaczej, niż było za życia Teda i Chada. Ophélie odmówiła modlitwę przy kuchennym stole, wyrażając podziękowania za okazane łaski i prosząc o błogosławieństwo dla zmarłego syna i męża, a potem się rozpłakała. Pip też zaczęła płakać, Andrea dołączyła do nich, a jej synek, William, także zaniósł się szlochem. Przygnębienie udzieliło się nawet psu. Wszystko razem było tak okropne, że po chwili Ophélie wybuchnęła śmiechem. Przez resztę dnia to śmiały się histerycznie, to zalewały łzami.

Indyk wyszedł nieźle, choć nadzienie było trochę za suche, ale i tak nikt nie miał apetytu. Ten świąteczny posiłek nikomu nie sprawił przyjemności. Postanowiły, że zjedzą go w kuchni ze względu na ruchliwego, siedmiomiesięcznego synka Andrei, który nawet siedząc na wysokim krzesełku, potrafił narobić bałaganu. Ophélie cieszyła się, że nie jedzą w salonie, gdzie wszystko przypominałoby jej Teda krojącego indyka i Chada w garniturze, narzekającego na konieczność włożenia krawata.

Późnym popołudniem Andrea wróciła z dzieckiem do siebie, a Pip poszła rysować do swojego pokoju. Gdy wyszła stamtąd na chwilę, natknęła się na matkę, która zamierzała wejść do pokoju syna. Pip spojrzała na nią błagalnie.

– Nie chodź tam, mamo, będziesz jeszcze bardziej smutna
Wiedziała, że matka leży godzinami na łóżku Chada, wdychając jego zapach i czując wokół siebie jego aurę. I płacząc. Pip słyszała to mimo zamkniętych drzwi i pękało jej serce. Wiedziała, że nie zastąpi Chada, a Ophélie nie potrafiła jej wytłumaczyć, że strata dziecka zawsze zostawia ogromną pustkę i drugie dziecko, nawet najbardziej kochane, nie może jej wypełnić.

– Wejdę tylko na chwilę – powiedziała prosząco Ophélie.
Pip ze łzami w oczach poszła do swojego pokoju, zamykając za sobą drzwi. Wyraz jej twarzy sprawił, że Ophélie zrezygnowała z wcześniejszego zamiaru i wróciła do siebie. Stanęła przy otwartych drzwiach szafy, przyglądając się ubraniom Teda. Musi czegoś dotknąć, powąchać, jego koszuli czy marynarki, czegoś znajomego, co wciąż pachnie nim, jego wodą kolońską. Tej potrzeby nie mógł zrozumieć nikt, kto nie przeżył podobnej straty. Zostały tylko rzeczy i ubrania. Ophélie nosiła obrączkę Teda na cienkim łańcuszku na szyi. Nikt nie wiedział, że ją tam ma, tylko od czasu do czasu dotykała jej dłonią, żeby się upewnić, że Ted istniał, że

byli małżeństwem, że kiedyś była kochana. Czasem wpadała w panikę, kiedy przypominała sobie, że Ted zginął i nigdy nie wróci. Teraz, pod wpływem impulsu, wtuliła twarz w wiszącą na wieszaku marynarkę, a po chwili włożyła ją na siebie, jakby w ten sposób mogła poczuć, że jest w jego ramionach.

Stała tak, jak zagubione dziecko, w marynarce z za długimi rękawami i w końcu objęła się ramionami. Coś zaszeleściło w jednej kieszeni i odruchowo sięgnęła do środka. To był list i przez głowę przebiegła jej szalona myśl, że to list od Teda do niej, lecz to była pojedyncza kartka, wydruk z komputera, podpisana jedną literą. Ophélie czuła się niezręcznie, czytając list, który nie jest adresowany do niej, ale – z drugiej strony – było to coś związanego z Tedem, coś, czego dotykał i czytał. Powoli przesuwała wzrokiem po linijkach. Przez moment pomyślała, że może to ona pisała, choć wiedziała, że nie. Serce zaczynało jej walić coraz mocniej.

Najdroższy Tedzie – tak zaczynał się list, później było już tylko gorzej. Wiem, że oboje przeżyliśmy szok, czasem jednak najgorsze zdarzenie może stać się największym darem. Niczego takiego nie planowałam, ale wierzę, że to przeznaczenie. Nie jestem już młoda i prawdę mówiąc, obawiam się, że nie trafi mi się następna szansa z Tobą czy z kimś innym. To dziecko jest dla mnie wszystkim, tym bardziej że to Twoje dziecko.

Wiem, że tego nie planowaliśmy, ani Ty, ani ja. Wszystko zaczęło się niewinnie, jak żart, rozrywka. Zawsze mieliśmy dużo wspólnego i wiem, że te ostatnie lata były dla ciebie bardzo trudne. Nikt nie wie tego lepiej ode mnie. Sądzę, że ona ma niewłaściwe podejście do Ciebie i do Chada i w dodatku psuje wasze stosunki. Nie jestem nawet przekonana, czy próbowałby popełnić samobójstwo, o ile naprawdę to zrobił, gdyby go nie odciągnęła od Ciebie. Bardzo dobrze wiem, jak jest Ci z tym ciężko. I, podobnie jak Ty, nie jestem pewna, czy Chad naprawdę ma problemy. Nigdy do końca nie wierzyłam w tę diagnozę i uważam, że te tak zwane próby samobójcze mogły być raczej próbą zwrócenia na siebie Twojej uwagi, może nawet prośbą o pomoc w obronie przed nią. Wydaje mi się, że od samego początku źle oceniła sytuację. Jeśli będziemy razem, a taką mam nadzieję, a Ty tego nie wykluczasz, może najlepiej będzie, jeśli Pip zostanie z nią, a my weźmiemy Chada. Będzie dużo szczęśliwszy, niż jest teraz, bez niej krążącej wokół niego jak szerszeń, w nieustannej panice. To na pewno mu nie pomaga. Poza tym jest bardziej podobny do Ciebie i do mnie niż do niej. Oboje zdajemy sobie sprawę, że ona go nie rozumie. Może dlatego, że Chad jest od niej mądrzejszy, jest może nawet mądrzejszy od nas. W każdym razie, jeżeli zechcesz, ja mogę spróbować i wziąć go do nas, o ile się na to zdecydujesz.

Jak chodzi o nas, wierzę, że to początek. Twoje życie z nią się skończyło dawno temu, choć ona nie chce przyjąć tego do wiadomości. Nie może. Jest kompletnie uzależniona od Ciebie i od dzieci. Nie ma i nie chce mieć własnego życia. Żyje życiem Twoim i dzieci. Ale w końcu będzie musiała znaleźć własny sens życia. Może, na dłuższą metę tego właśnie potrzebuje – zrozumieć, że jej życie jest puste i bezsensowne, i że ona nic już dla Ciebie nie znaczy. Wysysa z Ciebie życie. Robi to od lat.

To dziecko będzie nas łączyło ze sobą i z naszą przyszłością. Wiem, że jeszcze nie podjąłeś ostatecznej decyzji, sądzę jednak, że wiesz, czego chcesz. Musisz tylko po to sięgnąć, jak po swoje, tak jak sięgnąłeś po mnie. Tego dziecka by nie było, gdyby nie było nam przeznaczone, gdybyś nie chciał go tak samo mocno jak ja.

Mamy pół roku do namysłu, do podjęcia właściwej decyzji. Pół roku, by zakończyć stare życie i zacząć nowe. Nie ma dla mnie niczego ważniejszego czy lepszego. Masz moją wiarę w Ciebie, moją lojalność, moją miłość, podziw i szacunek.

Przyszłość należy do nas. Urodzi nam się dziecko. Niedługo ono i my zaczniemy wspólne życie. Bóg daje nam

jeszcze jeden początek, życie, którego zawsze pragnęliśmy,
życie dwojga ludzi, którzy zawsze szanowali się i rozumieli,
dwojga ludzi, którzy połączyli się w jedno w dziecku.

Kocham Cię całym sercem i obiecuję, że jeśli do mnie
przyjdziesz, a wierzę, że tak zrobisz, będziesz szczęśliwy jak
nigdy dotąd. Przyszłość, najdroższy, należy do nas.

Twoja A.

List był datowany na tydzień przed śmiercią Teda i Ophélie
miała wrażenie, że za chwilę dostanie ataku serca. Upadła na
kolana i ponownie przeczytała cały list. Nie wierzyła własnym
oczom i nie mogła sobie wyobrazić, kto mógł go napisać. To
było niewiarygodne. Niemożliwe. Nie mogło się zdarzyć. Ktoś
chciał ją oszukać, zażartować sobie w okrutny sposób. Mary-
narka spadła z ramion na podłogę, gdy Ophélie zastanawiała
się, trzymając list w drżącej ręce, czy to nie był jakiś szantaż.

Wstała, przytrzymując się ściany, i spojrzała przed siebie niewidzącym wzrokiem. I wtedy zrozumiała, skojarzyła
i zapragnęła umrzeć. Dziecko, o którym była mowa w liście,
urodziło się pół roku po śmierci Teda. William Theodore.
Nie odważyła się nazwać go Ted, ale znalazła podobne imię.
I nie chodziło o uhonorowanie zmarłego przyjaciela. Nazwała
dziecko po ojcu. Ted miał na drugie imię William. Odwróciła
kolejność. To było dziecko Teda, nie z banku spermy. Tylko
Andrea mogła napisać ten list. Ta litera A oznacza jej imię.
I nastawiała go przeciwko niej, grając na jego uczuciach do
syna. List napisała kobieta, która przez osiemnaście lat udawała jej najbliższą przyjaciółkę. To przekraczało ludzkie pojęcie.
Andrea ją zdradziła. I on też. To znaczy, że kiedy zginął, już
jej nie kochał. Był zakochany w Andrei i zrobił jej dziecko.

Ophélie z listem w dłoni poszła do łazienki i zwymioto-
wała. Śmiertelnie blada stała nad umywalką, kiedy znalazła
ją Pip. Widziała, że matka cała drży.

– Co się stało, mamo? – spytała przerażona.

Matka była tak blada, że aż zielona.

– Nic – wychrypiała, płucząc usta.

Wymiotowała żółcią i odrobiną indyka, bo prawie nic nie jadła. Czuła się jednak tak, jakby wypluła z siebie wszystkie wnętrzności, razem z sercem i duszą.

– Może się położysz? – zaproponowała Pip.

Miały za sobą okropny dzień. Ophélie wyglądała, jakby zaraz miała umrzeć, i tak się też czuła.

– Za chwilę. Zaraz poczuję się lepiej – skłamała.

Nigdy nie poczuje się lepiej. A gdyby ją zostawił? Odszedł od niej, a wcale nie zginął? I zabrał ze sobą syna? To by ją zabiło, może Chada także. Ale zginął. Obaj zginęli. To już nie ma znaczenia. A teraz zabił i ją. List przedstawiał jej małżeństwo w karykaturalnym świetle, nie mówiąc o przyjaźni Andrei. Ophélie nie potrafiła zrozumieć, jak ktoś mógł jej coś takiego zrobić, jak Andrea mogła być tak podstępna, zdradziecka, nieuczciwa i okrutna.

– Połóż się, mamusiu, proszę cię… – Pip prawie płakała. Już od lat nie mówiła do niej „mamusiu". Była przerażona.

– Muszę na chwilę wyjść.

Ophélie odwróciła się do córki i tym razem nie wyglądała jak robot, lecz jak wampir, z białą twarzą i zaczerwienionymi oczami. Pip prawie jej nie poznała. I nie chciała jej takiej znać. Ta kobieta w ogóle nie przypominała matki.

– Możesz zostać sama?

– Dokąd idziesz? Chcesz, żebym poszła z tobą? – Pip też zaczęła się trząść.

– Nie, wrócę za parę minut. Zamknij się na klucz i trzymaj przy sobie psa.

Mówiła jak mama, ale wyglądała inaczej. Nagle miała przed sobą jeden cel i siłę, o którą nigdy się nie podejrzewała. Nagle zrozumiała, jak ludzie popełniają morderstwa pod wpływem silnego wzburzenia. Nie zamierzała jednak zabijać Andrei. Chciała ją zobaczyć, spojrzeć po raz ostatni na kobietę, która zniszczyła jej małżeństwo, zmieniła w popiół jej wspomnienia o Tedzie i to, co ich łączyło. Nie była w stanie nienawidzić Teda. Wszystkie negatywne odczucia i przeżycia skupiły się na Andrei. Choć i tak wiedziała, że nie potrafi jej się odpłacić za swoją krzywdę.

Kiedy wyszła, przerażona Pip nie wiedziała, co robić, do kogo się zwrócić, co powiedzieć. Usiadła na schodach i przytuliła do siebie psa, który zlizywał jej łzy z policzków.

Ophélie przejechała dziesięć przecznic do domu Andrei bez zatrzymywania się. Nie stanęła ani przed przejściami dla pieszych, ani przed znakiem stopu, ani na czerwonym świetle. Zaparkowała na chodniku, wbiegła po schodach i zadzwoniła. Wychodząc z domu, nie włożyła płaszcza ani swetra, ale mimo cienkiej bluzki nie czuła zimna. Andrea otworzyła drzwi. Trzymała na ręku dziecko przebrane w piżamkę i oboje uśmiechnęli się na jej widok.

– Cześć… – zaczęła Andrea, ale zaraz zauważyła, że Ophélie cała drży. – Czy coś się stało? Gdzie jest Pip?

– Tak, stało się coś. – Ophélie, nie ruszając się z progu, wyciągnęła z kieszeni list. – Znalazłam twój list.

Zbladła jeszcze bardziej. Andrea także zrobiła się bardzo blada, ale nic nie powiedziała. Przez chwilę dwie śmiertelnie blade kobiety stały w milczeniu w otwartych drzwiach.

– Wejdziesz?

Ophélie nie chciała słuchać wyjaśnień Andrei i nie ruszyła się z miejsca.

– Jak mogłaś? Jak mogłaś zachowywać się tak przez cały rok i udawać, że jesteś moją przyjaciółką? Jak mogłaś urodzić dziecko i udawać, że to z nasienia z banku spermy? Jak śmiałaś wypisywać takie rzeczy o moim synu i manipulować Tedem? Znałaś jego zdanie na ten temat. Przypuszczalnie wcale nie kochałaś Teda. Ty nikogo nie kochasz. Ani mnie, ani Teda, ani nawet tego biednego dzieciaka. Zabrałabyś mi Chada, żeby zrobić wrażenie na Tedzie, a on by się zabił, podczas gdy ty wykorzystałabyś go tylko jako przynętę. Jesteś zła. Nienawidzę cię… Zniszczyłaś jedyną rzecz, jaka mi została… Wiarę, że Ted mnie kochał… Nie kochał… Ty jego też nie kochałaś… A ja tak. Zawsze go kochałam, nawet gdy był dla mnie okropny, nawet kiedy go nie było, ani dla mnie, ani dla naszych dzieci… Ty nie kochasz nikogo… Boże, jak mogłaś to zrobić?!

Czuła, że umrze za chwilę w tych drzwiach, ale nic jej to nie obchodziło. Zniszczyli ją. Zabrało im to rok, ale udało się mimo śmierci Teda. Nie była w stanie zrozumieć dlaczego.

– Nie zbliżaj się więcej do mnie… Do Pip też nie… Nie dzwoń do nas, nie przychodź. Dla mnie już umarłaś. Tak jak on…

Rozpłakała się. Andrea milczała i też się trzęsła, trzymając dziecko. Obie były zszokowane i Andrea wiedziała, że zasłużyła na to, co się stało. Miała nadzieję, że Ted zniszczył ten list. Teraz chciała powiedzieć kobiecie, która była przez lata jej przyjaciółką i nigdy jej nie zdradziła, tylko jedną rzecz.

– Posłuchaj… Mam ci jedno do powiedzenia, poza tym, że jest mi bardzo przykro… Sama sobie też tego nigdy nie wybaczę, ale warto było… dla dziecka… To nie była jego wina.

– Nic mnie nie obchodzi twoje dziecko. Ty też nie.

Niestety, obchodzili ją oboje i dlatego została tak boleśnie zraniona. Teraz zobaczyła, jak bardzo mały jest podobny do Teda. Bardziej niż Chad.

– Posłuchaj, Ophélie. On wcale nie podjął decyzji. Powiedział, że nie wyobraża sobie, że mógłby cię zostawić. Byłaś dla niego taka dobra na początku, właściwie zawsze, zdawał sobie z tego sprawę. Ale był egoistą, robił, co chciał, a chciał mnie, chociaż chyba trochę bawił się tą sytuacją. Mieliśmy wiele wspólnego. Zawsze go chciałam. I kiedy trafiła mi się okazja, gdy wyjechałaś z dziećmi do Francji, postanowiłam ją wykorzystać. To ja przejęłam inicjatywę. On w to wszedł, choć wcale nie jestem pewna, czy mnie kochał. Może nigdy by cię nie zostawił. Nie podjął decyzji. Musisz to wiedzieć. Kiedy zginął, jeszcze nie podjął decyzji. Dlatego napisałam ten list. Chciałam go przekonać. Sama to widzisz. Równie dobrze mógł postanowić, że zostanie z tobą. Prawdę mówiąc, nie jestem pewna, czy w ogóle którąś z nas kochał. Nie wiem, czy potrafił kochać. Był narcystycznym geniuszem. Jeżeli kogoś w ogóle kochał, to ciebie. Tak mówił. I chyba w to wierzył. Zawsze uważałam, że okropnie cię traktował i że zasłużyłaś na coś lepszego. Wydaje mi się jednak, że na tyle, na ile potrafił, kochał tylko ciebie. I chcę, żebyś o tym wiedziała.

– Nie odzywaj się do mnie – syknęła Ophélie, odwróciła się i na drżących nogach zeszła do samochodu. Zostawiła go na chodniku z włączonym silnikiem. Nie spojrzała więcej na Andreę. Nie chciała jej widzieć.

Andrea z płaczem spoglądała za odjeżdżającym zygzakiem samochodem, ale przynajmniej powiedziała Ophélie prawdę. Ted naprawdę nie wiedział, co zrobi. Jeśli nawet nie kochał żadnej z nich, Ophélie zasłużyła na to, by wiedzieć, że myślał o niej z wdzięcznością i być może nie zamierzał jej zostawić. Ostatecznie wszyscy przegrali. Ted, Chad, Ophélie, Andrea, jej dziecko. Sami przegrani… Zginął, nie podjąwszy decyzji, i nie zniszczył listu, i Ophélie go znalazła. Może chciał, żeby się tak stało? Może w ten sposób chciał coś osiągnąć? Teraz już nikt się nie dowie. Andrea powiedziała Ophélie prawdę. Ted sam nie wiedział, co zrobić… Nie podjął przed śmiercią żadnej decyzji… Może… Tylko może… kochał ją jak potrafił.

Rozdział 21

OPHÉLIE NIE WIEDZIAŁA, jak dojechała do domu. Zaparkowała na podjeździe i weszła do środka. Pip nadal siedziała na schodach, tuląc do siebie psa.

– Co się stało? Gdzie byłaś?

Matka, o ile to możliwe, wyglądała jeszcze gorzej niż pół godziny temu. Z trudem weszła po schodach i ruszyła do swojego pokoju jak ogłuszona.

– Nic się nie stało – wymamrotała, spoglądając przed siebie niewidzącym wzrokiem.

Miała złamane serce. Zrobili to razem. On i Andrea. Zabrało im to cały rok, ale w końcu ją zabili. Ophélie odwróciła się, by spojrzeć na Pip, ale sprawiała wrażenie, że jej nie widzi. Jakby oślepła.

– Kładę się – poinformowała córkę, zgasiła światło i położyła się na łóżku, wpatrując się w ciemność.

Pip nie odważyła się odezwać. Bała się, że to tylko pogorszy sytuację. Pobiegła do gabinetu ojca i złapała słuchawkę. Kiedy Matt, odebrał płakała. Początkowo nie mógł jej zrozumieć.

– Coś się stało... Coś się stało mamie.

Matt, który miał wyjątkowo dobry nastrój, szybko wrócił na ziemię. Pip nigdy przedtem tak się nie zachowywała.

– Czy jest ranna? Powiedz mi, Pip. Czy musisz dzwonić na pogotowie?

– Nie wiem. Chyba zwariowała. Nie chce mi nic powiedzieć.

Matt poprosił do telefonu Ophélie, ale kiedy Pip poszła do niej, pokój był zamknięty na klucz i matka nie odpowiadała. Pip płakała jeszcze bardziej, gdy wróciła do telefonu. Mattowi bardzo się to wszystko nie podobało, nie chciał jednak dzwonić na policję, żeby się włamali do pokoju Ophélie. Poprosił Pip, żeby poszła do matki jeszcze raz i powiedziała, że chce z nią rozmawiać.

Pip pukała bardzo długo, nim w końcu coś usłyszała. Hałas, jakby lampka spadła na podłogę albo stół się przewrócił. Matka powoli otworzyła drzwi. Wciąż płakała, choć nie wyglądała już tak okropnie.

Pip spojrzała na nią z rozpaczą i dotknęła jej ręki, jakby chciała się przekonać, czy jest prawdziwa.

– Matt czeka przy telefonie. Chce z tobą rozmawiać – wyjąkała drżącym głosem.

– Powiedz mu, że jestem zmęczona – odparła Ophélie, patrząc niewidzącym, tępym wzrokiem. – Przepraszam...

Bardzo mi przykro... Powiedz, że nie mogę teraz rozmawiać. Jutro do niego zadzwonię.

– Matt mówi, że jak nie podejdziesz do telefonu, przyjedzie.

Ophélie chciała jej powiedzieć, że nie powinna była w ogóle do niego dzwonić, ale wiedziała, że Pip nie ma nikogo innego. Bez słowa podeszła do aparatu i podniosła słuchawkę. Pip zauważyła, że lampka leży na podłodze. To był ten hałas, który usłyszała. Matka potknęła się po ciemku i ją zrzuciła.

– Halo – powiedziała Ophélie martwym głosem.

Matt zdenerwował się tak samo jak Pip.

– Co się dzieje, Ophélie? Pip jest śmiertelnie przerażona. Chcesz, żebym przyjechał?

Wiedziała, że to zrobi, jeśli go poprosi, ale teraz nikogo nie chciała widzieć. Nawet Pip. Jeszcze nie. Nie teraz. Może nigdy. Nawet w dniu śmierci Teda nie czuła się tak przeraźliwie samotna jak w tej chwili.

– Wszystko w porządku – powiedziała bezbarwnym głosem, bez przekonania. – Nie przyjeżdżaj.

– Powiedz mi, co się stało – zażądał zdecydowanie.

– Nie mogę. Nie teraz.

– Powiedz mi – nalegał. Usłyszał jej płacz. – Jadę.

– Nie, proszę. Chcę być sama – powiedziała trochę bardziej zdecydowanie.

– Nie możesz tego robić Pip.

– Wiem... Wiem... Przepraszam... – Wciąż płakała.

– Chcę przyjechać, ale nie chciałbym być intruzem. Co się dzieje?

– Nie mogę teraz o tym mówić.

– Czy nie możesz wziąć się w garść?

Najwyraźniej coś w niej pękło i na odległość nie potrafił ocenić powagi sytuacji. Nie miał pojęcia, dlaczego tak nagle się załamała. Może nie mogła znieść tego, że wszystko wokół przypominało jej o śmierci męża i syna? Nie wiedział, że teraz doszła strata trzeciej osoby, najbliższej przyjaciółki.

– Nie wiem – odparła.

– Czy chcesz, żebym gdzieś zadzwonił?

Nadal zastanawiał się nad telefonem na pogotowie. Myślał też, żeby zadzwonić do Andrei, ale szósty zmysł podpowiedział mu, by na razie się z tym wstrzymać.

– Nie, nigdzie nie dzwoń. Dam sobie radę. Potrzebuję czasu.

– Czy masz coś na uspokojenie?

– Nie muszę się uspokajać. Nie żyję. Zabili mnie – wyszlochała.

– Kto cię zabił?

– Nie chcę o tym mówić. Ted odszedł.

– Wiem. Wiem… – Było gorzej, niż myślał, i przez moment miał wrażenie, że jest pijana.

– Odszedł. Nie ma go. I nie będzie. Tak samo jak naszego małżeństwa. Nie jestem pewna, czy w ogóle istniało. – Zapewnienia Andrei nic dla niej nie znaczyły.

– Rozumiem – stwierdził, głównie po to, by ją uspokoić.

– Nie, nie rozumiesz. Ja też nie rozumiałam. Znalazłam list.

– Od Teda? – spytał zaszokowany. – List samobójczy? – Może jej mąż zabił siebie i syna? To by wyjaśniało jej stan.

– List zabójcy.

Ophélie mówiła od rzeczy. Musiało stać się coś naprawdę strasznego.

– Przeżyjesz jakoś tę noc? – spytał.

– A mam wybór?

– Nie, bo musisz pamiętać o Pip. Możesz tylko wybierać, czy mam teraz przyjechać, czy nie.

Bardzo nie chciał wyjeżdżać z domu. I nie mógł jej tego teraz wytłumaczyć.

– Dam sobie radę. – Z jej perspektywy nic nie miało znaczenia.

– Chcę, żebyś przyjechała do mnie jutro z Pip.

Takie były ich wcześniejsze plany, a teraz, bardziej niż kiedykolwiek, chciał ją mieć przy sobie.

– Nie mogę – powiedziała szczerze.

Nie wyobrażała sobie jazdy samochodem do Safe Harbour. Matt także doszedł do wniosku, że Ophélie nie powinna prowadzić.

– To ja przyjadę. Zadzwonię rano. I zadzwonię za godzinę, żeby sprawdzić, jak się czujesz. Śpij sama, jeśli jesteś taka zdenerwowana. Potrzebujesz czasu dla siebie. Pip tylko by się dodatkowo zestresowała.

– Zapytam ją, co woli. Nie musisz już dziś dzwonić. Nic mi nie będzie.

– Nie jestem pewien. Poproś Pip do telefonu, dobrze?

Ophélie zawołała córkę i Pip podniosła słuchawkę w gabinecie. Matt powiedział jej, żeby dzwoniła do niego, gdyby się coś działo, a jeśli z Ophélie będzie naprawdę źle, ma zadzwonić na pogotowie.

– Wygląda trochę lepiej – poinformowała go Pip.

Kiedy wróciła do pokoju matki, Ophélie zapaliła światło. Nadal była śmiertelnie blada, ale usiłowała uspokoić Pip.

– Przepraszam. Ja… przestraszyłam się… – Tyle tylko mogła powiedzieć na swoje usprawiedliwienie. Nie zamierzała opowiadać córce całej historii. Nigdy. Ani tego, że mały Willie jest jej przyrodnim bratem.

– Ja też – powiedziała cicho Pip. Weszła do łóżka matki i przytuliła się do niej. Ophélie była lodowato zimna i Pip narzuciła jej koc na ramiona. – Chcesz coś, mamo? – Przyniosła jej szklankę wody i Ophélie wypiła łyk, żeby zrobić jej przyjemność. Fatalnie czuła się ze świadomością, że tak bardzo ją przestraszyła.

– Już mi lepiej. Zostań ze mną – zaproponowała.

Rozebrała się i włożyła nocną koszulę, a Pip poszła do siebie i po chwili wróciła przebrana w piżamę. Przez długi czas leżały, obejmując się, w końcu znowu zadzwonił Matt.

Pip zapewniła go, że wszystko jest w porządku, mówiła raźniejszym głosem, uwierzył więc w jej zapewnienia. Nim odłożył słuchawkę, powiedział, że na pewno zobaczy się z nimi następnego dnia. I po raz pierwszy powiedział Pip, że ją kocha. Wiedział, że dziewczynka potrzebuje tych słów, a on chciał jej to powiedzieć.

Pip przytuliła się do matki, ale żadna nie mogła zasnąć. Pip nieustannie spoglądała na Ophélie, żeby sprawdzić, czy wszystko w porządku. W końcu zasnęły przy zapalonym świetle, żeby nie mogły ich nawiedzić demony.

Święto Dziękczynienia Matta było zupełnie inne niż święto Ophélie i Pip. Jak zwykle zamierzał je zignorować, tak jak to robił od sześciu lat. Pracował nad portretem Pip i był zadowolony z efektów. Później zrobił sobie kanapkę z tuńczykiem, bo nawet kanapka z indykiem byłaby nie na miejscu. Kiedy mył talerz, ktoś zastukał do drzwi. Matt nie miał pojęcia, kto to może być. Nikogo nie oczekiwał, a najbliżsi sąsiedzi nigdy nie zawracali mu głowy. Początkowo ignorował pukanie, ale ten ktoś nie rezygnował i w końcu Matt podszedł do drzwi, szeroko je otworzył i zobaczył przed sobą nieznajomą twarz. Stał przed nim wysoki młody człowiek z brązowymi oczami, ciemnymi włosami i z brodą. Ze zdziwieniem skonstatował, że twarz młodego mężczyzny nie jest tak całkiem obca. Już ją kiedyś widział, dawno temu, w lustrze. To był on sprzed lat. Wtedy też nosił brodę. Młody człowiek odezwał się i Matta coś ścisnęło w gardle.

– Tata?

To był Robert. Kiedy widział go ostatni raz, syn miał dwanaście lat. Matt nie powiedział ani słowa, tylko przytulił go do siebie tak mocno, że prawie nie mógł oddychać. Nie miał pojęcia, jakim cudem Robert go odnalazł ani dlaczego przyjechał. Odczuwał jedynie wdzięczność, że jest.

– O mój Boże – powiedział, nie wierząc własnym oczom. Podświadomie był pewien, że kiedyś się spotkają. Nie wiedział jak i kiedy, ale wyczuwał, że tak się stanie. – Co ty tu robisz?

– Studiuję w Stanford. Szukam cię od dawna. Zgubiłem twój adres, a mama powiedziała, że go nie zna.

– Co takiego? – Wciąż stali w drzwiach i Matt gestem zaprosił go do środka. – Usiądź. – Machnął ręką w stronę zniszczonej skórzanej kanapy.

Robert usiadł i uśmiechnął się do ojca. Też był zadowolony. Obiecał sobie, że kiedyś odnajdzie ojca, i w końcu mu się udało.

– Powiedziała, że straciła z tobą kontakt i że przestałeś pisać – powiedział cicho.

– Co roku przysyła mi życzenia świąteczne. Wie, gdzie mieszkam.

Robert rzucił mu dziwne spojrzenie i Mattowi nagle zrobiło się niedobrze.

– Mówiła, że od lat nie miała od ciebie znaku życia.

– Pisałem do was jeszcze przez cztery lata, po tym, jak przestaliście mi odpisywać, ty i Vanessa – wyjąkał oszołomiony Matt.

– To nie my przestaliśmy pisać, tylko ty – odparł zaszokowany Robert.

– Nic podobnego. Wasza matka stwierdziła, że nie chcecie mnie w waszym życiu. Interesował was jedynie Hamish. Od trzech lat nie miałem od was żadnego listu. W końcu spytała, czy się zgadzam, by Hamish was zaadoptował, ale się nie zgodziłem. Jesteście moimi dziećmi i zawsze nimi będziecie. Jednak po trzech latach waszego milczenia poddałem się. Od tego czasu minęły kolejne trzy lata. Ale stale miałem kontakt z waszą matką. Pisała, że beze mnie jesteście szczęśliwsi, i dlatego ustąpiłem.

Zabrało im to całe popołudnie, ale kiedy opowiedzieli sobie wzajemnie swoją część historii, bez trudu zrozumieli, co się stało. Sally zatrzymywała jego listy i mówiła dzieciom, że przestał pisać. Zawiadomiła też Matta, że dzieci nie chcą mieć z nim żadnego kontaktu. Chciała, żeby zastąpił go Hamish, i przypuszczalnie jego także okłamywała. Sprytnie i złośliwie usunęła Matta z życia Roberta i Vanessy, jak jej się wydawało, na zawsze, i na sześć lat pozbawiła ich możliwości jakiegokolwiek kontaktu. Robert powiedział, że szukał go od września i wreszcie odnalazł przed trzema dniami. Wizyta u ojca była prezentem, jaki zrobił sam sobie z okazji Święta Dziękczynienia. Obawiał się jedynie odrzucenia. Nigdy nie pojął, dlaczego ojciec zerwał z nimi kontakt, i bał się, że nie zechce go widzieć. Nigdy nie spodziewał się takiego przywitania ani opowieści, jaką usłyszał. Obaj rozpłakali się, kiedy zrozumieli, co się stało, i przez dłuższą chwilę siedzieli objęci na kanapie. Później Robert pokazał ojcu zdjęcie Vanessy, która była piękną szesnastoletnią blondynką. Kilka minut później zadzwonili do niej. Robert wiedział, gdzie jest siostra i że u niej jest trzecia po południu.

– Mam dla ciebie niespodziankę – zaczął tajemniczo, poruszony tym, co miał za chwilę powiedzieć. I on, i Matt mieli w oczach łzy. – Mam ci dużo do powiedzenia i porozmawiamy później. Wszystko ci wyjaśnię. Jest tu ktoś, kto chciałby się z tobą przywitać.

– Cześć, Nessie – powiedział Matt i przez moment w telefonie panowała cisza.

– Tata? – Dla niego wciąż miała głos małej dziewczynki. Po chwili ona też się rozpłakała. – Gdzie jesteś? Nic nie rozumiem. Jak Robert cię znalazł? Tak się bałam, że umarłeś i nikt o tym nie wie. Mama niczego o tobie nie wiedziała. Powiedziała, że zniknąłeś z powierzchni ziemi.

Sally tego by właśnie chciała. Co za obrzydliwe postępowanie. A jednocześnie przez cały czas przyjmowała od niego pieniądze i wysyłała życzenia świąteczne.

– Kiedyś o tym pomówimy. Nigdzie nie zniknąłem. Myślałem, że to wy zniknęliście. Robert ci to później wytłumaczy. Ja też. Chciałem ci tylko powiedzieć, że cię kocham… Chciałem ci to powiedzieć przez ostatnich sześć lat. Wygląda na to, że mama coś sobie wymyśliła. Pisałem do was przez trzy lata i nigdy nie dostałem odpowiedzi.

Chciał, by wiedziała przynajmniej tyle.

– Nie dostawaliśmy od ciebie żadnych listów – wyszeptała zaskoczona Vanessa.

Musieli wiele przemyśleć. Matka, której ufali, kobieta, którą kiedyś kochał, popełniła potworną zbrodnię.

– Wiem. Nie mów nic mamie. Sam z nią porozmawiam. Cieszę się, że cię słyszę. Chciałbym cię zobaczyć. Niedługo przyjadę. Może spędzimy razem święta Bożego Narodzenia.

– To by było super! – Nadal mówiła jak Amerykanka, jak trochę starsza Pip. Chciał, żeby Ophélie i Pip poznały jego dzieci.

– Niedługo do ciebie zadzwonię. Mamy sobie mnóstwo do opowiedzenia. Na zdjęciu, które pokazał mi Robert, wyglądasz fantastycznie. Odziedziczyłaś włosy po mamie.

Choć na szczęście nie jej serce czy zły charakter. Nie mógł uwierzyć, że kobieta, którą kochał i poślubił, na sześć lat odebrała mu dzieci. Nie mógł sobie wyobrazić niczego gorszego. Nie mógł sobie nawet wyobrazić, czym się kierowała. Miał jej dużo do powiedzenia, ale najpierw musiał ochłonąć, bo inaczej nawet nie potrafiłby wyrazić wszystkiego, co myśli. Zamierzał także zadzwonić do Hamisha, który zapewne brał udział w spisku, chociaż Robert tak nie uważał i nadal twierdził, że to fajny facet. Przynajmniej zachowywał się przyzwoicie w stosunku do Roberta i Vanessy. Jednak tego, co zrobiła Sally, nie dawało się w żaden sposób wytłumaczyć. Nigdy jej nie wybaczy.

Porozmawiał jeszcze chwilę z Vanessą, a później oddał słuchawkę Robertowi, który usiłował wyjaśnić siostrze, co się stało. Przyjmowali wszystko z niedowierzaniem, ale Robert ufał ojcu. Widział, że Matt mówi prawdę i że wydarzenia ostatnich sześciu lat wiele go kosztowały. Nie potrafił ukryć bólu nawet teraz, przed synem.

Matt i Robert przegadali kilka godzin. Wciąż rozmawiali, kiedy zadzwoniła Pip z informacjami o matce. Robert słuchał uważnie.

– O co chodzi? – spytał. Chciał wiedzieć jak najwięcej o ojcu.

– Wdowa z córką. Coś się stało, ale na razie nie wiem co.

– To twoja dziewczyna? – zapytał z uśmiechem Robert. Matt pokręcił głową.

– Nie, przyjaźnimy się. Ma ciężki okres. Jej mąż i syn zginęli rok temu.

– Rozumiem. A masz kogoś?

Robert był bardzo szczęśliwy, że odnalazł ojca, i chciał się wszystkiego dowiedzieć. Tymczasem Matt zrobił mu kanapkę, ale Robert był zbyt podekscytowany, żeby jeść.

– Nie, nie mam nikogo – odparł ze śmiechem Matt. – Jestem samotnikiem.

– I wciąż malujesz. – Spojrzał na portret swój i siostry, a potem zauważył portret Pip. – Kto to jest?

– Dziewczynka, która dzwoniła.

– Wygląda jak Nessie – stwierdził Robert, przyglądając się uważnie obrazowi. W oczach dziewczynki było coś hipnotyzującego, a w jej uśmiechu – coś niesłychanie wzruszającego.

– To prawda. Namalowałem ten portret jako prezent urodzinowy dla jej matki.

– Bardzo dobry. Jesteś pewien, że się w niej nie kochasz? W sposobie, w jaki Matt o niej mówił, było coś podejrzanego.

– Całkiem pewien. A ty? Masz żonę czy dziewczynę?

Robert roześmiał się i opowiedział o swojej aktualnej miłości, o zajęciach w Stanford, o przyjaciołach, pasjach i życiu. Musieli zrelacjonować sobie całe sześć lat i rozmawiali prawie do rana. Robert zasnął w łóżku ojca o czwartej, a Matt położył się na kanapie. Robert nie zamierzał zostać na noc, ale nie mógł rozstać się z ojcem.

Kiedy obudzili się rano, znów zaczęli rozmawiać. Matt zrobił synowi jajka na bekonie. O dziesiątej Robert stwierdził, że musi już jechać, ale obiecał, że wróci w następny weekend. Matt przyrzekł, że odwiedzi go w Stanford w ciągu tygodnia.

– Teraz już się mnie nie pozbędziesz – ostrzegł Matt. Był bardzo szczęśliwy. Robert także.

– Nigdy tego nie chciałem, tato – powiedział cicho. – Myślałem, że o nas zapomniałeś. Albo umarłeś. Inaczej nie umiałem sobie tego wytłumaczyć. Nie przypuszczałem, że przestałeś do nas pisać z innego powodu. Wiedziałem, że na pewno byś nas nie porzucił, i musiałem się o tym przekonać.

– Dzięki Bogu, że mnie znalazłeś. Zamierzałem skontaktować się z tobą i Nessie za parę lat, żeby sprawdzić, czy nie zmieniliście zdania. Nie poddałem się, postanowiłem zaczekać.

Miał także dużo do powiedzenia Sally, choć ważniejsze było to, jak ona wytłumaczy swoje postępowanie. I co zamierza powiedzieć dzieciom? Pozbawiła je ojca na całe sześć lat i wszystkich oszukała. Był to niewybaczalny grzech, nie tylko w oczach Mata, lecz także Roberta. Dzieci z pewnością nie będą jej już ufały.

Robert w końcu wyjechał o wpół do jedenastej, w piątkowe przedpołudnie. Matt przeżył najlepsze Święto Dziękczynienia w swoim życiu i nie mógł się doczekać, żeby opowiedzieć o tym Ophélie i Pip. Najpierw musiał się jednak dowiedzieć, co się dzieje z Ophélie. Zadzwonił zaraz po odjeździe syna. Czuł się jak nowo narodzony. Znowu ma dzieci. Co za wspaniałe uczucie. Był pewny, że Ophélie i Pip też się ucieszą.

Pip podniosła słuchawkę po drugim dzwonku. Była poważna, ale nie zdenerwowana i po cichu poinformowała go, że matka czuje się dobrze, w każdym razie lepiej niż poprzedniego wieczoru. Później oddała słuchawkę Ophélie.

– Jak się czujesz? – zapytał spokojnie.

– Nie wiem. Otępiała.

– Miałaś okropną noc. Wybierzesz się do mnie?

– Nie jestem pewna – powiedziała niezdecydowana.

Głos nadal jej drżał.

– Czy chcesz, żebym przyjechał? Z drugiej strony dobrze by ci zrobiło, gdybyś się tutaj wybrała. Moglibyśmy pójść na spacer plażą. Jak wolisz.

Zawahała się i po namyśle przyznała, że to nie jest zły pomysł. Chciała wyjść z domu i oderwać się od wszystkiego, co przypominało jej męża. Nawet nie wiedziała, co powie Mattowi. Czuła się upokorzona i zgnębiona. Ted zdradził ją z najbliższą przyjaciółką. Potraktowali ją z niebywałym okrucieństwem, a Andrea chciała wykorzystać Chada, żeby ją zniszczyć. Ophélie wiedziała, że nigdy nie wybaczy ani nie zapomni tego ciosu. I wiedziała, że Matt ją zrozumie.

– Przyjadę – stwierdziła cicho. – Nie wiem, czy chcę rozmawiać. Chcę tam być i po prostu oddychać morskim powietrzem.

Miała wrażenie, że w domu nie jest w stanie głębiej odetchnąć, jakby miała kamień na piersiach.

– Jeśli nie chcesz, nie musisz nic mówić. Będę czekał. Jedź ostrożnie. Przygotuję lunch.

– Nie mogę jeść.

– Nie szkodzi. Pip na pewno coś zje. Mam masło orzechowe.

I zdjęcia dzieci do pokazania. Robert zostawił mu wszystkie fotografie, jakie miał przy sobie. To był najwspanialszy prezent. Matt czuł się tak, jakby dostał z powrotem swoją duszę. Duszę, którą była żona usiłowała zniszczyć. Ale to by jej się nigdy nie udało. Teraz niecierpliwie czekał na przyszły tydzień, żeby odwiedzić Roberta w Stanford.

Ophélie jakby poruszała się pod wodą. Ubranie się i jazda nad morze zabrały jej więcej czasu niż zwykle. Matt usłyszał samochód dopiero w południe. Sprawy przedstawiały się gorzej, niż myślał, a może tylko gorzej wyglądały. Pip miała poważną minę, a Ophélie była blada i roztrzęsiona.

I chyba się nawet nie uczesała. Dla Pip był to znajomy widok, bo matka wyglądała tak samo po śmierci Teda i Chada. Pip podbiegła do Matta i rzuciła mu się w ramiona, obejmując go kurczowo za szyję.

– Już dobrze, Pip… Dobrze.

Tuliła się w niego przez dłuższą chwilę, a potem weszła z psem do domu. Matt spojrzał na Ophélie. Stała nieruchomo. Podszedł, objął ją i razem weszli do środka. Wcześniej schował portret i Pip rozglądała się z nieśmiałym uśmiechem. Spojrzeli na siebie porozumiewawczo i Matt skinął głową, dając do zrozumienia, że wszystko jest w porządku.

Przygotował kanapki. Przez cały lunch Ophélie nie odezwała się ani słowem. Kiedy Matt wyczuł, że jest gotowa mówić, zaproponował Pip, żeby wzięła Musa na spacer po plaży. Dziewczynka włożyła kurtkę i zawołała psa. Matt w milczeniu podał Ophélie filiżankę herbaty.

– Dziękuję. I przepraszam, że się tak zachowywałam wczoraj wieczorem. Zrobiłam świństwo Pip. Czułam się tak, jakby Ted umarł jeszcze raz.

– Czy to z powodu Święta Dziękczynienia?

Ophélie pokręciła głową. Nie wiedziała, co powiedzieć. Wyjęła z torebki list Andrei i podała Mattowi. Zawahał się przez moment, chcąc się upewnić, czy na pewno ma go przeczytać, jednak widział, że podjęła taką decyzję. Zaczął czytać list. Ophélie usiadła naprzeciwko niego przy stole i oparła głowę na rękach.

Kiedy skończył, spojrzał na nią bez słowa. Jej oczy wyrażały bezbrzeżną rozpacz. Wziął ją za rękę i przez dłuższą chwilę siedzieli w milczeniu. Tak jak wcześniej Ophélie, domyślił się, że to Andrea napisała list i że Ted jest ojcem jej dziecka. Nietrudno było się domyślić, ale znacznie trudniej było zrozumieć i z tym żyć. To, że Ophélie właśnie teraz znalazła list, było okrutnym żartem losu. To i fakt, że Andrea wykorzystywała chorobę Chada, by przeciągnąć Teda na swoją stronę.

– Nie wiesz, co zamierzał zrobić – powiedział w końcu Matt. – Z listu wynika wyraźnie, że jeszcze nie podjął decyzji. – Niewielka pociecha w świetle tego, że miał romans z najbliższą przyjaciółką Ophélie i że zrobił jej dziecko.

– Tak mówiła – przyznała drewnianym głosem Ophélie. Czuła się, jakby miała ciało z ołowiu.

– Rozmawiałaś z nią? – spytał zaskoczony.

– Tak. Pojechałam do niej do domu. I powiedziałam, że nie chcę jej więcej widzieć. Dla mnie już nie istnieje, tak jak Ted i Chad. Nasze małżeństwo też umarło. Nie chciałam przyjąć tego do wiadomości, tak jak on nie przyjmował do wiadomości choroby Chada. Wszyscy na swój sposób byliśmy głupi i ślepi.

– Kochałaś go. To normalne. I on, mimo wszystko, też cię chyba kochał.

– Tego już się nigdy nie dowiem. – Najgorsza była świadomość, że list odebrał jej wiarę w miłość Teda.

– Musisz w to wierzyć. Mężczyzna nie spędza dwudziestu lat u boku kobiety, której nie kocha. Ted na pewno miał swoje wady, ale jestem pewny, że cię kochał.

– Może chciał mnie dla niej porzucić?

Choć znając Teda, nie była pewna. Zostałby z nią, nie dlatego że ją kochał, lecz dlatego że nie kochał nikogo oprócz siebie. Mógł zostawić Andreę z dzieckiem i niczego dla niej nie zrobić. Lecz to nadal nie oznaczało, że kochał żonę. Całkiem możliwe było to, że nie kochał żadnej z nich.

– Miał wcześniej inny romans – powiedziała zdławionym głosem.

Wtedy mu wybaczyła. Wybaczyłaby mu wszystko. Aż do tej pory. Tym razem nie mogli tego załatwić, omówić, wyjaśnić. Tym razem musi radzić sobie sama. Tym razem niczego nie da się naprawić. W ciągu jednego wieczoru jeden list i zdrada przyjaciółki porwały na strzępy całe jej życie.

– Miał romans, kiedy Chad zaczął chorować. Chyba mnie wtedy nienawidził. To była jego zemsta. Albo ucieczka.

Albo tylko w ten sposób mógł sobie z tym poradzić. Zaczął romans, kiedy wyjechałam z Pip do Francji. Nie sądzę, by zależało mu na tej kobiecie, ale mnie to mało nie zabiło. Przestał się z nią spotykać. Wybaczyłam mu. Zawsze wybaczałam. Zawsze i wszystko. Chciałam tylko go kochać i być jego żoną.

A on kochał wyłącznie siebie. Matt nie miał co do tego wątpliwości, jednak nic nie powiedział. Sama musi dojść do tego wniosku i nauczyć się z nim żyć. Nie chciał jej ranić.

– Powinnaś zapomnieć. Inaczej ciągle będziesz to przeżywała. Jego już nie ma. Jego to już nie dotyczy. Tylko ciebie.

– Zniszczyli wszystko. Ted i Andrea. Udało mu się dosięgnąć mnie zza grobu.

Głupotą było zachowanie listu i trzymanie go w kieszeni marynarki. Matt pomyślał, że może mąż Ophélie chciał zostać przyłapany. Może liczył, że to ona go zostawi.

– Co powiesz Pip?

– Nic. Nie musi wiedzieć. Nawet teraz to jest sprawa między Tedem a mną. W którymś momencie powiem jej, że nie będziemy się widywały z Andreą. Wymyślę jakiś pretekst albo powiem, że kiedyś jej to wyjaśnię. Wie, że wczoraj wieczorem stało się coś strasznego, ale nie wie, że to ma jakiś związek z Andreą. Nie mówiłam jej, dokąd idę, kiedy wyszłam z domu.

– To dobrze. – Wciąż trzymał ją za rękę. Najchętniej przytuliłby ją, obawiał się jednak, że nie byłaby zadowolona. Wyglądała żałośnie i krucho, jak ptaszek z przetrąconymi skrzydłami.

– Wczoraj omal nie zwariowałam. Przepraszam, nie chciałam ci tym wszystkim zawracać głowy.

– Dlaczego nie? Wiesz, jak bardzo martwię się o ciebie i o Pip.

Może nie wie? On sam dopiero niedawno zdał sobie z tego sprawę. Nigdy tak mu na nikim nie zależało. Oprócz własnych dzieci. To mu coś przypomniało.

– Coś się wczoraj wydarzyło – powiedział cicho, nadal trzymając Ophélie za rękę. – I jednocześnie dowiedziałem się o okropnej zdradzie. Ktoś odwiedził mnie na Święto Dziękczynienia...

– Kto? – spytała, starając się okazać zainteresowanie.

– Mój syn.

Opowiedział jej, co się stało, a Ophélie słuchała go z szeroko otwartymi oczami.

– Nie wierzę, że mogła zrobić coś takiego tobie i własnym dzieciom. Czy nie przyszło jej do głowy, że to się wcześniej czy później wyda? – spytała z niedowierzaniem.

Oboje zostali okrutnie zdradzeni przez ludzi, których kochali i którym ufali. To najgorszy rodzaj zdrady.

– Wygląda na to, że nie. Zapewne sądziła, że o mnie zapomną albo pomyślą, że umarłem. No i prawie zapomnieli. Myśleli, że nie żyję. Robert szukał mnie, żeby się upewnić. I zdziwił się, kiedy odnalazł mnie żywego. Jest fantastycznym chłopakiem. Chciałbym, żebyście jak najszybciej go poznały. Może spędzimy razem Boże Narodzenie? – powiedział z nadzieją w głosie. Już robił plany.

– Tym razem nie masz nic przeciwko świętom? – zapytała z uśmiechem.

Matt roześmiał się głośno.

– W tym roku nie. Niedługo polecę do Auckland, aby zobaczyć się z Vanessą.

– To cudownie – ucieszyła się Ophélie.

Pip, która właśnie weszła, uśmiechnęła się, widząc, że matka i Matt trzymają się za ręce.

– Czy już mogę wrócić? – spytała. Mus wpadł do środka, wnosząc na łapach piach. Matt zapewnił, że wcale mu to nie przeszkadza.

– Miałem zaproponować twojej mamie spacer brzegiem morza. Chcesz iść z nami?

– Muszę? – zapytała, sadowiąc się na kanapie. – Zimno mi i jestem zmęczona.

– Nie musisz. Niebawem wrócimy.

Spojrzał na Ophélie, która skinęła głową. Też miała ochotę na spacer.

Włożyli płaszcze i wyszli. Matt objął Ophélie i przyciągnął ją do siebie. Nagle wydała mu się jeszcze mniejsza i bardziej krucha. Gdy szli brzegiem morza, opierała się o niego. Matt był teraz jej jedynym przyjacielem, jedyną osobą, której mogła wierzyć. Sama nie wiedziała, co myśleć o swoim małżeństwie i nieżyjącym mężu. Nie wiedziała, co myśleć o kimkolwiek oprócz Matta. Przez całą drogę nie powiedziała słowa. Wystarczało jej, że Matt jest obok.

Rozdział 22

Matt pojechał do Roberta w poniedziałek po Święcie Dziękczynienia, a w drodze powrotnej odwiedził Ophélie i Pip. Pip wróciła akurat ze szkoły, a Ophélie wzięła w pracy wolny dzień. Była zbyt zdenerwowana i czuła się tak, jakby nagle zmieniło się całe jej życie. Tego ranka postanowiła pozbyć się ubrań Teda. W ten sposób chciała wyrzucić go z domu i ukarać za to, co zrobił. Tylko taka zemsta jej została, ale wiedziała, że to pomoże. Musi iść naprzód. Nie może kurczowo trzymać się mężczyzny, który ją zdradził i miał dziecko z inną kobietą. Teraz zrozumiała, że żyła iluzjami i marzeniami. Należy się obudzić, nawet jeśli poczuje się bardzo samotna.

Opowiedziała o tym Mattowi, kiedy Pip poszła do siebie odrabiać lekcje. Nie chciał jej mówić, że Ted był łajdakiem. Sama musi wyciągnąć wnioski. Z zadowoleniem stwierdził jednak, że Ophélie zaczęła inaczej myśleć, i w duchu ją za to pochwalił.

Przy okazji umówili się, że Matt przyjedzie na jej urodziny w przyszłym tygodniu. Jak zwykle jego plany uwzględniały

Pip, w końcu z nią się najpierw zaprzyjaźnił, co zawsze podkreślała Ophélie, a Matt kwitował uśmiechem.

Tym razem wybrał na urodzinową kolację bardziej „dorosłą" restaurację. Chciał zaprosić Ophélie w specjalne miejsce. Zasłużyła na coś miłego po całej tej historii z Tedem i Andreą. Powiedziała mu, że dostała list od Andrei. Andrea jeszcze raz ją za wszystko przepraszała i pisała, że wprawdzie nie spodziewa się wybaczenia, ale chce powiedzieć jej, że bardzo ją kocha.

– Jestem okropna, ale nic na to nie poradzę – powiedziała Ophélie Mattowi. – Nie chcę jej więcej widzieć.

– Wcale mnie to nie dziwi.

Matt powiedział Ophélie, że zamierza wieczorem zadzwonić do Sally.

– Wygląda na to, że oboje wyrównujemy rachunki – stwierdziła ze smutkiem.

– Najwyższy czas.

Przcz cały dzień myślał o tym, co powie byłej żonie. Co można powiedzieć komuś, kto ukradł twoje dzieci i sześć lat z życia, nie mówiąc o zniszczonym małżeństwie? Tego nie da się niczym zrekompensować. Ophélie również zdawała sobie z tego sprawę.

Rozmawiali bardzo długo i w końcu Ophélie zaprosiła go na kolację. Przyjął zaproszenie i pomógł przygotować posiłek.

Zadzwonił do Ophélie późnym wieczorem, po rozmowie z Sally.

– Co powiedziała?

– Usiłowała kręcić. Nie udało jej się, bo wiem już bardzo dużo. A potem się rozpłakała. Płakała przez godzinę. Powiedziała, że zrobiła to dla dzieci, żeby czuły się członkami jednej rodziny, z Hamishem jako ojcem. Ja ją najmniej obchodziłem. Stałem się niepotrzebny. Sally zabawiła się w Boga. Nie potrafiła się wytłumaczyć. W przyszłym tygodniu, po twoich urodzinach, lecę do Auckland zobaczyć się z Vanessą. Na kilka dni. Sally powiedziała, że przyśle ją do mnie na Boże Narodzenie, jeśli chcę. Powiedziałem, że tak. Będę miał przy sobie oboje. – Był bardzo poruszony. – Wynajmę dom w Tahoe i zabiorę ich na narty. Może ty i Pip też pojedziecie. Czy Pip jeździ na nartach?

– Uwielbia narty.

– A ty? – spytał z nadzieją w głosie.

– Jeżdżę, choć nienadzwyczajnie. Nie znoszę wyciągu krzesełkowego. Mam lęk wysokości.

– Możemy jeździć razem. Ja też nie jestem nadzwyczajnym narciarzem. Pomyślałem jednak, że to fajny pomysł. Mam nadzieję, że się wybierzecie.

Mówił szczerze, ale Ophélie miała wątpliwości.

– Czy twoje dzieci nie wolałyby być tylko z tobą, skoro tak długo cię nie widziały? Nie chciałabym przeszkadzać.

– Zapytam ich, chociaż nie wyobrażam sobie, żeby mieli coś przeciwko temu, zwłaszcza jeśli was wcześniej poznają. Opowiadałem o was Robertowi.

O mało się nie wygadał, że Robert widział portret Pip.

Potem zapytał, czy Ophélie wybiera się na noc do pracy. Powiedziała, że tak.

– Masz za sobą ciężkie dni. Nie mogłabyś wziąć wolnego? – Najlepiej na zawsze. Nienawidził jej zajęcia, ale Ophélie nie chciała go słuchać.

– Będą mieli o jedną osobę za mało, jak nie pojadę. Poza tym zajmę głowę czymś innym.

Matt z ulgą stwierdził, że mimo wszystko Ophélie jakoś daje sobie radę. Nie podobało mu się wyłącznie to, że pracuje z drużyną wyjazdową, zwłaszcza kiedy jest zmęczona i rozkojarzona.

Tymczasem nic się nie stało i noc minęła bez przygód, o czym Ophélie opowiedziała Mattowi, gdy zadzwonił następnego dnia. Czwartkowa noc także minęła spokojnie.

W sobotę były urodziny Ophélie. Przed wyjściem do restauracji Matt przyjechał do nich do domu i razem z Pip poszli do samochodu po portret. Pip kazała matce zamknąć oczy, a potem pocałowała ją i zamaszystym gestem wręczyła obraz.

– Och, mój Boże! – krzyknęła Ophélie. – Jaki piękny! Pip! Matt!

Nie mogła oderwać oczu od portretu. Matt uchwycił nie tylko podobieństwo fizyczne, lecz także ducha Pip. Łzy napływały Ophélie do oczu za każdym razem, gdy patrzyła na obraz. Niechętnie zostawiła go w domu, kiedy wyszli do restauracji, i nie mogła się doczekać, by go powiesić. Matt był szczęśliwy, widząc, jak bardzo portret Pip ją ucieszył. Dziękowała mu za niego wiele razy.

Zjedli znakomitą kolację zakończoną urodzinowym tortem, który Matt wcześniej zamówił. Kiedy wrócili do domu, Pip była bardzo zmęczona. Ucałowała na dobranoc mamę i Matta, szczęśliwa, że Ophélie obraz tak bardzo się spodobał.

– Nie wiem, jak ci dziękować – powiedziała Ophélie. – To najpiękniejszy prezent, jaki w życiu dostałam.

To był prawdziwy podarunek miłości, nie tylko od Pip, lecz także od Matta.

– Jesteś niesamowitą kobietą – powiedział Matt, siadając obok niej na kanapie.

I bardzo uczciwą, pomyślał. Zupełnie inną niż moja była żona.

– Jesteś taki dobry dla mnie i dla Pip – westchnęła z wdzięcznością.

Matt wziął ją za rękę. Chciał, aby Ophélie mu ufała, i wiedział, że tak jest, choć nie był pewien w jakim stopniu. To, co zamierzał teraz powiedzieć, wymagało ogromnego zaufania.

– Zasługujesz na to, żeby ludzie byli dla ciebie dobrzy. Pip też.

Czuł się, jakby Ophélie i Pip były jego rodziną, a on z kolei był jedyną rodziną dla nich. Straciły wszystkie inne bliskie osoby.

Pochylił się lekko w jej stronę i delikatnie pocałował ją w usta. Od lat nikogo nie całował, a jej, od śmierci męża, nie dotknął żaden mężczyzna. Byli dwiema kruchymi istotami, gwiazdami przesuwającymi się po niebie. Pocałunek zaskoczył Ophélie, ale – ku zadowoleniu Matta – nie odsunęła się. Przez chwilę trwali razem zawieszeni w czasie, a kiedy Matt oderwał usta od ust Ophélie, obojgu brakowało tchu. Bał się, że ona będzie się złościć, i ucieszył się, że tak nie jest, ale widział, że się boi. Wziął ją w ramiona.

– Co my robimy? To szaleństwo – powiedziała. Potrzebowała przede wszystkim bezpieczeństwa. I czuła się bezpieczna tylko przy nim. A on z nią.

– Nie – zaprzeczył. – Od dawna chciałem to zrobić i wyrazić moje uczucia, ale bałem się ciebie przestraszyć, i dlatego nic nie mówiłem. Za dużo przeżyłaś.

– Ty też – szepnęła, dotykając delikatnie jego twarzy i uśmiechnęła się na myśl, że Pip będzie zachwycona. Powiedziała to Mattowi.

– W niej także się zakochałem. Chcę, żebyście jak najszybciej poznały moje dzieci.

– Ja też.

Matt znowu ją pocałował.

– Wszystkiego dobrego, kochanie.

Kiedy wyszedł, Ophélie pomyślała, że były to najlepsze urodziny w jej życiu.

Rozdział 23

We wtorek po urodzinach Ophélie miała kolejny nocny wyjazd. Bob zwrócił jej uwagę, że jest nieostrożna, sprawdzając „żłóbki", jak nazywali pudła i konstrukcje, gdzie spali bezdomni. Na ogół podchodzili blisko, sprawdzali, czy w środku są ludzie i czy nie śpią, po czym pytali, czego im trzeba, ale należało uważać, by uniknąć przykrych niespodzianek.

Ophélie zamyślała się i odwracała plecami do grupek młodych mężczyzn, którzy często do nich podchodzili. Ludzie na ulicach zawsze interesowali się ich działalnością, jednakże ostrożność i wytężona uwaga były niezwykle istotne. Ulicą rządziły prawa dżungli, nawet jeśli większość ludzi zachowywała się przyjacielsko. Bezdomni, których spotykali, byli przeważnie łagodni i spokojni, wdzięczni za to, co dostają. Między nimi żyli jednak także przestępcy i awanturnicy, tacy, którzy chcieli ich wykorzystać i bez skrupułów brali, co się dało. Co najmniej jedna trzecia, a może nawet połowa wszystkiego, co rozdawali, dostawała się później w ręce złodziei i handlarzy. W tym świecie liczyła się tylko możliwość przeżycia. Ophélie wiedziała o tym równie dobrze jak pozostali członkowie drużyny. Można było jedynie starać się pomóc i mieć nadzieję, że to coś daje.

– Hej, Ophie! Uważaj, dziewczyno. Co się dzieje? – spytał Bob, przyglądając jej się z troską, gdy wracali do samochodu po drugim postoju. Musiała uważać, ponieważ bezpieczeństwo całej grupy zależało od każdego z nich. Choć czasem zachowywali się mniej formalnie, żartowali między sobą czy z bezdomnymi, musieli nieustannie uważać i mieć oczy dokoła głowy. I zawsze spodziewać się najgorszego. Ciągle słyszało się o policjantach, wolontariuszach i pracownikach społecznych zabitych na ulicach na przykład wtedy, gdy pojawiali się na ulicy w pojedynkę. Wprawdzie wszyscy znali zasady, ale czasem wydawało im się, że są nietykalni i nic złego im się nie stanie.

– Przepraszam, następnym razem będę bardziej uważała – obiecała skruszona, starając się skupić. Wciąż myślała o rozmowie z Mattem.

– Musisz uważać. Co się z tobą dzieje? Wyglądasz, jakbyś była zakochana.

Wiedział, bo też się zakochał. W przyjaciółce swojej zmarłej żony. Ophélie spojrzała na niego z uśmiechem, wsiadając do samochodu. Bob miał rację. Przez cały dzień i noc nie mogła się na niczym skupić. Pocałunek Matta zachwycił ją i jednocześnie nią wstrząsnął. Z jednej strony bardzo tego chciała, z drugiej obawiała się, że zostanie zraniona. Bała się uczucia. Miłości. Tego wszystkiego, co rzuciło ją na kolana po śmierci Teda i prawie zabiło, kiedy znalazła list Andrei. Teraz usiłowała sprecyzować swoje uczucia. Z tęsknotą myślała, jakby to było dobrze wpaść w ramiona Matta i w jego życie.

– Nie wiem. Może – mruknęła. Jechali w stronę Hunters Point. O tak późnej godzinie na ogół było tu spokojniej i bezpieczniej.

– To dopiero wiadomość – powiedział, nie kryjąc zainteresowania.

W ciągu tych prawie trzech miesięcy wspólnej pracy polubił Ophélie i darzył ją szacunkiem. Była mądra, uczciwa, solidna i autentyczna, pozbawiona pozy i arogancji. Podobała mu się jej bezpośredniość i zaangażowanie.

– Mam nadzieję, że to porządny facet. Taki, na jakiego zasługujesz.

– Dzięki – powiedziała z uśmiechem.

Wyraźnie nie miała ochoty rozmawiać na ten temat i Bob nie naciskał. Panowały między nimi koleżeńskie stosunki i zrozumienie. Czasami gawędzili o poważnych sprawach, czasami o błahych. Byli jak partnerzy w patrolu policyjnym: odpowiedzialni, godni szacunku i zaufania. Od tego zależało ich życie. Przy następnym postoju i przez resztę nocy Ophélie bardziej uważała i zwracała uwagę, co się dzieje za jej plecami.

Wracając nad ranem do domu, doszła do wniosku, że martwi się o Matta. A także tym, co robi i perspektywami na przyszłość. Nie chciała zrezygnować z przyjaźni, a nieudany romans mógł wszystko popsuć. Nie powinna ryzykować ze względu na siebie, przede wszystkim jednak ze względu na córkę.

Następnego dnia rano, w drodze do szkoły, Pip zauważyła, że mama jest zamyślona i rozkojarzona.

– Coś się stało? – spytała, włączając radio. Ophélie, jak zwykle, wzdrygnęła się na dźwięk głośnej muzyki. Ostatnio Pip mniej się denerwowała nastrojami matki. Niezależnie od tego, co się działo, Ophélie szybciej wracała do równowagi. Pip nadal nie miała pojęcia, co zaszło w Święto Dziękczynienia. Wiedziała jedynie, że dotyczyło to Andrei. Matka poinformowała ją, że więcej nie będą się z nią spotykały, ale odmówiła zaszokowanej Pip odpowiedzi na jakiekolwiek pytania. „Już nigdy?" – spytała i matka potwierdziła.

– Nie, nic mi nie jest – odparła Ophélie mało przekonującym tonem.

Przez cały dzień w schronisku z trudem koncentrowała się na pracy. Nawet Miriam to zauważyła.

– U ciebie wszystko w porządku? – spytał z przejęciem Matt, gdy zadzwonił do niej po południu.

– Chyba tak – powiedziała szczerze, co go wcale nie uspokoiło.

– Co to znaczy? Czy mam wpaść w panikę?

– Nie, nie panikuj. Trochę się boję – powiedziała z uśmiechem.

– Czego się boisz?

Chciał to z nią omówić, żeby poprawić jej samopoczucie. Odkąd ją pocałował, unosił się w powietrzu. Sam wcześniej nie zdawał sobie sprawy, że tego właśnie pragnął najbardziej na świecie, chociaż już od jakiegoś czasu wiedział, że jego uczucia wobec Ophélie się zmieniły i nie są już takie neutralne.

– Chyba żartujesz? Boję się ciebie, mnie, życia, losu, przeznaczenia, dobrych rzeczy, złych rzeczy... Rozczarowań, zdrady, twojej śmierci, mojej śmierci... Mam mówić dalej?

– Nie, wystarczy. Przynajmniej na razie. Zachowaj resztę do czasu, aż się zobaczymy. Przeznaczymy na to cały dzień. – Na pewno tyle by to zajęło. – Jak ci mogę pomóc? – spytał cicho.

Ophélie westchnęła.

– Nie jestem pewna, czy w ogóle możesz. Daj mi więcej czasu. Właśnie straciłam ostatnie złudzenia na temat mojego małżeństwa. Na razie mi wystarczy. To nieodpowiedni moment.

Serce mu zamarło.

– Daj nam przynajmniej szansę. Nie podejmuj jeszcze żadnych decyzji. Oboje mamy prawo do szczęścia. Nie popsujmy wszystkiego, nim się zaczęło, dobrze?

– Spróbuję.

Tyle mogła obiecać. W głębi serca wiedziała, że byłoby mu lepiej z kimś innym. Z kimś zwyczajniejszym, kto nie został tak okaleczony. Choć przy nim zawsze czuła się pewniejsza i spokojniejsza, co nie było bez znaczenia.

W sobotę przyjechał do miasta i zabrał je na kolację, á w niedzielę pojechały do niego nad morze. Robert wpadł na jeden dzień w odwiedziny i Matt koniecznie chciał ich ze sobą poznać. Robert zrobił duże wrażenie na Ophélie. Był bardzo sympatycznym chłopcem i bardzo przypominał ojca. Bez zahamowań mówił o perfidii matki i sprawiało mu to wyraźną przykrość, ale widać też było, że nadal ją kocha. Miał dobre serce. Powiedział też, że Vanessa okropnie się wściekła na matkę i przestała się do niej odzywać.

Kiedy wracały do domu, Ophélie była w znacznie lepszym nastroju. Wcześniej Matt kilka razy objął ją i trzymał za rękę, gdy spacerowali po plaży, ale nie czynił żadnych gestów, które Pip mogłaby jednoznacznie zinterpretować. Chciał, by Ophélie przyzwyczaiła się do nowej sytuacji.

Zamierzał właśnie, w poniedziałkowy wieczór, podnieść słuchawkę, żeby do niej zatelefonował, gdy telefon zadzwonił. Miał nadzieję, że to Ophélie. Poprzedniego dnia wydawała się zadowolona i zrelaksowana. Rozmawiał z nią wieczorem, gdy wróciła do domu – była w dobrym nastroju. Chciał jej powiedzieć, że ją kocha, ale w końcu zrezygnował, gdyż uznał, że lepiej będzie zrobić to osobiście.

Okazało się, że to nie ona ani nie Pip, lecz Sally z Auckland. Przeraził się, kiedy usłyszał jej głos. Płakała. Natychmiast pomyślał, że coś się stało Vanessie.

– Sally? – Ledwo ją rozumiał. – Co się stało?

– Zasłabnięcie... Na korcie... – zrozumiał tylko. I z nieprzyzwoitą wręcz ulgą zdał sobie sprawę, że mówi o mężu, a nie o córce.

– Co? Nic nie rozumiem. Co się stało Hamishowi? – I dlaczego do niego dzwoni?

Załkała żałośnie i wykrztusiła:

– Nie żyje. Godzinę temu dostał zawału na korcie tenisowym. Usiłowali go reanimować, ale... umarł.

Znowu się rozszlochała. Matt słuchał jej i wpatrując się w przestrzeń, zobaczył w jednej sekundzie ostatnich dziesięć lat swojego życia. Dzień, kiedy Sally powiedziała mu, że odchodzi, i wyjechała do Auckland. Fakt, że zdradziła go z najbliższym przyjacielem... I zabrała ze sobą dzieci... Informacja, że wychodzi za mąż... Cztery lata podróży do Auckland i następnych sześć, kiedy nie miał kontaktu z dziećmi... A teraz dzwoni, żeby mu powiedzieć, że Hamish nie żyje. Sam nie wiedział, co czuje... do swojego przyjaciela, który okazał się zdrajcą... do niej...

– Jesteś tam? – Płakała i mówiła bez przerwy, o pogrzebie, o dzieciach, czy Robert powinien przyjechać na pogrzeb, Hamish zawsze był dla niego bardzo dobry... Jej i Hamisha dzieci są jeszcze takie małe...

Matt był przytłoczony jej słowami.

– Tak, jestem. – Pomyślał o synu. – Chcesz, żebym zadzwonił do Roberta i powiedział mu, co się stało? Jeśli uważasz, że źle to przyjmie, pojadę do niego do Stanford.

To dziwne, jak los obchodzi się z ludźmi, pomyślał. Jeden ojciec wrócił, a drugi odszedł.

– Już do niego dzwoniłam – powiedziała, nie zastanawiając się nad tym, jakie to mogło zrobić wrażenie na synu. Cała Sally.

– Jak to przyjął? – zapytał z troską Matt.

– Nie wiem. Uwielbiał Hamisha.

– Zaraz do niego zadzwonię – powiedział szybko Matt, chcąc zakończyć rozmowę.

– Chcesz przyjechać na pogrzeb? – spytała, jak zwykle nie przejmując się odległością, czasem ani jego odczuciami. W końcu Hamish go zdradził i zniszczył mu życie. Przy jej pomocy.

– Nie, nie chcę – przyznał bez ogródek.

– Może przywieziemy z Vanessą dzieci do Stanów na Boże Narodzenie – powiedziała ze smutkiem Sally. – Nie powinieneś przyjeżdżać do niej w tym tygodniu, jeśli nie chcesz wziąć udziału w pogrzebie.

Zamierzał polecieć do Auckland w czwartek, żeby wreszcie, po długich sześciu latach, zobaczyć córkę. Najwyraźniej nie był to jednak odpowiedni moment.

– Zaczekam. Przylecę, jak wszystko się trochę uspokoi, chyba że przyślesz ją tutaj. – Specjalnie powiedział „przyślesz", a nie „przywieziesz". Nie podobał mu się pomysł, żeby Sally też przyjechała. Nie życzył sobie oglądać byłej żony. – Masz teraz inne sprawy na głowie.

Pogrzeb, decyzje, może ktoś, komu można złamać życie, pomyślał. Odkąd dowiedział się od Roberta, co zrobiła, wiedział, że nigdy jej nie wybaczy.

– Nie wyobrażam sobie, co się stanie z naszą firmą – stwierdziła płaczliwie. Zawsze myślała o pracy, zawsze. Nic się nie zmieniła.

– Pech, co? – rzucił twardo. – Sprzedaj firmę, Sal. To nic wielkiego. Ja tak zrobiłem. Znajdziesz sobie coś innego. Nie warto się przejmować.

Prawie identyczne słowa wypowiedziała do niego dziesięć lat temu, ale, oczywiście, już tego nie pamiętała. Zawsze zapominała o swoich niewiarygodnie nieprzyjemnych komentarzach. Uczucia innych ludzi nigdy jej nie obchodziły.

– Naprawdę uważasz, że powinnam sprzedać firmę? – spytała z nagłym zaintcrcsowanicm.

Miał ochotę odłożyć słuchawkę i zadzwonić do syna.

– Nie mam pojęcia. Muszę kończyć. Przykro mi z powodu Hamisha. Przekaż ode mnie kondolencje jego dzieciom. Dam ci znać, kiedy będę mógł przyjechać do Vanessy. Powiedz jej, że później do niej zadzwonię.

Roberta zastał w akademiku. Chłopak nie płakał, ale był przybity i smutny.

– Przykro mi, synu, wiem, że go kochałeś. Ja też go lubiłem. – Zanim zniszczył mi życie.

– Wiem, że przez niego rozpadło się twoje małżeństwo z mamą, ale dla nas był bardzo dobry. Przykro mi ze względu na mamę. Jest zrozpaczona.

Jednak nie na tyle, żeby nie móc dyskutować z Mattem o interesach. Zawsze myślała przede wszystkim o sobie i o własnych korzyściach. W pewnym momencie związek z Hamishem był dla niej lepszym wyjściem niż małżeństwo z Mattem. Hamish miał więcej pieniędzy, więcej zabawek, więcej domów, więcej możliwości rozrywek, więc bezceremonialnie porzuciła męża. Matt nadal się z tym nie pogodził. To wszystko za dużo go kosztowało. Najmniej ważna była firma, ale nie mógł odżałować straty żony i dzieci, dziesięciu lat wykreślonych z życiorysu.

– Wybierzesz się na pogrzeb? – spytał Matt.

Robert zawahał się przez moment.

– Powinienem to zrobić ze względu na mamę, ale mam egzaminy. Rozmawiałem z Vanessą, uważa, że jeśli nie przyjadę, mama i tak da sobie radę. Ma przy sobie wiele osób, na których może się oprzeć.

I siedmioro dzieci. Czwórkę Hamisha, Vanessę i dwoje z Hamishem. Z drugiej strony Robert też jest dla niej ważny.

– Jak myślisz, tato?

– Sam musisz podjąć decyzję. Ja nie mogę tego robić za ciebie. Czy chcesz, żebym teraz do ciebie przyjechał?

– Dam sobie radę, tato, ale to szok… Chociaż może nie całkiem. Hamish przeszedł dwa zawały i dwie operacje wstawiania bypassów. Nie dbał o siebie. Mama zawsze mówiła, że tak się to skończy.

Hamish palił, pił i od wielu lat miał nadwagę. Zmarł w wieku pięćdziesięciu dwóch lat.

– Zadzwoń, jeśli zechcesz, żebym przyjechał. Może zrobimy coś razem podczas weekendu, o ile będziesz miał trochę wolnego czasu.

– Uczę się przez cały weekend, tato. Zadzwonię. Dzięki.

Matt zastanowił się przez chwilę, po czym zadzwonił do Ophélie. Żal mu było Hamisha. Może ze względu na dzieci, a może dlatego że się kiedyś z nim przyjaźnił. Mniej żałował Sally.

Opowiedział Ophélie, co się stało. Przejęła się Robertem i przez moment zastanowiła się, jakie znaczenie ma dla Matta fakt, że Sally właśnie została wdową. Kiedyś przecież szaleńczo ją kochał. Teraz Sally jest wolna. To, by między nimi cokolwiek zaszło, wydawało się mało prawdopodobne, jednak zdarzały się dziwniejsze rzeczy. Sally skończyła dopiero czterdzieści pięć lat i na pewno będzie umiała sobie kogoś znaleźć.

– Powiedziała, że może przyjedzie na Boże Narodzenie z Vanessą, żeby zobaczyć się z Robertem – poinformował ją Matt. – Mam nadzieję, że się rozmyśli. Nie chcę jej widzieć.

Był rozczarowany, że nie może lecieć do Auckland zobaczyć się z córką, ale po sześciu latach wytrzyma jeszcze tydzień czy dwa. Tak będzie lepiej.

– Po co chce przyjechać? – spytała Ophélie.

– Bóg jeden wie. Może żeby zrobić mi na złość – powiedział Matt ze śmiechem.

Rozmowa z Sally i jej płacz rozstroiły go i przypomniały, jak cierpiał przez nią przez wszystkie te lata. Oczywiście nie przyszło mu nawet do głowy, że Ophélie mogłaby się denerwować przyjazdem Sally i potraktować go jako zagrożenia dla ich pączkującego romansu.

Przez resztę tygodnia oboje byli bardzo zajęci. W związku ze zbliżającymi się świętami na ulicach było niespokojnie. Ludzie więcej pili, brali narkotyki, tracili pracę. W dodatku zrobiło się zimno. Jednej nocy w „żłóbkach" znaleźli cztery martwe osoby. Matt pojechał do Roberta. I rozmawiał z Vanessą przez telefon. Sally, nie wiadomo dlaczego, zadzwoniła do niego kilka razy. Nie chciał, żeby traktowała go jak bliskiego przyjaciela, i poskarżył się Ophélie.

Jedynym spokojnym dla nich czasem było niedzielne popołudnie na plaży, kiedy Ophélie i Pip przyjechały do Matta. Robert nadal się uczył do egzaminów i nie mógł się ruszyć ze Stanford. Do świąt zostały dwa tygodnie.

Wybrali się we trójkę na długi spacer nad morzem i Matt opowiedział Ophélie o domu, który wynajął w Tahoe na Boże Narodzenie. Wyjeżdżał tam z Robertem na narty i miał nadzieję, że Vanessa do nich dołączy.

– Czy Sally też się tam wybiera? – spytała Ophélie z udawaną obojętnością. Sama dziwiła się, że tak się tym przejmuje. Zdawała sobie sprawę, że jej obawy są trochę paranoicznie i Matt w ogóle nie jest zainteresowany Sally, ale nie takie rzeczy się w życiu zdarzają. Na przykład mąż, który zrobił dziecko najbliższej przyjaciółce swojej żony…

– Nie mam pojęcia. Nic mnie to nie obchodzi. Jeśli Vanessa przyleci, poproszę kogoś, żeby przywiózł ją do Tahoe. Nie zamierzam widzieć się z Sally, jeżeli się tu zjawi – uspokoił Ophélie. – Bardzo bym chciał, żebyście także pojechały z nami na narty. Co robicie w Wigilię?

W tym roku ten problem stał się jeszcze trudniejszy niż w zeszłym.

– Jeszcze nie wiem. Nasza rodzina stale się zmniejsza. W zeszłym roku spędziłyśmy święta z Andreą. – Która była wtedy w piątym miesiącu ciąży. Ophélie aż się wzdrygnęła na to wspomnienie. – Chyba będziemy tylko we dwie. Może byłoby fajnie przyjechać do Tahoe następnego dnia. Wydaje mi się, że w Wigilię powinnyśmy być same.

Skinął głową ze zrozumieniem. Wiedział, że Ophélie jest pod tym względem bardzo wrażliwa i że czas świąt oznacza dla nich słodko-gorzkie wspomnienia, które należy uszanować, nawet jeśli są bolesne.

– Będę na was niecierpliwie czekał.

Ophélie uśmiechnęła się do niego. Ponieważ Pip pobiegła przodem, Matt pochylił się i ją pocałował. Przeszył go dreszcz. Bardzo jej pragnął, ale przez ostatnich parę tygodni tyle się wydarzyło, że wolał nie przyspieszać tempa, żeby jej nie spłoszyć. Posuwali się do przodu bardzo ostrożnie i powoli. Matt wiedział, że Ophélie nadal boi się zaangażowania i nie jest pewna, czy w ogóle tego chce. Do tej pory pocałował ją parę razy i zamierzał czekać, nawet bardzo długo, choć coraz trudniej przychodziło mu tłumić pożądanie. W niej także wyczuwał seksualne podniecenie. Najwyraźniej coraz bardziej się do niego przekonywała.

Kiedy Pip do nich wróciła, powiedzieli jej o planach związanych z Tahoe. Była zachwycona. Gdy zbierały się do wyjazdu, Ophélie zdecydowała, że przyjadą do Tahoe.

– Ja chcę od ciebie w prezencie tylko jedną rzecz – powiedział Matt poważnie.

– Co takiego? – spytała z uśmiechem. Nie kupiła mu jeszcze prezentu, choć Pip już coś przygotowała.

– Zrezygnuj z pracy w drużynie wyjazdowej.

Westchnęła. Matt wiele dla niej znaczył, ale jeszcze nie była pewna, co z tym zrobić i czy w ogóle coś robić. Jej uczucia pozostawały w nieustannym konflikcie z jej obawami. Teraz jednak Matt nie prosił o odpowiedzi ani obietnice. Nigdy jej nie naciskał. Był stanowczy tylko w kwestii pracy.

– Wiesz, że nie mogę. To dla mnie bardzo ważne. I dla nich. Zdaję sobie sprawę, że robię coś dobrego. W dodatku trudno jest o ludzi do drużyny wyjazdowej.

– Nic dziwnego – mruknął. – Większość ludzi ma dość rozumu w głowie, żeby nie mieć z tym nic wspólnego.

Już parę razy przychodziło mu do głowy, że być może jednym z powodów, dla których to robi, jest podświadome pragnienie śmierci. Jednak bez względu na powody postanowił, że w końcu ją pokona i zmusi do rezygnacji. Nie miał nic przeciwko temu, żeby pracowała w schronisku dla bezdomnych, ale nie zgadzał się, by działała w nocy na ulicach.

– Mówię poważnie, Ophélie. Chcę, żebyś zrezygnowała, ze względu na siebie i na Pip. Inni mogą sobie to robić, jeśli są na tyle szaleni, ty możesz pomagać bezdomnym w inny sposób.

– Nic nie jest tak skuteczne jak działania drużyny wyjazdowej. Znajdują bezdomnych i dają im to, czego potrzebują. Prawdziwi straceńcy nie są w stanie przyjść do nas po pomoc. My musimy iść do nich – powiedziała, jak zwykle starając się go przekonać do swojego punktu widzenia. Między nimi trwała nieustanna walka i Ophélie nie zamierzała ustępować. A Matt nie zamierzał kapitulować. – Nie rozumiesz, że tam, na ulicach, to nie są jacyś przestępcy. To smutni, załamani ludzie, którzy potrzebują natychmiastowej pomocy. Czasem są bardzo młodzi, czasem bardzo starzy. Nie mogę ich porzucić i mieć nadzieję, że znajdzie się ktoś, kto mnie zastąpi. Wielu z nich to naprawdę porządni ludzie i czuję się za nich odpowiedzialna. Co jeszcze chciałbyś na święta? – spytała, żeby zmienić temat, a także dlatego że nie miała pomysłu na prezent.

Matt pokręcił głową.

– Tylko to. A jeżeli tego nie dostanę, Mikołaj wrzuci ci do pończochy kawałek węgla albo kupkę renifera.

Czasem myślał, że może Ophélie ma rację, a on jest po prostu przewrażliwiony. Mówiła niesłychanie przekonująco, ale nie przeciągnęła go na swoją stronę.

Roześmiała się, choć nie wiedziała, że prezent dla niej, ładnie zapakowany, czeka już od jakiegoś czasu. Matt miał nadzieję, że jej się spodoba. Dla Pip, za zgodą Ophélie, kupił nowy rower, na którym będzie mogła jeździć zarówno w parku w mieście, jak i na plaży. Bardzo się cieszył, ponieważ to był prezent ojcowski, jaki matce nawet nie przyszedłby do głowy. Ophélie od kilku tygodni chodziła po sklepach, szukając ubrań i gier. Pip była w trudnym wieku, między zabawkami, z których praktycznie wyrosła, a prezentami dla dużych dziewczynek. Matt trzymał rower przykryty prześcieradłem w garażu. Ophélie zapewniła go, że Pip szalenie się ucieszy.

Prezent, którego Matt wcale nie chciał, dotarł do niego tydzień przed świętami: telefon od Sally, że przylatuje następnego dnia z Vanessą i dwójką najmłodszych dzieci. Czworo dzieci Hamisha z pierwszego małżeństwa spędzało święta z matką. Sally postanowiła przylecieć do San Francisco, żeby – jak się wyraziła – „zobaczyć go". Matt chciał zobaczyć wyłącznie córkę. Sally planowała, że zatrzyma się w Ritzu. Jak tylko skończył z nią rozmawiać, zadzwonił do Ophélie, żeby się poskarżyć. Właśnie wybierała się do pracy.

– I co ja mam z tym zrobić? – zapytał zirytowany. – Nie zamierzam się z nią widywać. Chcę zobaczyć Nessie. Na szczęście pojedzie ze mną do Tahoe. Nessie, nie Sally – poprawił się szybko.

Ta wiadomość zdenerwowała Ophélie. A jeśli Matt znowu zakocha się w Sally? Skoro zakochał się raz, to może i drugi, mimo jej okropnego postępowania. Przeczuwała, że Matt jednak się z nią zobaczy i powrócą wspomnienia. Mężczyźni odznaczają się w takich sprawach wyjątkową naiwnością, a nalegania Sally na spotkanie z Mattem świadczyły o tym, że była żona chowa coś w rękawie. Ophélie delikatnie usiłowała go przed tym przestrzec.

– Sally? Nie bądź śmieszna. To przebrzmiała sprawa. Nudzi jej się i nie wie, co ze sobą zrobić. Zastanawia się nad losem firmy. Nie masz się czym martwić, Ophélie. Naprawdę. To wszystko już jest poza mną. Od dziesięciu lat.

Mówił to niefrasobliwym tonem, ale kobieca intuicja podpowiadała jej coś innego.

– Dziwniejsze rzeczy się zdarzają – ostrzegła.

– Nie mnie. Dla mnie wszystko skończyło się dziesięć lat temu, a dla niej jeszcze wcześniej. To ona mnie zostawiła. Dla faceta, który miał więcej kasy i więcej gadżetów.

– Teraz jego nie ma, a jej zostały pieniądze. Sally jest sama i się boi. Wierz mi, jeszcze nie powiedziała ostatniego słowa.

Matt nie zgadzał się z nią, dopóki Sally nie zadzwoniła do niego z hotelu zaraz po przyjeździe. Słodkim głosem zaprosiła go na herbatę. Powiedziała, że lot ją wykończył i wygląda okropnie, ale bardzo chce go zobaczyć. Tak się przeraził, że nie wiedział, co powiedzieć.

Przypomniały mu się ostrzeżenia Ophélie, jednak natychmiast je odrzucił. Sally zachowuje się przyjacielsko przez pamięć dla starych czasów, choć to też go nie zachwycało. Nienawidził jej, ale z irytacją stwierdził, że wciąż myśli o niej jak o atrakcyjnej kobiecie. Sally sprawdzała, czy nadal wywiera na nim wrażenie.

– Gdzie jest Nessie? – zapytał, chcąc widzieć się z córką, a nie z byłą żoną.

– Tutaj – odparła słodkim głosem. – Ona też jest zmęczona.

– Później się wyśpi. Będę w holu hotelowym za godzinę. Powiedz, żeby tam na mnie czekała.

Był tak podekscytowany, że mało nie odłożył słuchawki bez pożegnania. Sally obiecała, że przekaże jego słowa Vanessie.

Wziął prysznic, ogolił się i przebrał. Włożył szare spodnie i marynarkę. Wyglądał bardzo przystojnie, kiedy wszedł do holu Ritza, nerwowo się rozglądając. A jeśli nie rozpozna córki? Jeśli się zmieniła... Jeśli... I wtedy ją zobaczył. Wyglądała jak młoda łania, z twarzą dziewczyny i ciałem kobiety, z długimi jasnymi włosami. Oboje rozpłakali się, padając sobie w ramiona. Pocałowała go i dotknęła jego twarzy. Już nigdy nie chciał wypuścić jej z objęć, lecz zmusił się, by to zrobić, żeby jej się przyjrzeć. Oboje śmiali się przez łzy.

– Och, tato, nic się nie zmieniłeś... – Vanessa śmiała się i płakała jednocześnie.

Matt nigdy nie widział nikogo tak pięknego jak jego córka. Patrząc na nią, zdał sobie sprawę, jak straszna była ich rozłąka. Wszystkie uczucia, które tłumił przez ostatnich sześć lat, wróciły ze zdwojoną siłą.

– Ty się za to zmieniłaś! I to jak!

Miała fantastyczną figurę, jak jej matka w młodości. Stała przed nim w krótkiej szarej sukience i butach na wysokich obcasach, z dyskretnym makijażem, w uszach miała maleńkie złote kolczyki, prawdopodobnie prezent od Hamisha.

– Co chcesz robić? Napić się herbaty? Pójść dokąd?

Vanessa zawahała się na chwilę i wtedy ją zobaczył. Za plecami Vanessy stała Sally z jakąś kobietą, przypuszczalnie opiekunką, i dwoma małymi chłopcami. Upływający czas okazał się dla niej łaskawy i wciąż nieźle wyglądała, choć trochę przytyła. Chłopcy, sześciolatek i ośmiolatek, byli rozkoszni. Zamiast po tylu latach pozwolić Mattowi na spotkanie z córką sam na sam, wkroczyła między nich. Matt tego właśnie nie chciał i spojrzał na Sally z irytacją, a Vanessa rzuciła jej mordercze spojrzenie. Sally miała na sobie krótką czarną suknię, drogie, seksowne buty i futro z norek, a w uszach brylanty dużo większe od brylancików Vanessy. Też pewnie prezent od Hamisha.

– Przepraszam cię, Matt, mam nadzieję, że ci nie przeszkadzam... Nie mogłam sobie odmówić... I chcę, żebyś poznał moich synów.

Kiedy widział ich ostatni raz w Auckland, jeden miał kilka miesięcy, a drugi dwa lata. Teraz chciał być tylko z Vanessą, a nie z Sally i jej synami. Chciał, by zostawiła go w spokoju i znikła.

Matt przywitał się z chłopcami z ciepłym uśmiechem, potargał im czupryny i uprzejmie skinął głową opiekunce. W końcu nie może winić dzieci za zachowanie matki.

– Chcielibyśmy spędzić trochę czasu tylko w dwójkę. Mamy sobie wiele do opowiedzenia.

– Oczywiście, rozumiem – powiedziała Sally, choć wcale nie rozumiała. Nic jej nie obchodziły potrzeby innych ludzi, zwłaszcza Matta. Na wściekłość Vanessy w ogóle nie zwróciła uwagi. Vanessa nie wybaczyła matce oszustwa i przysięgała, że nigdy jej nie wybaczy. – Obiecałam chłopcom, że pójdziemy do Macy's, by zobaczyć Świętego Mikołaja i może wpadniemy do Schwarza. Jeśli masz czas, moglibyśmy zjeść kolację jutro wieczorem – zaproponowała z olśniewającym uśmiechem, który kiedyś go oczarował, a teraz nie robił najmniejszego wrażenia. Wiedział, że za tym uśmiechem kryją się zęby rekina. Choć musiał przyznać, że Sally świetnie gra i ktoś, kto jej nie zna, uznałby ją za uroczą, pewną siebie i przyjacielską kobietę.

– Dam ci znać – burknął i poprowadził Vanessę do tej części holu, gdzie serwowano herbatę.

Po chwili zobaczył, jak Sally z synami i opiekunką wychodzi przez obrotowe drzwi i wsiada do eleganckiej limuzyny. Była teraz majętną kobietą, znacznie bogatszą niż kiedyś, choć jego zdaniem nie dodało jej to wdzięku. Miała wszystko, czego dusza zapragnie: urodę, talent, mądrość, styl. Wszystko oprócz serca.

– Przepraszam cię, tato – powiedziała cicho Vanessa, gdy siadali przy stoliku. Rozumiała ojca i podziwiała go za sposób, w jaki odnosił się do byłej żony. Wcześniej długo rozmawiała z Robertem o tym, co się stało, i była mniej skłonna wybaczyć matce niż brat, który zawsze matkę usprawiedliwiał i twierdził, że nie rozumie, jaki ma wpływ na innych. Vanessa jednak nienawidziła jej z całego szesnastoletniego serca i miała ku temu powód. – Nienawidzę jej – wyznała.

Matt milczał. Rozumiał córkę, ale nie chciał podsycać w niej niechęci do matki i starał się nie rozwodzić nad szczegółami ich rozstania. Tymczasem fakty mówiły same za siebie: Sally przez sześć lat, z sobie tylko wiadomych powodów, uniemożliwiała kontakty między ojcem a dziećmi. Dla nich było to prawie pół życia, a Mattowi wydawało się całym wiekiem.

– Nie musisz iść z nią jutro na kolację. – Vanessa też przeszła swoje i sporo rozumiała.

– Wolałbym spędzić ten czas tylko z tobą. Nie chcę się kłócić z twoją matką, ale też nie chcę się z nią zaprzyjaźniać. Wystarczyło, że zachowuje się wobec niej w cywilizowany sposób.

Przegadali dobrych parę godzin. Matt jeszcze raz wytłumaczył córce, to co już wiedziała – dlaczego nie mieli kontaktu przez sześć lat. Później wypytywał ją o jej życie, przyjaciół, szkołę, marzenia. Całym sobą chłonął obecność córki i wszystkie informacje. Vanessa i Robert mieli z nim spędzić święta Bożego Narodzenia w Tahoe, bez matki. Sally wybierała się z dwójką młodszych dzieci do przyjaciół w Nowym Jorku. Chyba nie miała co ze sobą zrobić i gorączkowo czegoś szukała. Gdyby nie to, że jej nie lubił, byłoby mu jej żal.

Sally zadzwoniła następnego dnia i próbowała namówić go na wspólną kolację, ale odmówił, wychwalając jednocześnie zalety Vanessy.

– Świetnie ją wychowałaś. Jest wspaniałą dziewczyną.

– To dobre dziecko – przyznała Sally. Powiedziała, że będzie jeszcze w San Francisco przez cztery dni, a Matt marzył, by wreszcie wyjechała. Nie chciał jej widywać. – A co u ciebie, Matt? Jak żyjesz?

Zwłaszcza na ten temat nie życzył sobie z nią rozmawiać.

– Dziękuję, dobrze. Przykro mi z powodu Hamisha. To będzie dla ciebie duża zmiana. Zostaniesz w Auckland?

Chciał ograniczyć rozmowę do interesów, domów i wspólnych dzieci. Sally miała inne plany.

– Jeszcze nie wiem. Postanowiłam sprzedać firmę. Jestem zmęczona, Matt. Najwyższy czas zacząć wąchać róże.

Znając Sally, Matt podejrzewał ją raczej o to, że je połamie i podpali.

– To dobry pomysł. – Starał się odpowiadać krótko i sucho. Nie zamierzał opuszczać zwodzonego mostu i miał nadzieję, że krokodyle w fosie zjedzą ją, jeśli zechce zdobyć zamek.

– Domyślam się, że nadal malujesz. Zawsze byłeś cholernie utalentowany – powiedziała. Zawahała się na chwilę i odezwała dziecinnym, smutnym głosikiem. Znał tę sztuczkę z dawnych czasów. Zawsze tak mówiła, kiedy chciała coś osiągnąć. – Matt... Czy naprawdę nie mógłbyś zjeść ze mną kolacji dziś wieczorem? Niczego od ciebie nie chcę, chciałabym tylko zakopać topór wojenny.

Wbiła mu ten topór w plecy wiele lat temu i zostawiła na zawsze. Wyciąganie go teraz sprawiłoby, że wykrwawiłby się na śmierć.

– To miło z twojej strony. – Był zmęczony. Sally go wykańczała. – Ale kolacja to nie jest dobry pomysł. To nie ma sensu. Dajmy spokój. Nie mamy sobie nic do powiedzenia.

– A „przepraszam"? Jestem ci winna sporo przeprosin, prawda? – Mówiła cicho jak cierpiętnica. Chciał krzyknąć, żeby tego nie robiła. Zbyt łatwo i jednocześnie zbyt trudno było sobie przypomnieć, ile kiedyś dla niego znaczyła. Nie chciał do tego wracać.

– Nie musisz nic mówić, Sally – powiedział jak mąż, którym był przed laty, mężczyzna, którego znała i zraniła. – To już mamy za sobą.

– Chcę się tylko z tobą zobaczyć. Może znowu zostaniemy przyjaciółmi – powiedziała z nadzieją.

– Po co? Mamy przyjaciół. Nie jesteśmy sobie potrzebni.

– Mamy dwoje dzieci. Może dla nich byłoby ważne, żeby znowu łączyły nas jakieś więzy.

O dziwo, przez ostatnich sześć lat w ogóle nie przyszło jej to do głowy. Dopiero teraz, kiedy najwyraźniej miała na oku jakiś cel, nie wiadomo jaki, ale z pewnością korzystny dla niej, a nie dla Matta. Zawsze myślała wyłącznie o sobie.

– Nie wiem… Nie widzę powodu.

– Wybaczenie. Współczucie. Byliśmy małżeństwem przez piętnaście lat. Nie możemy zostać przyjaciółmi?

– Zapomniałaś, że zostawiłaś mnie dla jednego z moich bliskich przyjaciół, wyjechałaś na koniec świata z moimi dziećmi i przez ostatnich sześć lat zabraniałaś mi jakichkolwiek kontaktów z nimi? Dużo musiałbym wybaczać.

– Wiem… wiem… popełniłam wiele błędów – powiedziała od niechcenia. – Jeśli to cię pocieszy, to wiedz, że Hamish i ja nigdy nie byliśmy szczęśliwi. Mieliśmy dużo problemów.

– Przykro mi. – Dreszcz przebiegł mu po plecach. – Zawsze mi się wydawało, że byłaś szczęśliwa. Hamish był bardzo hojny dla ciebie i dla twoich dzieci. I był przyzwoitym człowiekiem. Dopóki nie uciekł z Sally, Matt go lubił.

– Owszem. Ale nie miał w sobie tego czegoś specjalnego tak jak ty. Lubił się zabawić i strasznie pił, co go w końcu zabiło – powiedziała bez cienia żalu. – W łóżku nic nas nie łączyło.

– Proszę cię, Sally, na litość boską… Nie chcę tego słuchać. – Matt był zdegustowany.

– Przepraszam, zapomniałam, jaki jesteś pruderyjny.

Może w towarzystwie, ale na pewno nie w łóżku. Sally doskonale o tym wiedziała. Tego jej brakowało. Hamish opowiadał najbardziej wulgarne dowcipy i uwielbiał piersi i tyłki, ale w łóżku wystarczały mu pornograficzne filmy na wideo i butelka wina.

– Skończmy tę rozmowę. Nie możesz cofnąć filmu. Między nami wszystko się skończyło. *Finito*.

– Nieprawda. I dobrze o tym wiesz.

Uderzyła w jego czuły punkt. Przed tym uciekał przez ostatnich dziesięć lat. Przed świadomością, że nadal ją kocha. Sally to wyczuwała. Była jak rekin, miała niesamowity instynkt.

– Skończone – powtórzył.

Chrapliwy dźwięk jego głosu, jak zwykle podziałał na nią ekscytująco. Ona też nigdy o nim nie zapomniała.

– Dobrze, nie mówmy o kolacji. Chodźmy na drinka. Spotkajmy się! Dlaczego nie możesz?

Bo nie chciał nikogo ranić, a jednocześnie Sally wciąż go pociągała i nienawidził siebie za to.

– Widziałem cię wczoraj w hotelu.

– Nie, widziałeś wdowę po Hamishu, jego dwóch synów i swoją córkę.

– Przecież jesteś wdową po Hamishu – powiedział zmęczonym głosem.

– Dla ciebie nie.

Zapadła cisza. Matt jęknął. Miał wrażenie, że traci rozum. Sally zawsze tak na niego działała, nawet gdy go rzuciła. Wiedziała, które struny uderzyć.

– Dobrze, dobrze, pół godziny, nie dłużej. Zobaczę się z tobą, zakopiemy topór wojenny, nazwiemy się przyjaciółmi, a później, na litość boską, wynoś się mojego życia, zanim doprowadzisz mnie do szaleństwa.

Ciągle to samo. Była nemezis jego życia. Czyśćcem, do którego go wepchnęła, kiedy odeszła.

– Dziękuję ci, Matt – szepnęła. – Jutro o szóstej? Przyjdź na górę. Będziemy mogli spokojnie porozmawiać.

– Do zobaczenia – odparł chłodno, wściekły na siebie, że jej ustąpił.

A Sally przez następne dwadzieścia cztery godziny mogła się jedynie modlić, by się nie wycofał. Wiedziała, że kiedy go zobaczy, choćby na pół godziny, wszystko może się zmienić.

Co najgorsze Matt, odkładając słuchawkę, również zdawał sobie z tego sprawę.

Rozdział 24

Następnego dnia o piątej po południu Matt wyjechał do miasta i przybył do hotelu piętnaście minut za wcześnie. Przez kwadrans chodził po holu i punktualnie o szóstej stanął przed drzwiami apartamentu Sally.

Otworzyła drzwi poważna i elegancka, w czarnym kostiumie, czarnych pończochach i w butach na wysokich obcasach. Jej długie jasne włosy były tak piękne jak włosy Vanessy. Nadal wyglądała olśniewająco.

– Witaj, Matt – powiedziała lekko.

Poprosiła, żeby usiadł, i zaproponowała martini. Pamiętała, co lubił.

Nalała drinka także sobie i usiadła na kanapie naprzeciwko. Zapadła niezręczna cisza.

– Dlaczego się nie ożeniłeś? – spytała w końcu Sally, bawiąc się oliwką.

– Wyleczyłaś mnie z małżeństwa – odparł z uśmiechem, podziwiając jej nogi. Tak samo piękne jak zawsze. – Przez ostatnich dziesięć lat żyłem jak pustelnik. Jestem samotnikiem... Artystą... – powiedział pogodnie, nie zamierzając wpędzać jej w wyrzuty sumienia. Takie jest teraz jego życie i takie mu odpowiada. W gruncie rzeczy wolał je od życia, które wiedli razem.

– Dlaczego jesteś samotny? – spytała z troską.

– Bo mi to pasuje. Zrobiłem to, co chciałem. Udowodniłem to, co chciałem udowodnić. Mieszkam nad morzem i maluję... I rozmawiam z zabłąkanymi dziećmi i psami.

Uśmiechnął się do siebie na myśl o Pip i nagle pomyślał też o Ophélie, która na swój sposób była dużo ładniejsza od tej kobiety w pokoju hotelowym. Różniły się od siebie pod każdym względem.

– Musisz zacząć żyć, Matt. Czy nigdy nie myślałeś o powrocie do Nowego Jorku?

Sama się nad tym zastanawiała. Nigdy nie polubiła ani Auckland, ani Nowej Zelandii. Teraz była wolna i mogła robić wszystko.

– Ani przez sekundę. To już mam za sobą.

Wspomnienie Ophélie przywróciło rozsądek i pomogło zachować dystans.

– A Londyn lub Paryż?

– Może. Gdy mi się znudzi życie plażowego obiboka. Na razie mi się nie znudziło. Kiedyś może się przeniosę do Europy. Teraz chcę być tutaj, skoro przez następne cztery lata Robert będzie studiował w Stanford.

Vanessa powiedziała mu, że za dwa lata chciałaby pójść do UCLA albo nawet do Berkeley. Matt nigdzie nie zamierzał się ruszać. Chciał być blisko dzieci. Wystarczająco długo musiał żyć bez nich i teraz zamierzał wykorzystać każdą chwilę.

– Dziwię się, że cię to nie nudzi. Życie samotnika. Kiedyś lubiłeś się zabawić.

Był dyrektorem artystycznym największej agencji reklamowej w Nowym Jorku, miał wielu potężnych klientów. Wynajmowali samoloty, domy i jachty, na których urządzali przyjęcia. Jednakże takie życie przestało go bawić.

– Chyba wydoroślałem. Niektórym to się zdarza.

– Nie postarzałeś się nawet o jeden dzień – spróbowała z innej strony Sally. Nie widziała się w starej chałupie nad morzem.

– Dziękuję, ale czuję się starzej. Ty za to kwitniesz.

Wyglądała świetnie, a to, że trochę przytyła, dodało jej urody. Przedtem była za chuda, chociaż jemu się podobała.

– Co zamierzasz robić? – spytał z zainteresowaniem.

– Nie wiem, usiłuję coś wymyślić. Wszystko jest jeszcze takie świeże. – Nie przypominała pogrążonej w żałobie wdowy. Kojarzyła mu się raczej z uwolnionym więźniem. – Zastanawiałam się nad powrotem do Nowego Jorku. – Spojrzała na niego spod oka. – Wiem, że to szalony pomysł, ale czy... – Spojrzała mu głęboko w oczy, nie kończąc zdania. Nie musiała. Za dobrze ją znał. I o to w tym wszystkim chodziło. Znał swoją byłą żonę.

– Chciałabym pojechać tam z tobą, żeby jeszcze raz spróbować... Może byśmy znów się w sobie zakochali... To by dopiero było, co? – powiedział Matt za nią. Sally skinęła głową. Dobrze ją rozumiał. Jak zwykle. – Problem w tym, że tego pragnąłem przez ostatnich dziesięć lat. Oczywiście nie torturowałem się codziennie takimi myślami, w końcu byłaś żoną Hamisha... Ale wiesz co, Sally, teraz zdaję sobie sprawę, że nie mógłbym tego zrobić. Jesteś piękna, tak piękna jak zawsze i gdybym wypił jeszcze parę drinków, poszedłbym z tobą do łóżka i wydawałoby mi się, że jestem w niebie, ale... co potem? Ty nadal jesteś sobą, a ja sobą. Powody, dla których mnie zostawiłaś, nadal istnieją, prawda? Przypuszczalnie cię nudzę. Prawdę mówiąc, mimo że cię kocham i prawdopodobnie będę kochał do śmierci, już nie chcę z tobą być. To mnie za dużo kosztuje. Chcę być z kobietą, która mnie kocha. Nie jestem pewien, czy w ogóle mnie kochałaś. Miłość nie jest rzeczą, towarem, czymś na sprzedaż, jest wymianą, podarunkiem, który dajesz i dostajesz... Następnym razem chcę dostać taki podarunek... Chcę dostać i dać...

Mówił to spokojnie. Miał niesamowite poczucie wyzwolenia, a jednocześnie straty... Rozczarowania, zwycięstwa i wolności.

– Zawsze byłeś romantykiem – parsknęła z irytacją. Sprawy nie toczyły się tak, jak chciała.

– A ty nie – odparł z uśmiechem. – Może na tym polega problem. Ja wierzę w te wszystkie romantyczne bzdury. Ty chcesz je pomijać. Pochować jednego faceta i ekshumować poprzedniego. Nie mówiąc o tym, co zrobiłaś z dziećmi. Omal mnie nie zabiłaś. A teraz moja dusza buja w obłokach, jest wolna i szczęśliwa.

– Zawsze byłeś trochę stuknięty. – Sally się roześmiała. – A romans? – Zależało jej na tym, żeby coś z tego wynikło. Mattowi zrobiło się jej żal.

– To byłoby nierozsądne i skomplikowane, nie sądzisz? A co potem? Chętnie poszedłbym z tobą do łóżka, ale tam właśnie zaczynają się wszelkie problemy. Mnie zależy, tobie nie. Zjawia się ktoś inny. Wyrzucasz mnie za okno. To nie jest mój ulubiony sposób podróżowania. Spanie z tobą to bardzo niebezpieczny sport, przynajmniej dla mnie. Nie myślę więc, bym mógł przyjąć twoją propozycję. Więcej, wiem, że bym nie mógł.

– I co teraz? – spytała zła i sfrustrowana, nalewając sobie trzeciego drinka. Matt nie wypił nawet pierwszego. Z tego też wyrósł. Martini nie smakowało mu już tak jak kiedyś.

– Teraz zrobimy to, co wcześniej proponowałaś. Stwierdzimy, że zostajemy przyjaciółmi, pożyczymy sobie szczęścia, pożegnamy się i pójdziemy każde w swoją stronę. Ty pojedziesz do Nowego Jorku, znajdziesz nowego męża, przeniesiesz się do Paryża, Londynu lub Palm Beach, będziesz wychowywała dzieci, a ja zobaczę cię na ślubach Roberta i Vanessy.

Tyle chciał, zarówno dla niej, jak i od niej. Nic więcej.

– A ty, Matt? – syknęła. – Będziesz gnił na plaży?

— Może. A może stanę się jak silne, stare drzewo, zapuszczę korzenie i będę cieszył się życiem z ludźmi, którzy lubią siedzieć pod drzewem i nie chcą nim co chwilę potrząsać czy go ścinać. Czasami marzy mi się spokojne życie.

– Jesteś za młody, żeby tak myśleć. Na litość boską, masz dopiero czterdzieści siedem lat. Hamish miał pięćdziesiąt dwa i zachowywał się jak człowiek znacznie młodszy od ciebie.

– A teraz nie żyje. Może więc to także nie był taki dobry pomysł. Może należy przyjąć jakiś złoty środek. Jednak niezależnie od wszystkiego nasze drogi się rozeszły.

– Masz kogoś?

– Może. Ale to nie jest powód. Gdybym był w tobie zakochany, rzuciłbym wszystko i poszedł za tobą na koniec świata. Znasz mnie. Jestem romantycznym głupcem i wyznaję zasady, które uważasz za idiotyczne. Ale zrobiłbym to. Niestety, nie jestem w tobie zakochany. Tak mi się tylko wydawało, chyba jednak wysiadłem z pociągu gdzieś po drodze i sam o tym nie wiedziałem. Kocham nasze dzieci i nasze wspomnienia, a jakaś szalona, dawna część mnie będzie cię kochała zawsze. Ale nie kocham cię na tyle, żeby znowu spróbować.

Wstał, pochylił się i pocałował ją w czubek głowy. Sally nieruchomo przyglądała się, jak podchodzi do drzwi i je otwiera. Nie usiłowała go zatrzymać. Wiedziała, że powiedział to, co naprawdę myśli. Rzucił jej ostatnie spojrzenie i odszedł od niej na zawsze.

– Cześć, Sally – powiedział, czując się lepiej niż przez ostatnich parę lat. – Życzę ci szczęścia.

– Nienawidzę cię – rzuciła za nim. Była pijana.

Rozdział 25

W PRZEDDZIEŃ WIGILII Matt zjadł obiad z Ophélie i Pip u nich w domu, żeby wymienić się prezentami. Choinka stała już ubrana, a Ophélie uparła się, że upiecze gęś na sposób francuski. Pip nie znosiła gęsi i wolała hamburgera, ale Ophélie chciała zjeść z Mattem prawdziwy świąteczny obiad.

W poprzednim tygodniu oboje byli zajęci i prawie nie rozmawiali przez telefon. Matt nie powiedział Ophélie, że widział się z Sally, i nie był jeszcze pewien, czy w ogóle jej powie. To, co zaszło między, nimi traktował jako coś bardzo prywatnego i nie był gotów się tym dzielić. Niewątpliwie jednak czuł się wyzwolony i choć Ophélie nie miała o niczym pojęcia, zauważyła w nim zmianę na lepsze, choć Matt jak zwykle był delikatny, miły i kochający.

Zamierzali dać sobie prezenty wieczorem, ale Pip nie mogła się odczekać. Wręczyła Mattowi swój prezent i uparła się, żeby otworzył go od razu, choć chciał to zrobić w święta.

– Nie! Teraz! – Podskakiwała i klaskała, przyglądając się z przejęciem, jak rozwija papier. Matt, gdy tylko zobaczył, co dostał, wybuchnął śmiechem. Wielkie, żółte, puchate kapcie w kształcie Wielkiego Ptaka, które doskonale na niego pasowały.

– Są fantastyczne – powiedział i przytulił Pip. Włożył kapcie i siedział w nich przy obiedzie. – Świetne. Teraz wszyscy możemy nosić sezamkowe kapcie w Tahoe. Tylko nie zapomnijcie przywieźć swoich.

Pip z zachwytem przyjęła piękny nowy rower od Matta. Przejechała na nim przez salon i jadalnię, omal nie przewróciła choinki i wyszła na dwór, żeby pojeździć naokoło domu, kiedy Ophélie szykowała obiad.

– A ty? – spytał Matt, kiedy popijali z Ophélie białe wino. – Jesteś gotowa na swój prezent? – Wiedział, że będzie to broń obosieczna i że może jej zrobić przykrość, miał jednak nadzieję, że się ucieszy. – Masz chwilkę? – Ophélie. skinęła głową i usiadła. Pip jeszcze nie wróciła. Matt ucieszył się, że ma Ophélie dla siebie. Podał jej prezent – duże, płaskie pudełko. Nie domyślała się, co to może być.

– Co to jest? – spytała.

– Zobacz.

Zdjęła papier i otworzyła pudełko, po czym ostrożnie rozpakowała plastik z bąbelkami. Kiedy zdjęła całe opakowanie, westchnęła i jej oczy wypełniły się łzami. Przyłożyła rękę do ust i zamknęła oczy. To był portret Chada.

Ophélie otworzyła oczy, spojrzała na Matta i z płaczem rzuciła mu się w ramiona.

– O mój Boże… Dziękuję… Dziękuję…

Znowu spojrzała na portret. Miała wrażenie, że spogląda na syna, który się do niej uśmiecha. Tak bardzo za nim tęskniła, portret był balsamem na ranę.

– Jak to zrobiłeś?

Matt sięgnął do kieszeni i podał jej oprawione w ramkę zdjęcie Chada, które zabrał z salonu, kiedy po raz pierwszy przyszło mu do głowy, żeby namalować portret.

– Przepraszam. Jestem kleptomanem.

Ophélie roześmiała się głośno.

– Szukałam tego zdjęcia. Nie mogłam sobie wyobrazić, co się z nim stało. Myślałam, że wzięła je Pip, ale nie chciałam jej wypytywać. Przypuszczałam, że schowała je u siebie… Naprawdę długo go szukałam. – Postawiła fotografię na stole w salonie, skąd zabrał ją Matt. – Matt, nie wiem, jak ci dziękować.

– Nie musisz. Kocham cię. I chcę, żebyś była szczęśliwa.

Zamierzał powiedzieć coś jeszcze, ale do domu wpadła Pip razem ze szczekającym Musem.

– Kocham mój rower! – krzyknęła. Wpadła na stolik w holu, ledwo ominęła inny i z piskiem zahamowała tuż przy nich. To był dorosły rower i Pip szalenie się podobał.

Ophélie pokazała jej portret brata i dziewczynka zamilkła.

– Ojej… jaki podobny. – Spojrzała na mamę, wzięła ją za rękę i obie przez dłuższą chwilę przyglądały się obrazowi. Wszyscy troje mieli łzy w oczach. W tym momencie Ophélie poczuła zapach spalenizny. Gęś definitywnie się upiekła.

– Fuj! – powiedziała Pip na jej widok.

Zjedli doskonały obiad i spędzili cudowny wieczór. Ophélie zaczekała ze swoim prezentem dla Matta, aż Pip pójdzie spać. Miała coś specjalnego i bardzo dla niej ważnego. Wzruszył się tak jak ona na widok portretu. Ophélie podarowała mu stary zegarek marki Breuget, z lat pięćdziesiątych, który należał kiedyś do jej ojca. Nie miała żadnego mężczyzny w rodzinie, któremu mogłaby go przekazać. Ani męża, ani syna, ani brata. Przechowywała go dla Chada, a teraz postanowiła podarować Mattowi. Ostrożnie założył go na rękę, wzruszony i zadowolony.

– Nie wiem, co powiedzieć – wybąkął, patrząc na piękny zegarek, a potem ją pocałował. – Kocham cię, Ophélie – szepnął. Tyle ich łączyło, o wiele więcej niż kiedyś z Sally. Ich uczucie było spokojne, mocne i rzeczywiste. Dwoje ludzi powoli i na zawsze łączyło się w związek. Zrobiłby dla niej prawie wszystko i Ophélie o tym wiedziała. I dla Pip też. Ophélie to wspaniała kobieta i Matt czuł się bardzo szczęśliwy. I bezpieczny.

– Ja też cię kocham, Matt... Wesołych świąt – szepnęła i pocałowała go. Pocałunkiem przekazała mu wszystkie swoje uczucia i całą namiętność, której się do tej pory opierała.

Kiedy wyszedł późnym wieczorem, długo leżała, wpatrując się z uśmiechem w portret syna. Czerwony rower stał oparty o łóżko Pip. To właśnie jest magia Bożego Narodzenia.

„Prawdziwa" Wigilia była dla Ophélie i Pip trudna, i bolesna. Nie dało się nie zauważyć, ilu osób na niej zabrakło. Andrei, Teda i Chada...

Były zadowolone, kiedy ten koszmarny dzień wreszcie dobiegł końca. Położyły się obie w łóżku Ophélie i jedyną pocieszającą rzeczą było to, że następnego dnia jechały do Tahoe. Pip, jak obiecała Mattowi, spakowała kapcie. O dziesiątej zasnęła w ramionach Ophélie, która długo leżała z otwartymi oczami, przytulając córkę.

Ophélie myślała najpierw o mężu i synu, a później o Matcie. Podobał jej się portret Chada i sposób, w jaki Matt traktuje Pip. Jego dobroć wydawała się bezgraniczna. Ophélie czuła, że się w nim zakochała i że Matt ją pociąga, ale nie wiedziała, co robić. Nie była pewna, czy jest gotowa na nowego mężczyznę i czy kiedykolwiek będzie. Nie tylko, dlatego że kiedyś kochała Teda, lecz także dlatego że od Święta Dziękczynienia straciła wiarę w miłość. Miłość oznaczała dla niej smutek, rozczarowanie i zdradę. Nie chciała jeszcze raz tego przeżywać, nawet z Mattem, który jest wspaniałym człowiekiem. I tylko człowiekiem, a ludzie robią sobie okropne rzeczy, najczęściej w imię miłości. Ryzyko wydawało się zbyt duże. Wiedziała, że nie jest w stanie nikomu zaufać. A Matt zasłużył na coś lepszego, zwłaszcza po tym, co przeszedł z Sally.

Wyjeżdżały w doskonałych humorach. Ophélie wzięła na wszelki wypadek łańcuchy na koła, ale droga aż do Truckee była odśnieżona i Ophélie bez problemu, kierując się wskazówkami Matta, dojechała do Squaw Valley. Matt wynajął fantastyczny, bardzo elegancki i luksusowy dom, z trzema pokojami dla siebie i swoich dzieci, oraz dwoma dla Ophélie i Pip.

Kiedy przyjechały, Robert i Vanessa byli na nartach, a Matt czekał na nie w salonie, przy rozpalonym kominku, z gorącą czekoladą i kanapkami. Miał na sobie czarne spodnie narciarskie i gruby stary sweter. Jak zwykle wyglądał świetnie.

– Przywiozłaś wasze kapcie? – spytał natychmiast.

Pip kiwnęła głową i uśmiechnęła się.

– Ja też przywiozłem ze sobą Dużego Ptaka – powiedział.

Wszyscy troje włożyli swoje zabawne kapcie i zasiedli przed kominkiem, rozmawiając, śmiejąc się i słuchając muzyki. Niedługo potem Robert i Vanessa wrócili z nart. Vanessa ucieszyła się, że poznała Pip i Ophélie. Natychmiast zaczęła rozmawiać z Pip i z nieśmiałym podziwem spoglądała na jej matkę. Widziała w niej te same zalety co Matt i powiedziała mu to później, kiedy razem przygotowywali obiad, a Pip i Opéhlie rozpakowywały się w swoich pokojach.

– Rozumiem, dlaczego ci się podoba, tato. To dobra i naprawdę miła osoba. Momentami jest taka smutna, nawet gdy się uśmiecha. Wtedy chciałoby się ją przytulić. – Matt miał takie same odczucia. – I uwielbiam Pip, jest cudna!

Dziewczynki szybko się zaprzyjaźniły i kiedy Vanessa zaproponowała Pip, żeby zamieszkała w jej pokoju, Pip bardzo się ucieszyła i przebierając się w piżamę, poinformowała matkę, że Vanessa jest fantastyczna, piękna i naprawdę super. Kiedy dzieci poszły spać, Ophélie i Matt spędzili jeszcze na parę godzin przy kominku, dopóki w palenisku nie został jedynie przygasający żar. Rozmawiali o muzyce i sztuce, o polityce francuskiej, o swoich dzieciach i rodzicach, o obrazach Matta i jego marzeniach. O ludziach, których znali, o psach, które mieli w dzieciństwie. Mówili o wszystkim, co im przyszło do głowy, chcąc dowiedzieć się o sobie jak najwięcej. Zanim poszli do swoich pokojów, Matt pocałował Ophélie i naprawdę trudno było im się rozstać.

Następnego dnia wyszli z domu w piątkę i stanęli w kolejce do wyciągu. Robert spotkał kolegów z uniwersytetu, Vanessa pojechała z Pip, a Matt zaproponował, że będzie jeździł z Ophélie.

– Nie chciałabym być dla ciebie ciężarem – zastrzegła. Miała na sobie czarny narciarski kombinezon, który wisiał w szafie od lat, ale nadal wyglądała w nim elegancko. Na głowę włożyła dużą futrzaną czapkę. – Mój strój nie świadczy o moich umiejętnościach narciarskich – zaznaczyła.

– Na pewno nie będziesz ciężarem. Ostatni raz jeździłem na nartach pięć lat temu. Przyjechałem tu ze względu na dzieci. Jeszcze się okaże, że będziesz mnie holowała.

Tymczasem oboje jeździli mniej więcej na tym samym poziomie i spędzili przedpołudnie na łagodnych zboczach. W południe poszli do restauracji, gdzie wcześniej umówili się z dziećmi. Pip i Vanessa przyszły w dobrych humorach, zaczerwienione i trochę zmęczone. Vanessę podrywało na stoku kilku chłopców, ale potraktowała to jako żart i nie przywiązywała do tego większej wagi.

Dzieci jeździły na nartach przez całe popołudnie, Ophélie i Matt zjechali raz z dość stromego zbocza, a kiedy zaczął padać śnieg, wrócili do domu. Matt napalił w kominku i nastawił muzykę, a Ophélie zrobiła im gorącej herbaty z rumem. Zasiedli na kanapie z pismami i książkami, od czasu do czasu spoglądając na siebie z uśmiechem. Ophélie zauważyła, że Matt w codziennym życiu jest spokojny i mało wymagający. Inaczej niż Ted, który często był zdenerwowany i kłótliwy.

Matt postanowił opowiedzieć jej o spotkaniu z Sally.

– I nic do niej nie czułeś? – spytała Ophélie, uważnie mu się przyglądając i popijając herbatę.

– O wiele mniej, niż się spodziewałem czy obawiałem. Bałem się, że będę musiał walczyć z pożądaniem. Nic takiego się nie stało. Było smutno i śmiesznie. Sally chciała mną pokierować tak, aby osiągnąć to, na czym jej zależy, a mnie było jej żal. Jest godna pożałowania. A przecież jej mąż, z którym przeżyła ponad dziesięć lat, umarł dopiero przed miesiącem. Nie można o niej powiedzieć, że jest lojalna.

– Raczej nie. – Ophélie była lekko zaszokowana bezczelnością Sally, zwłaszcza w świetle tego, jak traktowała Matta przedtem. Najwyraźniej nie miała też żadnych wyrzutów sumienia. Ophélie odczuła głęboką ulgę. – Dlaczego mi wcześniej nie powiedziałeś o spotkaniu z nią?

– Musiałem to sobie przemyśleć. Ale wyszedłem od niej jako wolny człowiek. Poczułem się tak po raz pierwszy od dziesięciu lat. Spotkanie z Sally okazało się jedną z najlepszych rzeczy, jakie mi się ostatnio przydarzyły.

Wyglądał na bardzo z siebie zadowolonego.

– Cieszę się – powiedziała Ophélie cicho, żałując, że nie może tak łatwo zapomnieć o swoim małżeństwie. Jednak nie miała nikogo, z kim mogłaby porozmawiać, wykłócić się, wypłakać, przedyskutować, dlaczego Ted zrobił to, co zrobił. Mogła jedynie liczyć na to, że z czasem, samotnie i w milczeniu, dojdzie do właściwych wniosków.

Kiedy dzieci wróciły z nart, podała kolację, a potem wszyscy zasiedli przy kominku i rozmawiali. Vanessa opowiadała o swoich licznych chłopakach z Auckland, Pip patrzyła na nią z podziwem, a Robert żartował sobie z obu dziewczyn. Ophélie i Matt ze wzruszeniem patrzyli na tę rodzinną scenę. Za tym Matt tęsknił przez wszystkie te lata. Było w tym coś zdrowego i normalnego – dwoje dorosłych i trójka dzieci, śmiejących się i rozmawiających przy kominku. Coś, czego ani Ophélie, ani Matt nie doświadczyli w swoim dotychczasowym życiu, ale czego zawsze pragnęli.

– Miło jest, prawda? – Matt uśmiechnął się do Ophélie, gdy spotkali się w kuchni. Ophélie przygotowała talerz z ciasteczkami, a Matt nalał jej i sobie po kieliszku wina.

– Bardzo miło.

Jakby się spełniły wszystkie marzenia. Matt chciał, żeby to trwało wiecznie.

W sylwestra poszli na kolację do pobliskiej restauracji, a potem do hotelu, żeby uroczyście powitać Nowy Rok. Ludzie mieli na sobie narciarskie ubrania i duże kolorowe swetry, jedynie kilka kobiet, jak Ophélie, włożyło futra. Wyglądała szalenie elegancko w czarnym welurowym kombinezonie i kurtce z czarnego lisa oraz w takiej samej czapce.

– Wyglądasz jak czarny grzyb, mamo – stwierdziła z dezaprobatą Pip, ale Vanessie się podobała. Zresztą Ophélie i tak włożyłaby futro. Nie zwracała uwagi na konserwatywne poglądy Pip. Niezależnie od tego, co włożyła, czy jak dobrze mówiła po angielsku, Ophélie wyglądała jak Francuzka. Czasem był to szal, czasem kolczyki, czasem stara torebka od Hermčsa na długim pasku – dodatki, które wyciągała z szafy i sposób, w jaki je nosiła, zdradzały jej pochodzenie.

I z tego powodu oraz pod wpływem otaczającej ich atmosfery pozwoliła Pip wypić kieliszek szampana. Matt pozwolił także Vanessie, natomiast Robertowi, który wprawdzie nie miał dwudziestu jeden lat, ale i nie prowadził samochodu, zaproponował kieliszek wina. Matt był pewien, że niezależnie od wieku Robert popija na uniwersytecie, tak jak pewnie wszyscy studenci i że nie ma z tego powodu żadnych problemów. Był rozsądnym młodym człowiekiem.

Kiedy zegar wybił północ, ucałowali się, po francusku, w oba policzki i życzyli sobie szczęśliwego Nowego Roku. Dopiero gdy wrócili do domu i dzieci poszły spać, Matt pocałował Ophélie naprawdę gorąco. Leżeli przytuleni przed kominkiem. Ogień prawie zgasł, ale w pokoju było ciepło. Matt jeszcze nigdy w życiu nie czuł się tak szczęśliwy, a Ophélie wydawała się pogodzona z losem. Mimo wszystkiego, co przydarzyło jej się w ciągu minionego roku, czuła, że jest jej coraz lżej na sercu.

– Szczęśliwa? – zapytał Matt, trzymając ją w objęciach. Byli pewni, że dzieci od dawna śpią, ale na wszelki wypadek mówili szeptem w ciemnym pokoju, oświetlonym jedynie gasnącymi płomieniami. Pip znowu poszła spać do pokoju Vanessy. Traktowała ją jak starszą siostrę, o której marzyła. Vanessa z kolei miała tylko braci, więc i dla niej była to miła odmiana.

– Bardzo – szepnęła Ophélie. Czuła się bezpieczna i kochana. Miała wrażenie, że w jego obecności nie może jej się stać nic złego.

Zaczął ją całować, a potem pieścili się namiętniej niż kiedykolwiek do tej pory. Czując na sobie jego dłonie, Ophélie zdała sobie sprawę, jak bardzo go pożąda. Wydawało jej się, że kobieta, która umarła w niej po śmierci Teda, teraz powoli wraca do życia.

– Wpadniemy w kłopoty, jeśli zostaniemy tu dłużej – szepnął w końcu Matt.

Ophélie zachichotała, czując się, po raz pierwszy od lat, jak młoda dziewczyna. Matt zebrał się na odwagę, żeby zapytać ją o coś, na co chyba w końcu przyszedł czas:

– Chcesz przyjść do mojego pokoju? – szepnął jej do ucha, a kiedy skinęła głową, odetchnął z ulgą. Tak długo na to czekał, tak bardzo jej pragnął, bardziej niż przyznawał się sam przed sobą.

Wstali, wziął ją za rękę i poprowadził do pokoju. Szli cicho, na palcach. Ophélie o mało co nie wybuchnęła śmiechem, bo w ukrywaniu się przed dziećmi było coś zabawnego. Matt zamknął drzwi na klucz, a potem wziął ją w objęcia i poprowadził do łóżka, gdzie delikatnie ją położył.

– Tak bardzo cię kocham, Ophélie – szepnął.

Do pokoju wpadało światło księżyca. W przytulnym cieple rozebrali się wzajemnie i wśliznęli pod prześcieradło. Matt dotknął jej i poczuł, że drży. Chciał, by czuła się szczęśliwa i kochana.

– Kocham cię, Matt – szepnęła.

Wyczuwał jej strach i przez długi czas po prostu ją tulił.

– Wszystko w porządku, kochanie… Jesteś przy mnie bezpieczna… Nic złego ci się nie stanie, obiecuję…

Kiedy ją pocałował, poczuł łzy na jej policzkach.

– Tak się boję, Matt – szepnęła.

– Nie bój się, proszę… Bardzo cię kocham… Nie zrobię ci nic złego…

Wierzyła Mattowi, ale nie wierzyła życiu. Życie, jeśli tylko trafi się okazja, na pewno ich zrani. Jeżeli się odsłoni i wpuści Matta do swego świata, stanie się coś złego. Straci go albo on ją zdradzi, porzuci, umrze. Wiedziała, że nie ma nic pewnego. Nikomu nie mogła ufać. Nie aż tak bardzo. Głupia była, myśląc, że jej się uda.

– Nie mogę, Matt… – powiedziała udręczonym głosem. – Za bardzo się boję.

Nie może się z nim kochać, nie może dopuścić go do siebie tak blisko, nie może jej tak bardzo na nim zależeć. Jeśli wpuściła go do swego życia, do serca, nic już nie będzie bezpieczne. Czyhały na nich demony, które rządzą światem i rujnują ludzkie życie.

– Kocham cię – powiedział cicho. – Możemy zaczekać… Nie ma pośpiechu… Nigdzie się nie wybieram. Nie zamierzam odchodzić, ranić cię, straszyć… Kocham cię.

Mówił tak, jak nie mówił do niej żaden mężczyzna. Nawet Ted. Zwłaszcza Ted. Było jej przykro, że rozczarowała Matta, ale wiedziała, że nie jest gotowa i nie wiadomo, czy kiedykolwiek będzie. Teraz w każdym razie nie mogła się z nim kochać. To byłoby zbyt przerażające.

Przez długi czas trzymał ją w objęciach, czując przy sobie jej zgrabne ciało, i choć bardzo jej pożądał, wystarczało mu na razie tyle. Świtało, gdy Ophélie wstała i się ubrała.

Pocałował ją, po czym Ophélie wróciła do swego pokoju, położyła się spać i przespała niespokojnie dwie godziny, a kiedy się obudziła, poczuła na duszy znajomy ciężar. Tym razem jednak nie z powodu Teda ani Chada, lecz tego, czego nie mogła dać w nocy Mattowi. Miała wrażenie, że wprowadziła go w błąd, i nienawidziła się za to, że go tak bardzo rozczarowała. Wzięła prysznic, ubrała się, a gdy zobaczyła Matta, zrozumiała, że wszystko jest w porządku. Uśmiechnął się do niej z drugiego końca pokoju, a potem podszedł i objął. Był niesamowitym mężczyzną i Ophélie czuła się tak, jakby się kochali. Teraz było jej przy nim jeszcze lepiej niż przedtem. Wygłupiła się, panikując, lecz na szczęście Matt postanowił czekać.

W dzień Nowego Roku jeździli razem na nartach, ale nie wracali do poprzedniej nocy. Wieczorem zjedli w piątkę kolację. Następnego dnia, ku rozgoryczeniu Matta, Vanessa odlatywała do Auckland, ale on zamierzał odwiedzić ją w przyszłym miesiącu. Rano Pip i Ophélie odjeżdżały do domu, ponieważ następnego dnia Pip musiała iść do szkoły. Robert miał jeszcze dwa tygodnie ferii i jechał do Heavenly na narty z przyjaciółmi. A Matt wracał do domku na plaży. Matt i Ophélie rozstali się bez obietnic, ale z nadzieją i miłością. To było dużo więcej, niż mieli, kiedy się poznali, i na razie im wystarczało.

Rozdział 26

Matt wpadł do Ophélie i Pip po odwiezieniu Vanessy na lotnisko. Zasmuciło go rozstanie z córką i z przyjemnością wypił z nimi filiżankę herbaty przed powrotem do pustego domku nad morzem. Bardziej niż do tej pory zdawał sobie sprawę, że tydzień, jaki spędzili razem w Tahoe, był dokładnie tym, czego chciał. Zmęczył się już życiem samotnika, jednak na razie nie miał wyboru. Ophélie nie była przygotowana na coś więcej niż przyjaźń z perspektywą romansu – musiał czekać i przekonać się, czy coś z tego wyniknie. Jeśli Ophélie nie zdoła stłumić swoich obaw, przynajmniej będzie mógł się z nią i z Pip przyjaźnić.

Po wejściu do domu Ophélie z przyjemnością zauważył, że portrety Pip i Chada wiszą w salonie na honorowym miejscu.

– Pięknie wyglądają, prawda? – Ophélie uśmiechnęła się z dumą i jeszcze raz mu podziękowała. Jak się czuła Vanessa przed odlotem? – Bardzo polubiła Vanessę i Roberta. Podobnie jak ich ojciec byli miłymi ludźmi o dobrych sercach.

– Smutno jej było, że musi wyjechać – odparł Matt, ciągle mając przed oczami obraz nagiej Ophélie w jego łóżku. – Zobaczę ją za kilka tygodni. Polubiła ciebie i Pip.

– My też ją bardzo polubiłyśmy – powiedziała Ophélie, a kiedy Pip poszła na górę, żeby odrobić lekcje, spojrzała ze smutkiem na Matta. – Przykro mi, że tak wyszło w Tahoe. – Po raz pierwszy któreś z nich o tym wspomniało. – Nie powinnam była się tak zachowywać. Po francusku to się nazywa *allumeuse*. Po angielsku jest na to bardzo nieatrakcyjne słowo. To nic miłego. Nie chciałam cię prowokować ani oszukiwać. Jeśli już, to oszukałam samą siebie. Myślałam, że jestem gotowa, a nie byłam.

Nie chciał z nią na ten temat rozmawiać, obawiał się, że to popchnie ją do nieprzewidzianych wniosków i zamkną się między nimi jakieś drzwi. Uważał, że powinny zostać szeroko otwarte, żeby Ophélie mogła przez nie przejść, gdy będzie gotowa. Wiedział, że niezależnie od tego, co się stanie, zawsze będzie na nią czekał. Teraz może ją jedynie kochać, najlepiej jak potrafił. To wszystko.

– Nie oszukałaś mnie, Ophélie. Czas to śmieszna rzecz. Nie możesz go zdefiniować, nie możesz kupić, nie możesz przewidzieć jego wpływu na ludzi. Niektórzy potrzebują więcej czasu, inni mniej. Masz tyle czasu, ile chcesz.

– A jeśli nigdy nie będę gotowa? – spytała smutno.

– I tak będę cię kochał – zapewnił. – Nie zadręczaj się. Masz dość innych spraw, którymi się martwisz. Nie dodawaj mnie do tej listy, dobrze? – uśmiechnął się i pochylił nad stołem, żeby ją pocałować. Ophélie nie cofnęła się przed pocałunkiem, w głębi serca kochała go, lecz jeszcze nie wiedziała, co zrobić z tą miłością. Gdyby zdecydowała się na miłość do mężczyzny i nowe życie u jego boku, to z pewnością byłby to Matt. Ted zniszczył w niej jakąś istotną część, której nie potrafiła teraz odzyskać. Wyrzucił ją jak skarpetkę nie do pary. Często zastanawiała się nad tym, kim dla niego była i czy kochał ją, gdy umierał. Czy w ogóle ją kochał. Nigdy nie pozna odpowiedzi. Zostały same pytania.

– Co robisz dziś wieczorem? – zapytał Matt przed wyjściem.

Zaczęła coś mówić, zawahała się i zamilkła, patrząc mu w oczy. Matt zrozumiał ją bez słów.

– Wyjazd na miasto?

– Tak – odparła, wstawiając filiżanki do zlewu. Nie chciała się z nim kłócić.

– Boże, naprawdę rzuć to w końcu. Już sam nie wiem, jak mam cię przekonać. Któregoś dnia stanie się coś strasznego. Ci ludzie do tej pory mieli szczęście, ale to nie będzie trwało wiecznie. Jesteście za bardzo narażeni na niebezpieczeństwo. Wyjeżdżasz w nocy dwa razy w tygodniu, ryzyko jest zbyt duże.

– Nic mi nie będzie. – Jak zwykle usiłowała go uspokoić.

Wyszedł o piątej, a parę minut później przyszła Alice. Ophélie wyjeżdżała na ulice od września i czuła się spokojna i bezpieczna. Dobrze znała swoich towarzyszy i wiedziała, że można na nich polegać. Zawsze zachowywali się ostrożnie i rozsądnie. Nazywali siebie kowbojami, ale potrafili w każdej sytuacji zachować zimną krew. Wiele się od nich nauczyła. Nie była już naiwną obserwatorką.

O siódmej wyruszyła furgonetką z Bobem. Wcześniej spakowali jedzenie, materiały opatrunkowe, ciepłe ubrania, prezerwatywy. Pewien hurtownik stale dostarczał im puchowe kurtki dla bezdomnych. Noc była bardzo zimna. Bob z uśmiechem zauważył, że Ophélie powinna założyć ciepłe kalesony.

– I co u ciebie? – spytał. – Jak minęły święta?

– Nieźle, choć Wigilia nie była najłatwiejsza. – Oboje przeżywali to samo, Bob pokiwał głową. – Ale następnego dnia pojechałyśmy do Tahoe na narty z przyjaciółmi. Fajnie było.

– Myśmy w zeszłym roku pojechali do Alpine. Muszę w tym roku zabrać tam dzieciaki, choć to kosztowna impreza.

To jej uświadomiło, że przynajmniej nie ma problemów finansowych. Bob musi nakarmić trójkę dzieci, a zarabia niewiele.

– A jak twój romans? – Dużo ich łączyło: wspólna nocna praca, dzieci i wdowieństwo. Wymieniali mnóstwo rad i informacji, więcej niż gdyby pracowali w zwykłym biurze.

– Jaki romans? – spytała niewinnie.

Bob szturchnął ją w ramię.

– Nie udawaj. Nie tak dawno temu miałaś ten specyficzny błysk w oku. Jakby amorek strzelił ci w tyłek z łuku. Co się dzieje?

Bob lubił Ophélie. Była dobra, serdeczna, a z tego, co widział, także odważna. Niczego się nie bała i nigdy się nie ociągała. Lubili ją wszyscy.

– No więc co z tym romansem? – Mieli czas na rozmowę, jadąc w stronę Mission.

- Stchórzyłam. Wiem, że to głupie. Jest cudownym człowiekiem i kocham go, ale nie mogę, Bob. Przynajmniej na razie. Za dużo przeszłam.

Nie miało sensu opowiadanie mu o dziecku Andrei i Teda czy o tych okropnych rzeczach, które Andrea napisała w liście.

- Wiem, wiem, ja też przeszedłem swoje po śmierci żony. Trudno w to uwierzyć, ale w końcu zapomnisz. Zaczniesz nowe życie. À propos... - Nonszalancko wyglądał przez okno, nie patrząc na Ophie, jak ją nazywali. Polubiła to zdrobnienie. - Żenię się.

- Super! To fantastycznie. Co mówią dzieci?

- Lubią ją... Kochają... Zawsze ją kochali.

Ophélie wiedziała, że narzeczona Boba była najbliższą przyjaciółką zmarłej żony. To się często zdarza wdowcom. Żenią się z siostrami lub przyjaciółkami zmarłych żon.

- Kiedy?

- Cholera, nie mam pojęcia... Ona nigdy nie była mężatką i chce mieć uroczysty ślub. Ja wolałbym pójść do urzędu i załatwić to jak najprościej.

- Nie psuj jej przyjemności. Ciesz się. Miejmy nadzieję, że to twój ostatni ślub.

- Jasne. To fajna dziewczyna i dobry przyjaciel.

- To najlepsze połączenie.

Podobnie jak ona i Matt.

Objechali Mission i bez problemów zostawili zaopatrzenie w Hunters Point. Zrelaksowana żartowała z Millie i Jeffem, kiedy zatrzymali się, żeby coś zjeść i napić się gorącej kawy.

- Ależ zimno, rany - jęknął Bob, kiedy ruszali w dalszą drogę.

Jak zwykle zajrzeli do portu i na nieużywane tory kolejowe, do przejść podziemnych i na małe uliczki. Przeszli przez Trzecią, Czwartą, Piątą i Szóstą Ulicę, chociaż Bob nigdy nie lubił tam chodzić. Za dużo handlowano narkotykami i za dużo kręciło się ludzi, którzy mogli się czuć zagrożeni ich obecnością. Przeszkadzanie w ulicznych interesach mogło się okazać niebezpieczne. Pomagali tym, którzy starali się przeżyć. Nie szukali kontaktu z tymi, którzy na tych biedakach żerowali. Jeff jednak zaglądał w tę okolicę, gdyż wielu bezdomnych leżało w bramach i wejściach do domów, pod szmatami i w pudłach.

Wjechali w alejkę Jesse, między Piątą a Szóstą, bo Millie powiedziała Jeffowi, że na jej końcu kręcą się jacyś ludzie. Bob i Ophélie czekali, wiedząc, że tamci sami sobie poradzą, ale Jeff dał znak, aby przynieśli śpiwory i płaszcze, które mieli w swoim samochodzie. Ophélie pierwsza wysiadła z auta.

– Ja je zaniosę! – zawołała przez ramię i Bob zawahał się, ale ruszyła tak szybko, że była w połowie ulicy, z naręczem śpiworów i płaszczy, nim zdążył wysiąść z furgonetki.

– Zaczekaj! – krzyknął i poszedł za nią. Uliczka była pusta, oprócz „żłóbka" na samym końcu. Jeff i Millie już tam byli, a Ophélie prawie do nich doszła, kiedy z bramy wychylił się wysoki, chudy mężczyzna i złapał ją. Bob puścił się biegiem. Ophélie nie czuła strachu, mimo że mężczyzna trzymał ją mocno. Tak jak ją uczono, spojrzała mu prosto w oczy i uśmiechnęła się.

– Czy chce pan śpiwór i płaszcz? – Widziała, że jest naćpany, przypuszczalnie po amfetaminie lub metadonie.

– Nie, *baby*. Co jeszcze masz? Coś dla mnie?

Rozglądał się rozbieganymi oczami, miał rozszerzone źrenice.

– Jedzenie, lekarstwa, ciepły płaszcz, pelerynę od deszczu, śpiwór, szalik, kapelusz, skarpetki, plecak, plastikową płachtę, co pan sobie życzy.

– Sprzedajesz ten syf? – spytał ze złością.

Bob już był przy nich.

– Nie, daję panu – odparła spokojnie.

– Dlaczego? – Był zdenerwowany i wrogo nastawiony.

Bob stał nieruchomo. Wyczuwał kłopoty.

– Może się panu przydać.

– Kim jest ten facio? – Nadal trzymał Ophélie za ramię, mocniej zacisnął palce. – Gliniarz?

– Nie, jesteśmy z Centrum Wexlera. Co mogę dla pana zrobić?

– Możesz mi obciągnąć. Nie potrzebuję twojego gówna.

– Wystarczy – powiedział spokojnie Bob, podchodząc bliżej. Z drugiej strony zbliżali się Millie i Jeff. Wiedzieli, że coś się dzieje, słyszeli głos Boba. – Puść ją, człowieku – powiedział zdecydowanym tonem Bob.

– A ty kto? Jej alfons?

– Nie potrzebujesz kłopotów i my też nie. Daj spokój, człowieku. Puść ją – powtórzył wyraźnie, żałując, że nie ma broni. Na sam widok spluwy facet by się wycofał. Jeff i Millie byli już blisko. Mężczyzna ze złością szarpnął Ophélie i przyciągnął ją do siebie.

– Co jest? Tajniacy? Wyglądacie jak gliniarze.

– Nie jesteśmy gliniarzami! – krzyknął Jeff. – Służyłem w oddziale antyterrorystycznym i kopnę cię w tyłek, jeśli jej nie puścisz.

Mężczyzna wciągnął Ophélie do bramy, w której Bob zauważył jeszcze dwóch facetów czekających niecierpliwie na kumpla.

– Nic nas nie obchodzi, co tu robicie. Mamy lekarstwa, jedzenie i ubrania, ale jeśli niczego nie chcecie, to nie. To nasza praca. Wy sobie róbcie, co chcecie. Mnie to nie interesuje.

Handlarz, który trzymał Ophélie, najwyraźniej im nie wierzył.

– A ona? Wygląda na gliniarza.

Pokazał na Millie. Ophélie milczała. Również dla niej Millie wyglądała na policjantkę.

– Kiedyś była. Wywalili ją za prostytucję – powiedział Jeff.

– Pieprzysz. Śmierdzi gliną i ta tutaj też.

Z całej siły popchnął Ophélie w ich stronę. Omal się nie przewróciła. Gdy złapała równowagę, rozległy się strzały.

Nie zauważyli, kiedy wyciągnął pistolet. W ułamku sekundy obrócił się, podskoczył jak tancerz i zaczął uciekać. Jeff rzucił się za nim. Bob coś krzyknął. Dwaj mężczyźni rozpłynęli się w ciemności. Wszystko stało się tak szybko i uwaga obecnych skupiła się na Jeffie i człowieku, którego ścigał. Millie ruszyła za nimi. Nie byli uzbrojeni i ściganie handlarza narkotyków nie miało sensu. Nawet gdyby go złapali, nie mogliby nic zrobić, a ryzykowali, że mogą zostać postrzeleni. Bob chciał jak najszybciej odjechać. Odwrócił się do Ophélie, by jej powiedzieć, że wracają do samochodu, i zobaczył, że leży na ziemi w kałuży krwi.

– Kurczę, Ophie… Coś ty zrobiła? – mruknął, przyklękając, aby wziąć ją na ręce. Chciał ją stamtąd zabrać i miał nadzieję, że to powierzchowna rana, ale po chwili stwierdził, że Ophélie jest poważnie ranna i nie można jej ruszać.

Bob krzyknął najgłośniej, jak mógł i pierwsza usłyszała go Millie. Zawołała Jeffa. Spostrzegli, że Bob trzyma w ramionach Ophélie, i pospiesznie wrócili. Jeff w biegu dzwonił z komórki po pogotowie. Po kilku sekundach byli przy Bobie i Ophélie. Bob był w szoku, a Ophélie straciła przytomność. Miała płytki oddech i słaby puls.

– Cholera – jęknął Jeff, klękając przy Ophélie. Millie pobiegła do wylotu uliczki, żeby czekać na pogotowie. – Przeżyje?

– Nie wygląda dobrze – powiedział Bob przez zaciśnięte zęby, wściekły na Jeffa. Wejście w tę alejkę było złym pomysłem. Już dawno nie popełnili tak głupiego błędu. Jeszcze bardziej złościł się na siebie, że pozwolił Ophélie pójść pierwszej.

– Jest wdową z małym dzieckiem – powiedział Bob.

– Wiem, człowieku… Wiem… Gdzie oni się, do diabła, podziewają?

– Już jadą. – Bob obserwował Ophélie i trzymał palce na pulsie, który był coraz słabszy. Minęło dopiero kilka minut, które wydawały się wiecznością. W końcu usłyszeli syreny i zobaczyli, że Millie macha do załogi karetki.

Pielęgniarze szybko położyli Ophélie na noszach i niemal w biegu założyli jej kroplówkę.

– Ile było strzałów? – spytał jeden z nich Jeffa, który biegł razem z nimi. Bob popędził do swojej furgonetki, żeby pojechać za karetką do miejskiego szpitala San Francisco, gdzie był najlepszy oddział urazowy. Modlił się, żeby Ophélie przeżyła.

– Trzy – odpowiedział Jeff.

Pielęgniarze wsunęli nosze do karetki. Jeff wrócił biegiem do swojej furgonetki. Millie już siedziała za kierownicą. Obie furgonetki popędziły za karetką do szpitala. Taki wypadek przydarzył im się po raz pierwszy, choć to nie była żadna pociecha.

– Myślisz, że przeżyje? – spytała Millie, lawirując między samochodami.

Jeff odetchnął głęboko i pokręcił głową.

– Nie – odparł szczerze. W gruncie rzeczy oboje tak myśleli. – Dostała trzy razy z bliskiej odległości. Pewnie już nie żyje. Nikt by tego nie przeżył. Na pewno nie kobieta.

– Ja przeżyłam – przypomniała ponuro Millie. Straciła pracę w policji, musiała przejść na rentę inwalidzką i odbyć bardzo długą rehabilitację. Jej partner zginął.

Po siedmiu minutach dojechali do szpitala. Po drodze pielęgniarze rozcięli ubranie Ophélie i leżała teraz na wpół naga i tak zakrwawiona, że nie było widać, jakie odniosła obrażenia. Po paru sekundach przewieziono ją na salę operacyjną. Jej trzej współpracownicy siedzieli na korytarzu, nie wiedząc, kogo zawiadomić.

– Jak myślicie? – spytał Jeff. On był szefem, ale nie chciał sam decydować.

– Moje dzieci chciałyby wiedzieć – powiedział cicho Bob.

– Ile lat ma jej córka? – spytał Jeff, nim poszedł do automatu.

– Dwanaście. Na imię ma Pip.

– Chcesz, żebym to ja porozmawiała z opiekunką lub z dziewczynką? – zaproponowała Millie. Może telefon od kobiety będzie mniej przerażający. Ale czy może być coś bardziej przerażającego niż wiadomość, że matka dostała dwie kule w pierś i jedną w brzuch? Jeff pokręcił głową. Millie i Bob zostali pod salą operacyjną.

Telefon w domu w Safe Harbour zadzwonił tuż po drugiej w nocy. Matt spał od dwóch godzin i obudził się na dźwięk dzwonka.

– Halo – powiedział zaspanym głosem.

– Matt… – wykrztusiła Pip.

– Coś się stało? – Wiedział, że tak, nim zdążyła odpowiedzieć.

– Mama… Ktoś do niej strzelał… Jest w szpitalu. Możesz przyjechać?

– Już jadę – powiedział, odrzucając kołdrę. – Jak to się stało?

– Nie wiem. Zadzwonili do Alice, a potem rozmawiali ze mną. Ten człowiek powiedział, że ktoś strzelił do mamy trzy razy.

– Żyje? – spytał z trudem.

– Tak. – Pip płakała.

– Powiedzieli, jak to się stało?

– Nie. Przyjedziesz?

– Jak najszybciej się da.

Nie wiedział, czy powinien pojechać do szpitala, czy do Pip. Chciał być z Ophélie, ale Pip bardziej go potrzebowała.

– Mogę pojechać z tobą do szpitala?

Zawahał się przez moment, wkładając dżinsy.

– Tak. Ubierz się. Przyjadę po ciebie. Który to szpital?

– Miejski. Przed chwilą ją tam zawieźli. To się stało niedawno. Więcej nic nie wiem.

– Kocham cię, Pip. Do widzenia.

Nie chciał tracić czasu na rozmowę. Ubrał się, złapał portfel i kluczyki i pobiegł do samochodu. Nie zawracał sobie głowy zamykaniem drzwi na klucz. Z samochodu zadzwonił do szpitala. Dowiedział się tylko, że Ophélie jest w stanie krytycznym na sali operacyjnej.

Przejechał przez przełęcz najszybciej, jak mógł, a kiedy znalazł się na autostradzie, wcisnął gaz do deski. Prawie przefrunął przez most, rzucił pieniądze kobiecie w punkcie pobierania opłat i był pod domem Ophélie i Pip dwadzieścia cztery minuty po telefonie dziewczynki. Nacisnął klakson i Pip wybiegła z domu. Była śmiertelnie blada i przerażona.

– Dobrze się czujesz?

Pip pokręciła głową. Teraz już nawet nie płakała. Wyglądała, jakby miała za chwilę zemdleć i Matt modlił się, żeby tak się nie stało. Jeszcze gorącej modlił się za jej matkę. I nie powiedział słowa na temat bezsensownych nocnych wyjazdów na ulice San Francisco. Od dawna obawiał się i spodziewał tego, co się stało. Jednak to, że miał rację, niczego nie zmieniało. Nie miał nadziei, że Ophélie przeżyje. Pip też nie.

Dojechali do szpitala w bolesnym milczeniu. Matt zaparkował na miejscu dla karetek i wpadli z Pip do poczekalni. Jeff, Bob i Millie natychmiast ich zobaczyli i domyślili się, kim są. Pip wyglądała prawie dokładnie jak Ophélie.

– Pip? – Bob podszedł do niej i poklepał ją po ramieniu. – Ja jestem Bob.

– Wiem. – Pip znała go z opowiadań matki. – Gdzie mama? – Z trudem nad sobą panowała.

Matt przedstawił się współpracownikom Ophélie. Nie mógł ich winić za to, co się stało, ale mimo to był na nich zły.

– Lekarze wyjmują kule – wyjaśniła Millie.

– W jakim jest stanie? – Matt spojrzał na Jeffa.

– Nie wiemy. Odkąd ją przywieźli, nikt nam niczego nie powiedział.

Bob poszedł po kawę. Millie trzymała za rękę Pip, która drugą ręką ściskała dłoń Matta. Siedzieli w milczeniu, nikt nie miał nic do powiedzenia. Nikt nie miał nadziei, łącznie z Pip, i nikt nie chciał jej oszukiwać. Prawdopodobieństwo, że Ophélie przeżyje, było znikome.

– Złapali tego, co strzelał? – zapytał w końcu Matt.

– Nie, ale wiemy, jak wygląda. Jeśli policja ma jego zdjęcie, na pewno go poznamy. Pobiegłem za nim, lecz nie mogłem go dogonić, a poza tym nie chciałem zostawiać Ophélie – wyjaśnił Jeff.

Matt skinął głową. Co to da, jeśli Ophélie umrze?

Wielokrotnie podchodził do biurka recepcjonistki i pytał o Ophélie, ale za każdym razem mówiono mu, że nadal jest na sali operacyjnej. Operacja trwała już siedem godzin, lecz najważniejsze było to, że Ophélie wciąż żyje.

Jeff tymczasem zawiadomił schronisko i do szpitala zaczęli dzwonić dziennikarze, choć na szczęście nikt nie zjawił się osobiście. Wreszcie, o wpół do dziesiątej rano, podszedł do nich chirurg. Matt i Pip z przerażeniem oczekiwali tego, co im powie. Matt przez cały czas trzymał dziewczynkę za rękę.

– Żyje. Trudno powiedzieć, co będzie dalej. Pierwszy pocisk przeszedł przez lewe płuco. Drugi przez szyję, nie trafiając w kręgosłup. Biorąc pod uwagę okoliczności, miała dużo szczęścia, ale jeszcze nie mogę powiedzieć, że wszystko będzie dobrze. Trzecia kula zniszczyła jajnik i wyrostek robaczkowy, i uszkodziła część żołądka i wnętrzności. Przez ostatnie cztery godziny pracowało nad tym czterech chirurgów. Więcej nie mogliśmy zrobić.

– Czy można ją zobaczyć? – wykrztusiła Pip. Przez całą noc nie odezwała się ani słowem.

Chirurg pokręcił głową.

– Jeszcze nie. Jest na oddziale intensywnej terapii. Możesz przyjść za parę godzin, jeśli jej stan będzie stabilny. Jest nieprzytomna po narkozie, ale za parę godzin powinna się obudzić. Będzie półprzytomna i przez jakiś czas będziemy ją w tym stanie utrzymywali.

– Czy umrze? – spytała Pip, z całej siły ściskając dłoń Matta.

Matt wstrzymał oddech, czekając na odpowiedź.

– Mamy nadzieję, że nie – odparł chirurg, patrząc na Pip. – Oczywiście to się może zdarzyć, jest bardzo ciężko ranna. Ale przeżyła operację. Jest silna. A my robimy wszystko co w naszej mocy.

Pip usiadła i wyglądała jak posążek. Nigdzie się nie wybierała, podobnie jak Matt, Bob, Jeff i Millie. Siedzieli i czekali. O dwunastej pielęgniarka powiedziała, że mogą pójść na oddział intensywnej terapii. Szklany boks, w którym leżała Ophélie, wypełniały maszyny, monitory i kroplówki. Trzy osoby nieustannie obserwowały Ophélie, całą w bandażach i podłączoną do najrozmaitszych urządzeń.

– Kocham cię, mamo – powiedziała Pip, stając w nogach łóżka obok Matta, który starał się, by Pip nie zauważyła jego łez. Wiedział, że musi być silny dla niej. Marzył, żeby dotknąć Ophélie, jakby w ten sposób mógł przekazać jej wolę życia.

W końcu pielęgniarka powiedziała, że muszą wyjść. Odwiedzający mogli wchodzić na pięć minut co godzinę. Po policzkach Pip płynęły łzy. Ophélie, jakby wyczuła jej rozpacz, otworzyła oczy, spojrzała na córkę i na Matta, uśmiechnęła się, jakby chciała dodać im otuchy, i znowu zamknęła oczy.

– Słyszysz mnie, mamo? – spytała Pip.

Ophélie skinęła głową. To była jedyna część ciała, która jej nie bolała. Na twarzy miała maskę tlenową.

– Kocham cię, Pip – szepnęła i spojrzała na Matta. Z jego spojrzenia wyczytała, co chciał powiedzieć. Kiedy traciła przytomność, jej ostatnią myślą było, że Matt miał rację. A teraz stoi tutaj i na pewno jest na nią wściekły. Cieszyła się, że jest razem z Pip, i zastanawiała, jak to się stało. Pip musiała do niego zadzwonić. – Cześć, Matt – szepnęła, a potem zamknęła oczy i zasnęła. Wychodząc, oboje płakali, choć były to łzy ulgi.

– Co z nią? – zapytali współpracownicy Ophélie na widok łez.

– Odezwała się do nas – powiedziała Pip, wycierając oczy.

– Naprawdę? – spytał zszokowany i zachwycony Bob. – Co powiedziała?

– Że mnie kocha – wychlipała dziewczynka.

Millie, Bob i Jeff pojechali po południu do centrum, obiecując, że wpadną w nocy, w czasie pracy. Musieli pojechać do domu i choć trochę się przespać. W schronisku miało się odbyć zebranie, na którym miano przedyskutować kwestię bezpieczeństwa drużyny wyjazdowej. Bob i Jeff stwierdzili, że będą nosić przy sobie broń, na którą wciąż mieli pozwolenie. Millie przyznała im rację. Poza tym zadawano sobie pytanie, czy praca w drużynie wyjazdowej jest odpowiednim zajęciem dla wolontariuszy.

Matt z Pip zostali w szpitalu i w ciągu popołudnia jeszcze dwukrotnie widzieli Ophélie. Za pierwszym razem spała, za drugim wyraźnie cierpiała. Kiedy wyszli, od razu podano jej morfinę. Matt usiłował namówić Pip, żeby pojechała na godzinę do domu przebrać się, umyć i coś zjeść. W końcu niechętnie się zgodziła. Matt zawiózł ją do domu, gdzie przywitał ich stęskniony Mus. Matt zrobił im jajecznicę i grzanki. Na automatycznej sekretarce były dwie wiadomości ze szkoły Pip, wyrażające troskę i niepokój. Widocznie Alice przed wyjściem zadzwoniła do szkoły, zostawiła też na kuchennym stole kartkę dla Pip, żeby dzwoniła, gdyby czegoś potrzebowała. Na drugiej kartce napisała, że przyszła po południu wyprowadzić psa.

Matt wyszedł z nim na chwilę, zanim zjedli. Siedzieli przy stole w kuchni niczym dwoje rozbitków i byli tak wykończeni, że prawie nie mogli jeść.

– Chyba musimy już wracać – powiedziała zdenerwowana Pip. Nie chciała, żeby coś się zdarzyło, dobrego czy złego, pod jej nieobecność. Siedziała jak na rozżarzonych węglach, czekając, aż Matt skończy jeść.

– Może weźmiesz prysznic przed wyjściem? – zaproponował Matt. – Mnie też to dobrze zrobi. – Spróbował też namówić Pip na krótką drzemkę.

– Nie jestem zmęczona – stwierdziła dzielnie i Matt nie nalegał.

Pip zgodziła się jednak wziąć prysznic i przebrać w świeże ubranie, ale chciała wrócić na noc do szpitala. Nie protestował, sam też chciał tam być. Jeszcze raz wyszedł z psem, a potem pojechali do szpitala i usiedli w poczekalni oddziału intensywnej terapii.

Pielęgniarka powiedziała, że ich znajomi wpadli wcześniej, ale Ophélie, jak i teraz, spała. Jej stan nadal określano jako krytyczny. Pip zasnęła, kiedy tylko usiadła na kanapie. Matt przyglądał się śpiącej dziewczynce i zastanawiał, co się z nią stanie, jeśli Ophélie umrze. Nie chciał o tym myśleć, ale musiał brać pod uwagę taką możliwość. Gdyby mu pozwolono, wziąłby ją do siebie albo przeprowadził się do miasta i wynajął dla nich mieszkanie. O drugiej przyszła po niego pielęgniarka. Wyglądała bardzo poważnie, Matt wpadł w panikę.

– Pańska żona chce, żeby pan przyszedł – powiedziała cicho, a on jej nie poprawił. Wstał ostrożnie, żeby nie obudzić Pip, i poszedł za pielęgniarką na oddział. Ophélie nie spała i czekała na niego niecierpliwie. Skinęła dłonią, aby podszedł bliżej. Kiedy się nad nią pochylił i delikatnie dotknął jej policzka, zaczęła mówić urywanym szeptem:

– Przepraszam, Matt... Miałeś rację... Tak mi przykro... Zajmiesz się Pip?

Tego się właśnie obawiał. Ophélie bała się, że umiera. Matt wiedział, że nie miała żadnej rodziny oprócz dalekich kuzynów w Paryżu. Tylko on mógł zaopiekować się dziewczynką.

– Przecież wiesz, że tak. Ophélie, kocham cię. Nie odchodź, kochanie... Zostań z nami... Oboje cię potrzebujemy... Musisz wyzdrowieć...

– Dobrze – obiecała i znowu zasnęła.

Pielęgniarka dała znak, żeby wyszedł.

– Czy coś się zmieniło? – spytał pielęgniarkę w recepcji.

– Nie poddaje się – zapewniła.

To, że Matt i Pip spędzili w szpitalu cały dzień i noc, zrobiło na niej wrażenie. To pomagało. Zawsze dziwiła się, że wielu osobom nie przychodzi to nawet do głowy. Pip i Matt opuścili szpital zaledwie na dwie godziny. Rano, kiedy przyszła dzienna zmiana, nadal tam byli. I stan Ophélie się polepszył.

Matt zabrał Pip do domu i powiedział jej, że albo musi sobie kupić jakieś ubranie, albo pojechać do siebie, żeby przywieźć coś na zmianę. Przedyskutowali to przy śniadaniu i postanowili w drodze powrotnej wstąpić do Macy's. Pip nie chciała, żeby zostawił ją samą.

Znalazł też chwilę, żeby zadzwonić do Roberta i umówić się z Alice na regularne wyprowadzanie psa. Zadzwonił do szkoły Pip i dowiedział się, że dziewczynka nie musi przychodzić na lekcje. Dyrektorka była szalenie sympatyczna i życzyła pani Mackenzie jak najszybszego powrotu do zdrowia. Na automatycznej sekretarce było kilka telefonów z Centrum Wexlera, ale Matt nie miał najmniejszej ochoty oddzwaniać i z nimi rozmawiać.

Po szybkich zakupach w Macy's wrócili do szpitala. Pod wieczór Ophélie wyglądała trochę lepiej. Bob, Jeff i Millie, którzy wpadli ją odwiedzić, także to zauważyli. Kiedy wyszli, Matt opatulił Pip kocem, który dostał od pielęgniarek.

– Kocham cię – powiedziała.

– Ja też cię kocham – odparł cicho.

Miał teraz dość ubrań i bielizny na najbliższy tydzień. Wcześniej czy później będzie musiał pojechać do domu, ale zamierzał zostać z Pip tak długo, jak będzie to konieczne.

– Moją mamę też kochasz?

– Tak – uśmiechnął się.

– Ożenisz się z nią, gdy wyzdrowieje? – Podobało mu się, że powiedziała „gdy", a nie „jeśli". On myślał podobnie. – Mama cię potrzebuje, Matt, tak samo jak ja.

O mało się nie rozpłakał, nie bardzo wiedział, co powiedzieć.

– Chciałbym, Pip – rzekł otwarcie. – Musimy zapytać mamę.

– Myślę, że ona cię kocha. Tylko się boi. Mój tata nie zawsze był dla niej miły. Często krzyczał, przeważnie w związku z Chadem. Chad chorował i robił złe rzeczy, na przykład chciał się zabić. Ale tata uważał, że Chad nie był chory, i krzyczał na mamę, i myślał, że jest dziwna. Mama chyba się boi, że ty też będziesz dla niej niemiły, chociaż nigdy taki dla nas nie byłeś, ale może się boi, że po ślubie się zmienisz. Tata był mądry, ale często krzyczał, i chyba nie był dla mamy taki dobry, jak powinien… I może mama się martwi, że ty też umrzesz, bo naprawdę kochała tatę, chociaż był niemiły i rzadko się do nas odzywał. Nigdy nie miał czasu, ale myślę, że nas kochał… Czy mógłbyś jej powiedzieć, że będziesz dla nas miły? Mama się wtedy zgodzi. Jak sądzisz?

Sam nie wiedział, czy się śmiać, czy płakać. Pochylił się i pocałował ją w czoło.

– Jeśli twoja mama za mnie nie wyjdzie, ożenię się z tobą. Jesteś rozsądną dziewczynką.

– Jesteś dla mnie za stary, Matt – prychnęła – ale jak na starego faceta jesteś niezły… jako ojciec.

– Ty też jesteś fajna.

– Zapytasz ją? – spytała Pip z niepokojem.

– Postaram się. Ale musimy zaczekać, aż się lepiej poczuje, nie sądzisz?

Pip zastanowiła się i zmarszczyła brwi.

– Nie powinieneś czekać za długo. Poza tym może jej stan się polepszy, jak jej się oświadczysz. Myślę, że poczuje się o wiele lepiej i będzie miała na co czekać.

– To jest jakiś pomysł. – Chyba że ją tą propozycją wystraszy. Lepiej od Pip wiedział, że i to jest możliwe. Pip zasnęła, zadowolona, a Matt przez długi czas siedział, przyglądając się jej z uśmiechem.

Potem znów zadzwonił do Roberta i przekazał informacje o aktualnej sytuacji. Robert zaproponował, że przyjedzie następnego dnia, ale Matt odradził mu to, bo i tak nie mógłby odwiedzić Ophélie.

Tego wieczoru w dzienniku telewizyjnym mówiono o strzelaninie, ale władze szpitala nie wpuściły reporterów. W wiadomościach podano, że postrzelona wolontariuszka z Centrum Wexlera jest w stanie krytycznym i leży w miejskim szpitalu San Francisco.

O północy zjawił się Jeff i z zadowoleniem poinformował Matta, że złapano mężczyznę, który strzelał do Ophélie. Wielokrotnie siedział w więzieniu. Pip spała, więc rozmawiali szeptem. Jeff wraz z pozostałym członkami drużyny wyjazdowej zidentyfikowali przestępcę na podstawie zdjęć z policyjnej kartoteki. Przyłapano go na sprzedaży narkotyków zaledwie o trzy przecznice od uliczki, gdzie strzelał do Ophélie. Wciąż miał przy sobie broń. Następnego dnia mieli go zidentyfikować, ale nie było żadnych wątpliwości. To była dobra wiadomość. Pozostał tylko niepokój o Ophélie, której życie wciąż wisiało na włosku.

Kiedy przyszli do niej następnego dnia rano, przywitała ich uśmiechem i spytała, kiedy będzie mogła wrócić do domu. Jej stan określano już nie jako krytyczny, lecz poważny, a chirurg, który się nią opiekował, był zadowolony z poprawy. Matt i Pip przyjęli to z ogromną ulgą. Ophélie powiedziała, żeby pojechali do domu i odpoczęli. Była blada, ale mówiła wyraźnie i chyba mniej ją bolało. Matt powiedział, że wrócą po południu. Kiedy wychodzili, Pip spojrzała na niego znacząco i spytała, czy nie mógłby teraz porozmawiać z matką na temat, który przedyskutowali poprzedniego wieczoru.

– Teraz? – spytał zaskoczony. – Powinniśmy zaczekać, aż się lepiej poczuje. Ból nie pozwoli jej się skoncentrować.

– Wydaje mi się, że będzie lepiej, jeśli porozmawiasz z nią, jak jest jeszcze na środkach przeciwbólowych i nie całkiem przytomna. – Pip gotowa była uciec się do podstępu, by osiągnąć swoje.

Matt się roześmiał. Wyszli ze szpitala i ruszyli do samochodu.

– Uważasz, że musi być otumaniona, żeby zgodzić się na moją propozycję?

– To mogłoby pomóc. Wiesz, jaka ona jest uparta. Boi się wyjść za mąż. Sama mi to powiedziała.

– Przynajmniej nie będę do niej strzelał, to też się liczy – powiedział z ponurym uśmiechem.

Pies oszalał na ich widok. Nie mógł pojąć, dlaczego wszyscy nagle go porzucili. Matt przygotował im jedzenie, a potem na chwilę się położył. Nie spał dwie noce z rzędu. Pip, w lepszym nastroju, kręciła się po domu. Lubiła, kiedy Matt tu był. Obiecał, że z nią zostanie, dopóki mama nie wróci ze szpitala.

Kiedy dojechali do szpitala, później niż początkowo zamierzali, Ophélie czuła się gorzej. Pielęgniarka powiedziała, że to normalne po tak skomplikowanej operacji. Musieli dać jej dużą dawkę morfiny, żeby uśmierzyć ból, ale mimo to uznali jej stan za stabilny. Ku zdumieniu lekarzy polepszało jej się znacznie i wieczorem Matt postanowił zawieźć Pip na noc do domu. Stwierdził, że obojgu dobrze zrobi, jeżeli prześpią się w łóżkach, i Pip niechętnie się zgodziła. O dziewiątej byli w domu, a pół godziny później Pip zasnęła we własnym łóżku, a Matt w sypialni Ophélie.

Obudzili się dopiero rano i przed wyjściem do szpitala zjedli porządne śniadanie. Ophélie miała zaróżowioną twarz, nie miała już rurki w nosie. Jej stan nadal określano jako stabilny. Zaczęła na wszystko narzekać, co pielęgniarka uznała za dobry objaw. Ophélie uśmiechnęła się na widok Matta i Pip.

– Jak sobie radzicie? – spytała z ożywieniem, jakby przebywała w szpitalu na krótkim odpoczynku, a nie z powodu trzech ran postrzałowych.

– Zrobił mi francuskie grzanki, mamo. I mówi, że umie smażyć pyszne naleśniki.

– To dobrze, mnie też przynieście – powiedziała Ophélie, choć doskonale wiedzieli, że jeszcze długo będzie na płynnej diecie. A na razie dostawała kroplówki. – Dziękuję za opiekę nad Pip i nade mną, Matt – dodała poważnie. – Przykro mi z powodu tego, co się stało. Zachowałam się jak idiotka.

– Nie powiem: „A nie mówiłem", bo wiesz, co myślę. Jeff powiedział mi, że więcej nie będą brali wolontariuszy, co uważam za słuszne. To naprawdę zbyt niebezpieczna praca.

– Wiem. Tamtej nocy wszystko bardzo szybko wymknęło się spod kontroli. Nawet nie wiedziałam, co mi się stało.

Podczas rozmowy Pip rzucała Mattowi porozumiewawcze spojrzenia i uśmiechała się znacząco. Wrócili do tematu przy lunchu.

– Nie mogę jej zapytać przy tobie.

– Lepiej się pospiesz.

Matt się roześmiał.

– Dlaczego? Twoja mama nigdzie się nie wybiera. Dlaczego mam się spieszyć?

– Bo ja chcę, żebyście wzięli ślub. – Ton głosu Pip sugerował, że za chwilę tupnie nogą.

– A jeśli Ophélie nie zechce za mnie wyjść?

– To ja zostanę twoją żoną, chociaż jesteś za stary. Nigdy nie widziałam, żeby ktoś był taki powolny.

Następnym razem, kiedy poszli do Ophélie, Pip posłała go do sali samego, rzucając mu na pożegnanie groźne spojrzenie.

– Niczego nie obiecuję. Zobaczę, jaka będzie sytuacja. – Asekurował się i nie chciał rozczarować ani Pip, ani siebie.

– Jesteś największym tchórzem, jakiego znam! – zawołała za nim Pip.

Mat się roześmiał. Ophélie spojrzała na niego ze zdziwieniem, kiedy zobaczyła, że jest sam.

– Gdzie Pip?

– Śpi na kanapie w poczekalni – skłamał, czując się idiotycznie. I pomyślał, że może Pip ma rację. Może wypadek wszystko zmienił. Życie jest krótkie, a oni się kochają. Na co czekać? Należy zaryzykować.

– Przykro mi, że przez mnie jest tyle zamieszania. Nigdy nie sądziłam, że coś takiego może mi się przytrafić – westchnęła Ophélie.

Była zmęczona. Lekarz powiedział, że ma przed sobą długą rekonwalescencję i trudno się było spodziewać czegoś innego, biorąc pod uwagę szkody, jakie wyrządziły kule.

– Zawsze się bałem, że coś ci się stanie.

– Wiem. Miałeś rację.

Matt stał tuż przy łóżku. Wziął Ophélie za rękę, a drugą ręką gładził ją po głowie.

– W wielu sprawach mam rację, w niektórych czasem się mylę.

– Nie zauważyłam – powiedziała, patrząc na niego z wdzięcznością.

– Cieszę się, że tak myślisz.

– Dziękuję Bogu, że Pip spotkała cię na plaży. – Oboje się roześmieli.

– O ile sobie przypominam, wtedy nie byłaś zachwycona.

– Myślałam, że jesteś pedofilem. Znowu się pomyliłam.

Uśmiechnęła się i zamknęła oczy, a po chwili otworzyła je i spojrzała wprost na Matta. Wydawała się zadziwiająco spokojna jak na to, co przeszła.

– A co myślisz teraz? – spytał cicho.

– O tobie? Że jesteś najlepszym przyjacielem, jakiego w życiu miałam. I kocham cię… – dodała ostrożnie, patrząc mu w oczy. – Bardzo cię kocham. – Właściwie nie zasługiwała na takiego mężczyznę, po tych wszystkich kłopotach, jakie sprawiła Pip, Mattowi i sobie samej. To było straszne doświadczenie.

– Ja też cię kocham, Ophélie… – Obawiał się zadać jej to zasadnicze pytanie, ale pomyślał, że Pip znowu go zbeszta. – Czy kochasz mnie na tyle, żeby za mnie wyjść? – spytała.

Ophélie spojrzała na niego zaszokowana.

– Czy powiedziałeś to, co powiedziałeś, czy mam omamy słuchowe od lekarstw?

– Może jedno i drugie. Jak to dla ciebie zabrzmiało?

W oczach Ophélie zabłysły łzy. Nadal się bała, ale już nie tak bardzo. O mało nie straciła wszystkiego, kiedy ten mężczyzna do niej strzelił. Ile jeszcze może stracić? A u boku Matta ma tak dużo do zyskania.

– Dobrze – szepnęła i łza spłynęła jej po policzku. – Tylko mi nie umieraj, Matt… Proszę cię… Drugi raz czegoś takiego nie przeżyję.

– Nie umrę – powiedział i schylił się, żeby ją pocałować. – Jeszcze długo nie. I byłbym wdzięczny, gdybyś postarała się, żeby już nikt do ciebie nie strzelał. To nie ja prawie umarłem. Chociaż umarłbym, gdybym cię stracił – dodał poważnie. – Tak bardzo cię kocham…

– Ja ciebie też.

Matt pocałował ją i w tej chwili zjawiła się pielęgniarka, która powiedziała mu, że musi wyjść. Czas minął. Pacjenci na oddziale intensywnej terapii nie mogli mieć dłuższych odwiedzin niż pięć, najwyżej dziesięć minut. Niemniej jednak udało im się wyjaśnić sobie najważniejsze sprawy.

– Czy to już oficjalne? – spytał przed wyjściem. – Wyjdziesz za mnie? – Chciał, by to potwierdziła.

– Tak – odparła cicho. Była gotowa. Nadeszła odpowiednia pora.

– Czy mogę powiedzieć Pip? – zapytał.

Pielęgniarka gestem przywoływała go do wyjścia.

– Możesz – pozwoliła i uśmiechnęła się od ucha do ucha. – Jestem zaręczona – poinformowała pielęgniarkę, gdy Matt wyszedł.

– Myślałam, że jest pani mężatką – powiedziała zdziwiona pielęgniarka.

– Jestem... ale nie jestem... Byłam... Prawie jestem... Będę – tłumaczyła. W głowie kręciło jej się z wrażenia. Wystarczyło dostać trzy kule, żeby wszystko się wyjaśniło. Niewielka cena.

– Gratuluję – powiedziała pielęgniarka i podała jej termometr.

Matt wrócił do poczekalni. Pip usiłowała się domyślić, jak się sprawy mają.

– Stchórzyłeś? – spytała, marszcząc brwi.

Matt pokręcił głową, starając się nie zdradzić.

– Nie.

Pip otworzyła szeroko oczy.

– Zapytałeś ją?

– Tak.

– I co?! – zawołała niecierpliwie.

Matt uśmiechnął się i objął ją mocno. Była już prawie jego dzieckiem.

– Zgodziła się – powiedział ze łzami w oczach.

– Naprawdę? O Boże! Ojej! Zrobiłeś to! Zrobiłeś! Wychodzimy za ciebie za mąż!

Matt zakręcił nią kółko w powietrzu.

– Oboje zrobiliśmy. Dziękuję ci za pomysł, za odwagę, za to, że mnie zmusiłaś. Gdyby nie ty, chyba czekałbym następny rok.

– Może to i dobrze, że miała ten wypadek... w pewnym sensie... no, wiesz, o co mi chodzi... – powiedziała poważnie Pip.

– Nie, nie wiem. A jeśli jeszcze raz zrobi coś takiego, sam ją zabiję.

– Ja ci pomogę – zapewniła Pip, gdy zasiedli razem na kanapie, niczym wspólnicy przestępstwa.

Dzięki Pip wszystko skończyło się dobrze. Teraz muszą tylko ustalić datę ślubu.

Rozdział 27

Ophélie spędziła w szpitalu trzy tygodnie. Przez cały czas Matt mieszkał z Pip w ich domu. Dziewczynka po tygodniu wróciła do szkoły, ale codziennie po południu odwiedzała mamę w szpitalu. Matt spędzał przedpołudnia z Ophélie, potem odbierał Pip ze szkoły i zawoził ją do szpitala. Kiedy Ophélie wypisano w końcu ze szpitala, Matt wniósł ją na rękach do sypialni na piętrze. Musiała się oszczędzać przez następnych sześć tygodni.

Lekarze uratowali jej płuco i pozszywali żołądek. Z jednym jajnikiem mogła żyć i nawet mieć dzieci. Miała niewiarygodnie dużo szczęścia. Louise Anderson ze schroniska przyszła, by ją przeprosić za to, że pozwoliła jej na takie ryzyko, choć Ophélie powtarzała z uporem, że to była jej decyzja. W centrum, bardzo słusznie, zrezygnowano z wysyłania wolontariuszy z drużyną wyjazdową. Ophélie obiecała, że po paru miesiącach wróci do pracy w schronisku, jeśli Matt jej pozwoli. Matt nie wiedział, czy się zgodzić, uważał, że Ophélie powinna raczej być w domu z Pip i z nim.

Gdy wróciła ze szpitala, przeniósł się do starego gabinetu Teda. Chciał być pod ręką na wypadek, gdyby go potrzebowała, a ona cieszyła się z jego obecności. Pip była zachwycona.

Przygotowania do ślubu już się rozpoczęły. Uzgodnili, że pobiorą się w czerwcu, żeby Vanessa też mogła przyjechać. Matt zadzwonił do Auckland, by poinformować córkę o ślubie. Robertowi powiedzieli wcześniej, kiedy odwiedził Ophélie w szpitalu.

– Znowu będziemy rodziną – powiedziała Pip z uśmiechem, kiedy Ophélie wróciła ze szpitala. Podjęcie decyzji zabrało matce dużo czasu, może za dużo, ale wreszcie była zadowolona.

Pewnego dnia Ophélie odpoczywała, a Matt pojechał odebrać Pip ze szkoły. Od wypadku minęło sześć tygodni i Ophélie czuła się znacznie lepiej, ale jeszcze nie mogła prowadzić samochodu i rzadko wychodziła z domu. Cieszyła się, gdy była w stanie zejść na dół na obiad.

Jeff, Bob i Millie odwiedzili ją kilka razy. Właśnie o nich myślała, gdy zadzwonił telefon. Głos w słuchawce brzmiał znajomo, ale bardzo słabo. Dzwoniła Andrea i w pierwszej chwili Ophélie chciała odłożyć słuchawkę, jednak Andrea chyba to wyczuła i poprosiła ją, żeby jej wysłuchała.

– Proszę… Pozwól mi coś powiedzieć… To bardzo ważne. Chciałam do ciebie napisać, ale ja też byłam w szpitalu. – Sposób, w jaki to powiedziała, zmusił Ophélie do słuchania.

– Miałaś wypadek? – spytała chłodno, ale z troską. W końcu przyjaźniły się przez wiele lat.

– Nie. – Andrea zawahała się. – Jestem chora.

– Co ci jest?

Zapadło długie milczenie.

– Mam raka – powiedziała cicho. – Wykryli go dwa miesiące temu, ale lekarze mówią, że mam go już od dawna. Od roku miałam bóle brzucha, ale myślałam, że to z nerwów. Zaczęło się od jajników, teraz mam przerzuty do płuc i kości. Szybko to idzie.

Ophélie była zaszokowana. Łzy napłynęły jej do oczu.

– Miałaś chemioterapię?

– Tak, ciągle mam. Zrobili mi dwie operacje i po chemoterapii mam mieć naświetlania, ale chyba nie… Chyba tego nie dożyję. Kiepsko to wszystko wygląda. Wiem, że nie chcesz mnie widzieć, ale muszę cię o coś poprosić… Czy zajmiesz się moim dzieckiem?

Nim Andrea zdążyła zapytać, rozpłakały się obie.

– Teraz? – zapytała zdumiona Ophélie.

– Nie – odparła ze smutkiem Andrea. – Kiedy umrę. Myślę, że to nie potrwa długo. Może parę miesięcy.

Życie jest takie niesprawiedliwe, złe, nieprzewidywalne, pomyślała Ophélie. Dlaczego dzieją się takie rzeczy? Dlaczego umarł Ted i Chad? To, co usłyszała od Andrei, nią wstrząsnęło. Była przyjaciółka, niezależnie od tego, co jej zrobiła, nie zasłużyła na to, choć ona sama uważała inaczej.

– Może to jest kara boska za to, co ci zrobiłam. Wiem, że zwrot „przykro mi" niczego nie załatwia, ale tak jest. Miałam dużo czasu, żeby to przemyśleć. I przepraszam. Weźmiesz Williego? – spytała znowu.

– Tak – powiedziała Ophélie przez łzy. Myślała o tym, ile Matt zrobił dla Pip, chociaż znali się zaledwie osiem czy dziewięć miesięcy. Wiedziała, że Andrea poza nią nie ma nikogo. Ophélie jest matką chrzestną Williego i to nie jego wina, że spłodził go Ted. – Gdzie on teraz jest? Czy ktoś ci pomaga?

– Zatrudniłam opiekunkę – wyjaśniła Andrea zmęczonym głosem. – Chcę, żeby był przy mnie do końca. – Mówiła o tym rzeczowo i to było okropne. Niewiarygodne. Ma zaledwie czterdzieści pięć lat. Jej syn nie będzie znał swoich rodziców.

Matt wszedł, kiedy Ophélie jeszcze rozmawiała z Andreą, i spojrzał na nią zaskoczony. Zauważył, że Ophélie płacze, i dyskretnie wyszedł z pokoju. Wiedział, że później mu o wszystkim opowie.

– Czy mogę coś dla ciebie teraz zrobić? – spytała ze smutkiem Ophélie. Nie chciała, by panowała między nimi wrogość, zwłaszcza w takiej sytuacji, chociaż wiedziała, że trudno będzie zasypać przepaść, jaka między nimi powstała.

– Chciałabym cię jeszcze zobaczyć – powiedziała Andrea słabym głosem. – Ale przeważnie bardzo źle się czuję. Chemioterapia jest okropnie męcząca.

– A ja nie wychodzę jeszcze z domu. Przyjdę do ciebie, jak tylko będę mogła.

– Przygotuję nowy testament, w którym napiszę, że zostawiam Williego tobie. Jesteś pewna, że dasz sobie radę, i nie będziesz go nienawidziła za to, co zrobiłam?

– Wcale ciebie nie nienawidzę – odparła spokojnie Ophélie. – Jest mi smutno. Zostałam skrzywdzona. – Już wybaczyła Andrei. W końcu była to także wina Teda. To sprawiło Ophélie największą przykrość. Ale tyle wydarzyło się od tamtej pory.

– Będę w kontakcie i dam ci znać, co się u mnie dzieje. Zapiszę twój numer na liście numerów awaryjnych i podam go opiekunce na wszelki wypadek, gdybym sama nie mogła zadzwonić.

– Musisz się trzymać, Andreo. Nie możesz się poddać. – Wszystko, co Ophélie usłyszała, napełniło ją głębokim smutkiem i żalem, że nie może jeszcze wychodzić z domu. Jednocześnie nie miała wątpliwości, że spotkanie z Andreą byłoby dla niej bardzo stresujące. – Zadzwonię do ciebie. Daj znać, jak się czujesz.

– Dobrze – powiedziała Andrea z płaczem. – Dziękuję. Wiem, że się nim zaopiekujesz.

– Obiecuję ci to. – Postanowiła powiedzieć jej o ślubie. Andrea miała prawo wiedzieć. – W czerwcu wychodzę za mąż. Za Matta.

Zapadła chwila ciszy, a potem usłyszała westchnienie. Jakby Andrea poczuła się rozgrzeszona, że nie zniszczyła życia Ophélie.

– Bardzo się cieszę. To porządny człowiek. Mam nadzieję, że będziecie szczęśliwi.

– Ja też. Niedługo zadzwonię. Uważaj na siebie.

– Kocham cię… I przepraszam – szepnęła Andrea i się rozłączyła.

Ophélie powoli odłożyła słuchawkę. Matt wrócił do pokoju.

– Co się stało? Z kim rozmawiałaś?

Ophélie była roztrzęsiona.

– Z Andreą – odparła, patrząc mu w oczy.

– Pierwszy raz od tamtego czasu?

Skinęła głową.

– Błagała o wybaczenie?

Matt nadal był wściekły za to, co Andrea i Ted zrobili Ophélie. Zdała sobie sprawę, że powinna była spytać ją o dziecko. Ale przecież nie mogła odmówić. Nie mogła i nie powinna. W końcu Willie jest przyrodnim bratem Pip i synem Teda.

– Ona umiera, Matt.

– Co się stało? – spytał zaskoczony.

– Dowiedziała się dwa miesiące temu. Ma raka jajników, z przerzutami do płuc i kości. Uważa, że ma przed sobą najwyżej kilka miesięcy życia. Chce, żebym wzięła dziecko... Żebyśmy my wzięli... – Postanowiła się przyznać. – Zgodziłam się. Co o tym myślisz? Powiedziałam jej, że bierzemy ślub... ale mogę się wycofać, jeśli chcesz. Tylko że Andrea nie ma nikogo. Jakie jest twoje zdanie?

Usiadł na chwilę w nogach łóżka i zamyślił się. Z pewnością to poważna zmiana w ich życiu, zupełnie nieoczekiwana, choć zrozumiała z punktu widzenia Ophélie. Trudno byłoby jej odmówić, zwłaszcza jej, skoro Willie jest przyrodnim bratem Pip i synem Teda. Co za dziwna sytuacja.

– Nasza rodzina rozrasta się w postępie geometrycznym. Nie wyobrażam sobie, żebyś go nie wzięła. Naprawdę sądzisz, że Andrea niebawem umrze?

– Na to wygląda.

– Nie mamy specjalnego wyboru. Przynajmniej Willie jest fajny – dodał, pochylając się i całując Ophélie.

Matt, jak zwykle, zachował się fantastycznie. Postanowili, że na razie nie powiedzą nic Pip. Dość już przeżyła przez ostatnich sześć tygodni, nie musi wiedzieć, że Andrea umiera.

Kilka dni później Ophélie dostała od Andrei list z podziękowaniem, ale przyjaciółka już nie zadzwoniła. Ophélie zamierzała się do niej odezwać, jednak sama była tak słaba i zmęczona, że wciąż to odkładała. Dwa tygodnie później Matt zabrał ją z Pip i z psem na plażę. Poszli na króciutki spacer, a później usiedli na słońcu. Był dopiero marzec, ale w powietrzu czuło się już lato. Rozmawiali o małżeńskich planach i doszli do wniosku, że wezmą cichy ślub na plaży, tylko w obecności dzieci, z księdzem, którego Matt zna z Bolinas. Żadne z nich nie chciało uroczystej ceremonii.

Dwa dni potem znowu pojechali na plażę, tym razem w dwójkę, w piękny słoneczny dzień. Ophélie sądziła, że morskie powietrze dobrze jej zrobi, a Matt przyznał jej rację, choć planował coś zupełnie innego. Zabrali trochę jedzenia, bo Matt miał pustą lodówkę. Kiedy weszli do domu, Matt postawił koszyk z jedzeniem na stole i włączył muzykę. Ophélie domyślała, jakie ma plany, i była na nie gotowa.

Matt wziął ją w objęcia i pocałował. Poszła za nim do sypialni, gdzie delikatnie ją rozebrał i położył na łóżku, kładąc się obok. Przez jakiś czas pieścili się czule, aż pochłonęła ich namiętność i przeniosła na morskie fale. To było połączenie dwojga ludzi, dwóch serc, dwóch światów, i tego właśnie chcieli. Na to mieli nadzieję i o tym marzyli. I marzenie się w końcu spełniło, kiedy leżeli objęci w domu w Safe Harbour.

Rozdział 28

Przez następne dwa tygodnie Ophélie zamierzała się skontaktować z Andreą, jednak była bardzo zajęta, gdyż podczas choroby zgromadziło się wiele spraw, które należało załatwić. Musiała pójść na zamknięte posiedzenie sądu w sprawie człowieka, który do niej strzelał, ponieważ obrona chciała odrzucić jej zeznanie i nie dopuścić jej do wystąpienia w sądzie. Po wyczerpujących paru godzinach w sądzie, gdzie towarzyszył jej Matt, wniosek obrony odrzucono. Zawsze coś jej przeszkadzało, kiedy chciała zadzwonić do Andrei. W końcu pewnego dnia postanowiła, że na pewno zadzwoni, nim Pip wróci ze szkoły. Usiadła przy telefonie i w tej chwili zadzwoniła opiekunka Williego.

– Właśnie miałam dzwonić – powiedziała Ophélie. – Jak ona się czuje? Cieszę się, że pani dzwoni.

Głos w słuchawce brzmiał niepewnie i niechętnie.

– Umarła dziś rano.

Ophélie poczuła się jak uderzona obuchem.

– O mój Boże... Tak mi przykro... Nie wiedziałam... Myślałam... Mówiła, że ma jeszcze kilka miesięcy... Nie miałam pojęcia, że to się zdarzy tak szybko.

Śmierć przeważnie nie jest zaplanowana. Ophélie przypomniała sobie, jak niecały rok wcześniej asystowała przy narodzinach Williego. To było takie radosne, ekscytujące i wzruszające wydarzenie. Doszła do wniosku, że taką Andreę chciałaby zapamiętać. I że to dobrze, że nie widziała jej chorej. Po prawie dwudziestu latach przyjaźni ich drogi się rozeszły. Widocznie tak miało być. Andrea wybrała życie, w którym zabrakło miejsca dla Ophélie. Popełniła straszny błąd i potwornie zraniła Ophélie, ale zostało dziecko. Dziwne zawirowania życiowe nigdy nie prowadzą do tego, czego się człowiek spodziewa, i nie można nawet próbować zgadywać, co jest nam przeznaczone.

– Czy będzie pogrzeb? – spytała Ophélie, zastanawiając się, czy może to ona powinna się nim zająć.

W swoim czasie Ophélie wydała przyjęcie z okazji chrztu Williego, a teraz przyszła pora na pogrzeb jego matki. Opiekunka wyjaśniła, że Andrea życzyła sobie kremacji i rozsypania prochów w morzu. Bez mszy, bez żadnych uroczystości, bez nagrobka. Chciała zostać jedynie w ludzkiej pamięci. Tak jest prościej i Ophélie przyznała jej rację.

Wcześniej Andrea zaplanowała sprzedaż mieszkania i rozdysponowała swoje rzeczy. Został tylko Willie. Opiekunka zaproponowała, że przywiezie go po południu do Ophélie, która musiała w końcu powiedzieć o tym Pip.

Kiedy Pip wróciła z Mattem ze szkoły, Ophélie czekała na nią w kuchni. Pip natychmiast zorientowała się, że coś się stało. Matt już wiedział, Ophélie zadzwoniła do niego na komórkę, kiedy jechał po Pip. Obiecał, że zrobi wszystko, by im pomóc.

– Co się stało? – Pip dobrze pamiętała ostatni raz, kiedy matka była tak zdenerwowana. Wtedy wyglądała znacznie gorzej, ale dziewczynka i tak się przestraszyła. Pomyślała, że rozmyślili się w sprawie ślubu, ale Ophélie wyprowadziła ją z błędu, choć powiedziała, że ma dla niej przykrą wiadomość.

– Czy to Mus? – Pies wyszedł do ogrodu i Pip go nie widziała.

– Nie, Andrea. Umarła dziś rano. Była ciężko chora. Zadzwoniła do mnie dwa tygodnie temu, ale nie chciałam ci mówić.

– Nadal byłaś na nią zła? – zapytała Pip, przyglądając się uważnie matce.

– Raczej nie. Pogodziłyśmy się, kiedy zadzwoniła i powiedziała, że jest chora.

– Co ona ci zrobiła?

Ophélie i Matt spojrzeli na siebie. Matt był ciekaw, co Ophélie powie córce.

– Wyjaśnię ci to, gdy będziesz starsza.

– To musiało być coś bardzo złego – stwierdziła poważnie Pip.

Dobrze znała matkę i wiedziała, że gdyby chodziło o coś mało ważnego, Ophélie już dawno wybaczyłaby Andrei.

– Dla mnie tak.

– Co się stanie z Williem? – spytała ze smutkiem Pip.

– Będzie u nas – odpowiedziała spokojnie Ophélie.

Pip spojrzała na nią szeroko otwartymi oczami.

– Naprawdę? Już od teraz?

– Od dzisiaj.

Matt uśmiechnął się, widząc radość Pip.

Po południu opiekunka przywiozła Williego i wszystkie jego rzeczy. To był szalenie emocjonujący moment dla Ophélie. Willie bardzo urósł przez ostatnie cztery miesiące. Ophélie zaproponowała opiekunce, żeby została u nich i nadal zajmowała się dzieckiem, i propozycja została przyjęta. Ophélie jeszcze nie była jeszcze zbyt silna. Poza tym musiała mieć też trochę czasu dla Pip i Matta, a takie małe dziecko wymaga nieustannej opieki.

Po krótkim namyśle zaproponowała Mattowi, żeby przeniósł się do jej sypialni, skoro i tak niedługo mają się pobrać, a gabinet Teda oddała dziecku i opiekunce. To było tymczasowe rozwiązanie. Pokój Chada nadal był świętym miejscem i nikt nie miał tam wstępu. Ophélie przyznała rację Mattowi, że niedługo będą musieli kupić nowy dom, gdyż chciała mieć też gościnne pokoje dla Roberta i Vanessy. Na razie, gdyby Vanessa przyjechała w odwiedziny, musiałaby spać w jednym pokoju z Pip, co oczywiście byłoby możliwe, ale zaczynało im się robić za ciasno. Natomiast dom Matta nad morzem, z jedną sypialnią i przytulnym pokojem z kominkiem, mógł służyć jedynie za romantyczne schronienie Mattowi i Ophélie.

– Wszystko tak szybko się zmienia, prawda, kochanie? – powiedział z uśmiechem Matt do Ophélie, leżąc obok niej.

Pip zasnęła z Musem w nogach łóżka, a opiekunka z Williem rozgościła się w przeznaczonym dla nich pokoju.

– A teraz wyobraź sobie, że zajdę w ciążę! – zażartowała Ophélie, choć nie zamierzała już powiększać rodziny, która po przyjściu Williego była dostatecznie duża.

Przed zaśnięciem podziękowała Mattowi, że przyjął wszystko z takim spokojem.

– Tutaj człowiek nie jest pewien dnia ani godziny – odparł z uśmiechem. – Zaczyna mi się to podobać.

– Mnie też. – Ophélie przytuliła się do Matta.

Parę minut później wszyscy mieszkańcy domu przy Clay Street głęboko spali.

Rozdział 29

Czerwcowy dzień ich ślubu wstał cudownie słoneczny. Na horyzoncie kołysały się łodzie rybackie, plaża była świeżo posprzątana. Safe Harbour nigdy nie wyglądało lepiej.

Ksiądz przybył o wpół do dwunastej, a ślub miał się odbyć w samo południe. Ophélie włożyła długą suknię z białej koronki, w ręku trzymała bukiet tuberoz. Vanessa i Pip miały białe lniane sukienki. Matt i Robert byli w garniturach, Willie, na rękach opiekunki, miał na sobie granatowo-białe marynarskie ubranko. Właśnie zaczął chodzić i niania włożyła mu pierwsze w życiu buciki. Ophélie zauważyła z ulgą, że jest bardzo podobny do matki. Podobieństwo do Teda trudno byłoby wytłumaczyć, zwłaszcza że trochę przypominał z wyglądu Pip. Kiedy ludzie o tym wspominali, Pip była wyraźnie zadowolona. Nie miała pojęcia – i Ophélie żywiła nadzieję, że jeszcze długo nie będzie miała – że Willie naprawdę należy do rodziny.

Wszystkim dopisywały humory. Następnego dnia wyjeżdżali do Francji, żeby spędzić tydzień w Paryżu i dwa tygodnie na Cap d'Antibes. Matt zafundował im tę kosztowną podróż, twierdząc, że przez całe lata prawie nie wydawał pieniędzy. Po powrocie mieli szukać nowego domu, bo ten przy Clay Street pękał w szwach.

Robert był drużbą, Vanessa i Pip – druhnami. Początkowo myśleli, że Willie mógłby trzymać obrączki, ale ponieważ wyrzynał mu się kolejny ząbek, obawiali się, że mógłby je wziąć do buzi i połknąć.

Ksiądz wygłosił krótką i wzruszającą mowę o łączeniu rodzin, zmartwychwstaniu ducha, wybaczaniu krzywd i pokonaniu smutków, o nadziei, radości i miłości, która łączy i scala rodzinę. Ophélie, słuchając go, spojrzała na plażę, dokładnie na miejsce, w którym prawie rok temu Pip poznała Matta, i pomyślała o szczęśliwym trafie i zbiegu okoliczności, które ich połączyły. Wszystko dlatego że pewnego dnia mała dziewczynka wybrała się na spacer z psem.

Matt zobaczył, że Ophélie skierowała wzrok ku plaży, i pomyślał dokładnie o tych samych rzeczach. A potem spojrzeli sobie w oczy. Szczęśliwy traf sprawił, że są teraz razem, choć potrzeba było nie tylko szczęścia i miłości, lecz również mądrości i odwagi, i woli, żeby wyciągnąć rękę i mocno chwycić to, co dostali. O ileż łatwiej byłoby nie próbować, uciec i schować się, lecząc stare rany. Zaryzykowali, przeszli przez ciemność i chłód, obronili się przed demonami, przeciwstawili się strachom i postanowili razem stawić czoło wszystkiemu. Tego dnia świętowali nie tyle akt miłości, ile akt odwagi, wiary i nadziei. Wszystkie części dopasowały się do siebie, wszystkie początkowo luźne nitki splotły się w tkaninę ich nowego, wspólnego życia. I był to ich świadomy wybór, żeby nie poddać się śmierci, lecz wybrać życie. Ophélie i Matt stąpali po linie, żeby przejść bezpiecznie na drugą stronę. Znaleźli to, czego pragnęli i o co walczyli, i wreszcie dotarli do bezpiecznej przystani, w której schronili się przed sztormami.

A kiedy ksiądz zapytał Ophélie, czy bierze tego mężczyznę za męża, Pip razem z matką szepnęła:

– Tak.